NOUVELLES

Du même auteur
dans la même collection

À REBOURS (édition avec dossier)
LÀ-BAS

ISBN : 978-2-0807-1313-1.

HUYSMANS

NOUVELLES

SAC AU DOS
À VAU-L'EAU
UN DILEMME
LA RETRAITE DE MONSIEUR BOUGRAN

Présentation, notes, notices, annexes, chronologie et bibliographie par
Daniel GROJNOWSKI

GF Flammarion

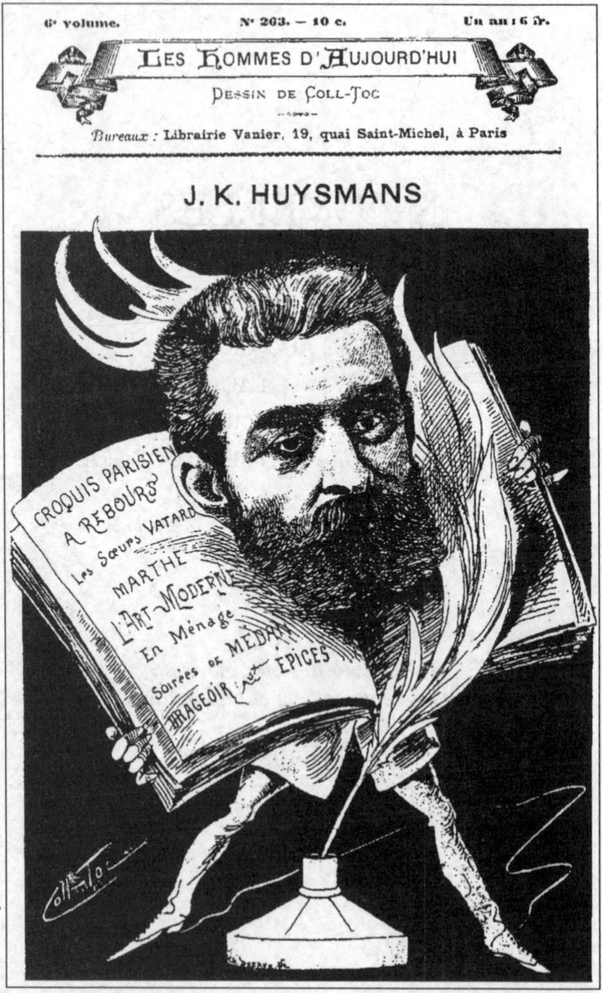

6e volume. N° 263. — 10 c. Un an : 6 fr.

LES HOMMES D'AUJOURD'HUI

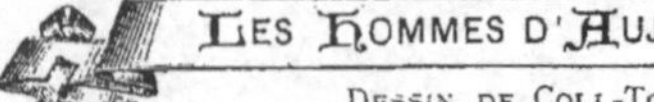

DESSIN DE COLL-TOC

Bureaux : Librairie Vanier, 19, quai Saint-Michel, à Paris

J. K. HUYSMANS

Collection particulière

Joris-Karl Huysmans par Coll-Toc (Émile Cohl) dans *Les Hommes d'aujourd'hui*, n° 263, 1885

PRÉSENTATION

HUYSMANS ET L'ART DE LA NOUVELLE

« *Inconnu au bataillon* », disait-on à propos d'un nom propre qui, à l'armée, ne figurait pas sur la liste d'appel des conscrits. On emploiera la même expression à propos de Joris-Karl Huysmans. Il ne figure pas, en effet, au sommaire d'une anthologie aussi complète et bien informée que *Nouvelles des siècles : 44 histoires du XIXe siècle*, due à l'un des meilleurs spécialistes du récit bref. René Godenne illustre cependant d'abondance ce qu'il considère à juste titre comme un « âge d'or » :

> C'est un genre littéraire que recouvrent bizarrement toutes sortes de noms – histoires, contes, récits, nouvelles –, synonymes tour à tour de textes sérieux ou amusants, graves ou farfelus, de textes vrais ou fantastiques, de textes courts ou longs.
>
> Ce sont des textes où tout le sel d'une histoire, d'une vie, d'une aventure peut être dit définitivement en quelques pages, car la recherche de l'essentiel s'y articule autour de moments de vie si grands et si bouleversants qu'il ne semble pas que quiconque les ait jamais saisis (selon les mots de Fitzgerald) [1].

1. *Nouvelles des siècles : 44 histoires du XIXe siècle*, textes réunis et présentés par R. Godenne, Omnibus, 2000. Nous reproduisons les deux premiers paragraphes de la quatrième de couverture.

Au plaisir de retrouver dans un ouvrage les noms des plus célèbres nouvellistes (Mérimée, Villiers de l'Isle-Adam, Maupassant), s'ajoute celui d'en découvrir d'autres moins connus ou parfois oubliés, dont le présentateur considère qu'ils méritent d'être exhumés : Louis Reybaud (« Un bal à bord du Majestic »), Émile Pouvillon (« Zagal »), Maurice Bouchor (« Le Shakespearomane »), entre autres exemples. Or les auteurs de nouvelles français de la deuxième moitié du XIXe siècle partagent les faveurs du public avec bien d'autres, traduits notamment de l'anglais (Poe) ou du russe (Tourgueniev), pour mentionner deux noms parmi les plus appréciés. La presse assure leur succès, si bien que cette prolifération estompe des écrits dont la singularité émerge parfois avec retard.

En dépit de la réédition régulière du recueil « manifeste » des écrivains naturalistes, *Les Soirées de Médan* (1880), l'auteur de *Sac au dos* demeure méconnu, éclipsé par Maupassant qui avec « Boule de suif », au sommaire du recueil, s'est de prime abord imposé par un coup de maître [1]. Les cinq jeunes auteurs qui se placent sous le patronage de Zola feront chacun œuvre de romanciers, un genre considéré comme plus prestigieux, sans qu'ils tiennent pour autant le récit bref pour quantité négligeable [2]. Quoi qu'il en soit, plusieurs raisons expliquent que les nouvelles de Huysmans sont jusqu'à nos jours demeurées dans l'ombre.

En premier lieu, il a multiplié les écrits de toutes sortes, poèmes en prose, articles et préfaces, critique

1. *Les Soirées de Médan* (1880) réunissent, à la suite d'Émile Zola, cinq jeunes disciples dans l'ordre suivant, tiré au hasard, sauf pour le dernier texte, parvenu tardivement à l'éditeur : « Boule de suif » (Guy de Maupassant), « Sac au dos » (Joris-Karl Huysmans), « La Saignée » (Henry Céard), « L'Affaire du Grand 7 » (Léon Hennique), « Après la bataille » (Paul Alexis). On se reportera à l'édition de C. Becker, Le Livre à venir, 1981.

2. La plupart des collaborateurs des *Soirées de Médan* ont publié des nouvelles, souvent réunies en recueils. Toutefois leurs ambitions les tournent tous vers le roman dont ils attendent succès d'auteur et consécration d'écrivain.

d'art et critique littéraire, hagiographie ou encore mime : une telle profusion brouille les pistes. En second lieu, il a tôt occupé le devant de la scène en publiant des romans qui concernent tour à tour la fille publique, un sujet que la censure juge alors suspect (*Marthe*) ; l'esthète décadent de la « fin du siècle » (*À rebours*) ; le satanisme (*Là-bas*) ; la conversion à la religion catholique (*En route*, *L'Oblat*, *La Cathédrale*). En troisième lieu, Huysmans a publié en volumes – de petits *in-octavo* – deux de ses récits, *À vau-l'eau* et *Un dilemme*, comme s'il s'agissait de romans brefs. De fait, la notion de genre tend alors à s'estomper au profit des *écoles* et des *mouvements* que recense l'histoire littéraire. Au regard du lecteur, la nature du « récit » est mal définie, elle désigne un genre « non genre », pourrait-on dire. En dernier lieu, Joris-Karl Huysmans est un auteur qui force l'attention par ses incartades, ses outrances, ses polémiques, ses revirements. Défenseur de *L'Assommoir*, il rompt avec le naturalisme ; combattant de l'art moderne, il fait l'éloge de peintres réputés académiques comme Gustave Moreau, hors du temps comme Odilon Redon, scabreux comme Félicien Rops. Tout en menant des combats qui prônent la « vérité » en art, il se plaît à prendre le contre-pied de l'opinion courante. Éclectique, il se fait le porte-parole de *Certains*, pour mentionner le titre d'un de ses recueils d'articles. Il qualifie bientôt son « naturalisme » de « mystique [1] ». Parmi ses maîtres à penser et à écrire figurent Baudelaire et Barbey d'Aurevilly. Bref, il se veut inclassable, non pas auteur qui pratique un genre donné mais écrivain de style. Voilà pour l'image publique de celui qui, durant une bonne trentaine d'années, n'a cessé de faire parler lui.

Il n'en demeure pas moins que l'appréhension générique des écrits littéraires persiste, tant auprès du public que des éditeurs et des auteurs – et cela jusqu'à nos

1. Huysmans parle aussi de « réalisme surnaturel ». Voir *Là-bas*, Gallimard, « Folio », 1985, chap. I, p. 35.

jours. Tous apprécient les récits qui paraissent aussi bien dans la presse à grand tirage que dans des revues d'audience restreinte. Dès 1833, Jules Janin, dans *La Revue de Paris*, tourne en dérision les contes qui de toutes parts « tombent comme la grêle ». Le récit bref – conte ou nouvelle –, parce qu'il « prend toutes les formes, parce qu'il se plie à tous les tons », ne manque pas de rencontrer le succès. Facile à lire et facile à écrire, c'est « de la petite monnaie littéraire » accessible à tous (« La centmillième et une et dernière dernière nouvelle [1] »). Les éditeurs, pour leur part, assemblent volontiers en volumes des récits qui ont trouvé leurs adeptes au fil des publications périodiques. Les écrivains enfin ne peuvent dédaigner le marché qui s'ouvre à leurs fictions. Il leur arrive de faire paraître les mêmes textes à plusieurs reprises, dans des publications diverses, en se faisant à chaque fois rémunérer, avant de les réunir en volumes.

Bien qu'elle soit relativement peu estimée et rarement théorisée, la nouvelle, au XIXe siècle, et tout particulièrement dans les dernières décennies, doit un surcroît de faveur au développement de la presse et des grandes ou des petites revues. Le genre est régulièrement signalé dans les sommaires, et un auteur comme Huysmans, à défaut de bénéficier des tirages d'un Maupassant ou des succès d'estime d'un Villiers de l'Isle-Adam, s'efforce, à ses débuts, de trouver sa manière. Devenu un écrivain réputé, il consacre cette veine. Dans un volume paru en 1902, en regard de la page-titre, figure au nombre des œuvres « du même auteur » une section « Nouvelles » qui mentionne *Sac au dos* (1880), *À vau-l'eau* (1882), *Un dilemme* (1884) – mais non *La Retraite de Monsieur Bougran* (1888), refusée par son commanditaire. De toute évidence, Huysmans fait valoir l'ensemble de ses productions sans établir de hiérarchie.

---

1. On se reportera à l'anthologie de R. Godenne, *op. cit.*, p. 123-147.

Le Roman en 1886, par Coll-Toc (Émile Cohl)
dans *Le Charivari*, jeudi 2 septembre 1886

Au premier rang, de la gauche vers la droite : Émile Zola, Alphonse Daudet, Paul Bourget, Joris-Karl Huysmans.
Au deuxième rang : Edmond de Goncourt, Guy de Maupassant.

Reste à comprendre pourquoi un genre aussi galvaudé a pu susciter son intérêt. Si le poème en prose lui offre la matière d'une *écriture* élaborée, si le roman lui permet toutes sortes d'expériences et d'escapades, si la critique d'art ouvre à ses passions un vaste champ de luttes, que peut-il attendre d'une pratique de la nouvelle ? Son répertoire est déjà fourni et il se sait par ailleurs peu imaginatif, peinant à inventer de *belles histoires*. Se situant par rapport à une multitude de récits en vogue, il a sans doute recherché une formule qui lui serait propre. Et, faute d'un accueil favorable, il l'a trouvée sans en avoir pleinement tiré parti.

Le poème en prose, le fragment, la petite forme, la nouvelle

Le premier livre que publie Joris-Karl Huysmans, à l'âge de vingt-six ans, est un recueil de poèmes en prose, *Le Drageoir à épices*. À la même époque, il collabore à plusieurs revues où il fait paraître des comptes rendus, des transpositions d'art. *Croquis parisiens*, son deuxième recueil de poèmes en prose, assemble un certain nombre de ces pièces et les regroupe en quelques sections, « Paysages », « Fantaisies et petits coins », « Natures mortes ». Celle qui s'intitule « Types de Paris » transfère les *Physiologies* de l'époque romantique en scènes de genre naturalistes. Le poème en prose offre l'avantage d'une forme littéraire qui, par une expression élaborée de type « poétique », représente des réalités ordinaires, voire triviales : « Le Marchand de marrons », « La Lingère », « L'Ambulante ». Huysmans travaille à la manière d'un Chardin ou des maîtres hollandais qui s'attachent à célébrer scènes ou objets de la vie quotidienne. Cette mise en tableaux par les mots délimite les éléments divers de l'« humble réalité », tout en les associant étroitement à une écriture *artiste* et, de manière plus générale, à un projet ouvertement esthétique.

Les poèmes en prose permettent la constitution de recueils. Avec *Le Spleen de Paris*, Baudelaire avait entrepris « la description de la vie moderne » et des « villes énormes », en recourant au « miracle d'une prose poétique, musicale, sans rythme et sans rime », comme il l'indique dans sa dédicace « À Arsène Houssaye ». L'ensemble des pièces sont réunies en « un petit ouvrage » sans queue ni tête dont chaque partie se suffit à elle-même, tout en entretenant des relations avec les autres. Ces « fragments » forment *un tout* au double sens du terme : pris isolément ou considérés en tant qu'ensemble. Dans les recueils de Huysmans, l'autonomie des différentes pièces permet d'utiliser des techniques variées (« Ballade en prose », « Ritournelle ») et de traiter des sujets hétéroclites, notamment dans la dernière section des *Croquis parisiens*, « Paraphrases », réservée aux rêves et aux rêveries. Ainsi conçu, le recueil se fait kaléidoscopique. Il autorise, à l'occasion, une transposition délirante des réalités les plus banales, comme le montre l'évocation d'un moment passé dans un salon de coiffure :

> Brutalement, votre tête voltige comme sur des raquettes entre les bras du pommadin qui rugit et se démène ; votre cou craque, vos yeux jaillissent, la congestion commence, la folie menace [...]. On se lève chancelant, pâle, comme au sortir d'une longue maladie, guidé par le bourreau qui vous précipite le chef dans une cuvette.
>
> « Le Coiffeur », *Croquis parisiens.*

Baudelaire parle de « fragments » à propos des poèmes qui forment son recueil. À partir d'une disposition comparable, Huysmans marque une préférence pour ce qu'on pourrait appeler des « Petites formes [1] », c'est-à-dire des pièces qu'on goûte pour elles-mêmes dans leur succession ou dans la logique d'un libre parcours. Elles lui conviennent tout particulièrement parce qu'elles privilégient les recherches d'expression.

---

1. J'emprunte cette dénomination à F. Delay, *Petites Formes en prose après Edison*, Fayard, 1987.

Lorsqu'il entreprend d'écrire un roman, il peine à concevoir des « sagas » sociales comme celles qu'ont réalisées des auteurs de premier ordre, Balzac ou Zola. Pour sa part, il préfère les toiles de chevalet aux fresques, il compose morceau par morceau, si bien que ses romans sont le produit d'une sorte de « montage » où se succèdent toutes sortes de développements, spéculatifs, descriptifs ou narratifs. Il en va ainsi pour les trois rêves qui rompent le cours de l'aventure dans *En rade*. Et plus encore dans *À rebours* qui ne cesse, au long de ses seize chapitres, d'aligner les morceaux de bravoure. À vrai dire, ce roman organise une *suite* de morceaux choisis : la décoration d'une carapace de tortue au chapitre IV, l'évocation de *Salomé dansant devant le roi Hérode* de Gustave Moreau au chapitre V, l'achat de fleurs exotiques au chapitre VIII, etc. Ce type de composition est exposé au chapitre XIV, lorsque le narrateur fait l'éloge, à propos des poèmes en prose de Mallarmé, des formes concentrées qui présentent « le suc concret, l'osmazome de la littérature, l'huile essentielle de l'art » :

> Le roman, ainsi conçu, ainsi condensé en une page ou deux, deviendrait une communion de pensée entre un magique écrivain et un idéal lecteur, [...] une délectation offerte aux délicats, accessible à eux seuls [1].

D'autres épisodes du même roman peuvent être lus comme des unités narratives faciles à isoler, qui intéressent pour elles-mêmes, comme la mésaventure d'Aiguirande dont l'épouse souhaite agrémenter de meubles adaptés son logement en rotonde, ou l'épisode qui montre le héros pousser à la débauche un gamin, ouvrier cartonnier (chap. IV). Toujours dans *À rebours*, le chapitre XI délimite une véritable « nouvelle » qu'on détacherait sans dommage pour donner à lire une *aventure* au cours de laquelle le héros entreprend un long voyage : il se rend à Londres... sans quitter

1. Huysmans, *À rebours*, GF-Flammarion, 2004, chap. XIV, p. 227.

Paris ! En somme, le roman que préconise l'auteur n'exclut aucune formule relevant d'autres appartenances.

Huysmans n'a pas la fibre théoricienne d'un Zola qui, pour rameuter les jeunes écrivains, enfourche un cheval de bataille et part à la conquête du roman *expérimental.* Mais *À rebours* n'en consacre pas moins de longues pages à des auteurs que le narrateur appréhende et apprécie suivant les catégories en cours. Après avoir exalté les écrivains qui se plaisent dans l'excès (chap. XII), il les envisage eu égard à des genres qu'il classe suivant un ordre savamment gradué, en commençant par les romanciers (Gustave Flaubert, les frères Goncourt, Émile Zola), passant par les poètes (Paul Verlaine, Tristan Corbière, Théodore Hannon) et terminant par le poème en prose. Juste avant ce dernier type d'écrit, mis en exergue parce que promoteur de nouveauté, Huysmans s'attarde longuement sur deux maîtres de la nouvelle, Edgar Allan Poe et Villiers de l'Isle-Adam. À propos de leurs récits, il parle d'« études » et d'« observations », Poe se plaisant à rendre compte de « cas » qui relèvent de la pathologie cérébrale, Villiers faisant la part belle à une manière de dire en laquelle l'auteur d'*À rebours* se dépeint également lui-même, notamment lorsqu'il parle de « fumisterie grave et acerbe [1] ».

Parce qu'il se sent en mesure de répondre aux sollicitations diverses des revues et des éditeurs, Huysmans est plus que d'autres rebelle à une conception stricte des catégories génériques. Elles lui paraissent secondaires en comparaison des recherches d'expression, d'autant que le récit, en se délestant de ses éléments *romanesques*, n'exclut pas d'autres types, tels la chronique, l'essai ou le poème en prose. Huysmans n'est pas placé devant une double contrainte – pratiquer un genre défini ou faire œuvre de style – mais, tout au contraire, devant une gageure qui le met chaque fois à l'épreuve d'une manière personnelle. On

1. *Ibid.*, p. 223.

ne s'étonne donc pas que, tout en prétendant subvertir les catégories littéraires, il envisage ses projets en s'y référant. À plusieurs reprises, il note dans un carnet de travail des sujets à traiter. Ainsi pour ce qui deviendra *La Retraite de Monsieur Bougran* :

> Nouvelle – pendt à vau-l'eau, avec Georges – 3 jours de vacances – faire le ministère. Mis à la retraite, s'invente des cas pr les résoudre. Il correspond : Guerre – Justice – rédige ses lettres, les dates (il n'y a que des minutes), va dans les bureaux où il a conservé des amis pour justifier le bien-fondé de ses solutions – un costume de garçon de bureau le remue – a des cartons – pièce administrative – bon marché ! emporte les enveloppes, etc. – d'anciens dossiers pr lui tout seul – sort à l'heure du déjeuner, rentre pr 11 heures – feuille de présence – se prive de quelque chose – la folie douce de l'hystérie administrative – ah ! c'est tout de même pas l'illusion entière, s'en meurt [1] !

Un autre de ses projets met en évidence le caractère imprécis des frontières, puisqu'il évoque tour à tour le scénario de ce qui deviendra un roman ou une nouvelle, selon l'importance qu'il lui accordera en nombre de pages et de chapitres :

> Un roman où la femme n'existe pas. Elle n'est que dans l'imagination de celui qui l'aime et la crée. Il converse avec elle, est lui-même.
>
> Cette nouvelle de la femme qui n'existe pas, déjà notée. Rêver qu'on est malade, qu'elle vous soigne – s'imaginer une vie, amour piété – sœur de charité – puis finir, en cassant le dernier tison à coup de pincette, en s'injuriant, en s'en allant coucher [...] [2].

Toutefois, dans un autre exemple, s'impose à lui une conception clairement définie. Le sujet qu'il note ne pourrait en effet aucunement se prêter à un déve-

---

1. Huysmans a rédigé cette idée de nouvelle dans son *Carnet vert*. Elle est reproduite dans la présentation de *La Retraite de Monsieur Bougran*, in *Romans*, I, Robert Laffont, « Bouquins », 2005, p. 951.

2. *Le Carnet vert*, cité par S. Duran, in *Huysmans, à côté et au-delà*, Peeters, Vrin, 2001, p. 265.

loppement romanesque. À la date du 26 mai 1890, dans ce même *Carnet*, Huysmans colle deux coupures de presse relatant un fait divers particulièrement dramatique : une femme désespérée, âgée de vingt-cinq ans, s'étant jetée du haut des tours de Notre-Dame de Paris, a écrasé dans sa chute un passant qui traversait le parvis. L'interférence de ces deux destins ne manque pas de frapper un auteur de fictions toujours en quête de matériaux :

> Une nouvelle – deux existences absolument différentes – sans liens entre elles – racontées en une nouvelle – à la fin, le point de jonction la mort – l'une tombe sur l'autre –[1].

On voit que Huysmans, une bonne dizaine d'années durant, écrit des nouvelles de manière empirique, suivant les commandes ou suivant les idées qui lui viennent, sans trop se poser de questions. Sur ce marché très sollicité, où l'offre excède la demande, il rivalise en dépit de lui-même avec ses pairs. Il ne peut ignorer par ailleurs quelques maîtres devenus des classiques, parfois de leur vivant. On doit donc considérer son apport en le mettant en regard des productions et des conceptions qui lui sont contemporaines. On l'évalue alors par référence aux nouvellistes de son temps. Par référence et par différence.

La nouvelle : théories et pratiques

La profusion des contes et des récits dans la presse quotidienne et les publications périodiques a des effets inflationnistes. Mais elle provoque également une émulation à laquelle participent des auteurs étrangers traduits en français. Ils enrichissent le répertoire des sujets, des registres et des cadres, comme le montrent les multiples figures de l'exotisme, la terreur « gothique » ou la mélancolie slave. Par ailleurs, des essais théoriques rattachent la nouvelle à toutes les formes brèves

1. *Ibid.*, p. 268.

dont les amateurs d'art postulent la suprématie. On doit à Edgar Allan Poe une remarquable « défense et illustration » du genre. Elle impressionne d'autant plus que l'écrivain américain prétend fonder ses fictions sur des principes transcendants et que l'ensemble de ses écrits trouve un médiateur de premier ordre en la personne de Baudelaire. C'est par ses traductions et à travers ses commentaires que Huysmans le connaît, en même temps qu'il prend conscience de l'intérêt d'un type de récit peu considéré. Du coup, il se trouve sollicité à la fois par une poétique valorisante et par les options terre à terre du naturalisme qui l'ignorent.

Comme d'autres écrivains journalistes, Poe a publié de nombreuses pages qu'il a dénommées « contes » (« *tales* »), « articles » ou « papiers ». En même temps, dans l'absolu mépris des conditions matérielles de leur publication, il élabore une poétique qui les magnifie en s'attachant aux seuls impératifs de l'art. Affirmant que l'expression « poème long » comporte une contradiction insoluble, il exalte les écrits brefs, seuls aptes selon lui à mettre en œuvre une « totalité » qui rend perceptible l'activité créatrice. Par ses œuvres, l'auteur démiurge rend le lecteur sensible à la création divine. Ces conceptions fondent l'esthétique sur une théologie que les traductions de Baudelaire infléchissent dans le sens d'une poétique des genres [1].

> La *nouvelle* [...] a sur le roman à vastes proportions cet immense avantage que sa brièveté ajoute à l'intensité de l'effet [...]. L'unité d'impression, la *totalité* d'effet est un avantage immense qui peut donner à ce genre de composition une supériorité tout à fait particulière, à ce point qu'une nouvelle trop courte (c'est sans doute un défaut) vaut encore mieux qu'une nouvelle trop longue.
>
> « Notes nouvelles sur Edgar Poe », III, 1857 [2].

1. Voir D. Grojnowski, « De Baudelaire à Poe : l'*effet de totalité* », *Poétique*, février 1996, p. 101-109.
2. Ch. Baudelaire, in E. Poe, *Œuvres*, Gallimard, « Bibliothèque de la Pléiade », 1951, p. 1068-1069.

> La nouvelle, plus resserrée, plus condensée, jouit des bénéfices éternels de la contrainte : son effet est plus intense ; et comme le temps consacré à la lecture d'une nouvelle est bien moindre que celui nécessaire à la digestion d'un roman, rien ne se perd de la totalité de l'effet.
>
> « Théophile Gautier », 1859 [1].

Bien qu'il paraisse peu intéressé par les postulats religieux de Poe ou par les préoccupations poéticiennes de Baudelaire, Huysmans retient de ses lectures plusieurs arguments : à l'égal des autres formes brèves, la nouvelle constitue un *tout* indissociable ; elle donne à appréhender une intégralité : « un tableau, à la fin, est peint qui laisse dans l'esprit de celui qui le contemple [...] une impression de satisfaction la plus totale [2] ». Cet *effet* est produit par une « chute » terminale éclairant l'ensemble d'un récit, par rétroaction. Il est produit également par la mise en évidence de l'unité de sujet, d'atmosphère ou d'écriture. Chacune des nouvelles de Huysmans forme un bloc homogène, ce qui tranche avec sa manière de construire ses romans non comme ensemble mais comme assemblage.

Longtemps après Poe, Paul Bourget, dans une étude des récits de Mérimée, caractérise à son tour le propre du genre en des termes qui auraient aisément pu s'appliquer à Huysmans :

> La nouvelle, on ne saurait trop le répéter, n'est pas un court roman [...]. La matière de l'un et de l'autre est trop différente. Celle de la nouvelle est un épisode, celle du roman une suite d'épisodes. Cet épisode que la nouvelle se propose de peindre, elle le détache, elle l'isole. Ces épisodes dont la suite fait l'objet d'un roman, il les agglutine, il les relie. Il procède par développements, la nou-

---

1. Ch. Baudelaire, *Œuvres*, Gallimard, « Bibliothèque de la Pléiade », 1954, p. 1036.

2. E. Poe, *Œuvres*, Robert Laffont, « Bouquins », 1989, p. 1003. Cette citation est empruntée au compte rendu de deux recueils publiés par N. Hawthorne, sous le titre « L'art du conte » (p. 995-1004 ; voir aussi la Notice, p. 1453-1460). Ce texte ne figure pas dans les traductions de Poe par Baudelaire.

> velle par concentration. Les épisodes du roman peuvent être tout, même insignifiants presque [...]. L'épisode traité par la nouvelle doit être intensément significatif. Le roman permet, il commande la diversité du ton [...]. La nouvelle exige l'unité du coloris, peu de touches mais qui conspirent à un effet unique. Pour emprunter une comparaison à un autre art, elle est un *solo*. Le roman est une symphonie.
>
> « Mérimée nouvelliste [1] ».

Cette mise au point a le mérite de s'attacher aux conséquences qu'imposent les espaces habituels de publication. Il en résulte une simplicité de moyens et de structure qui, au regard de Bourget, évoque le « solo » musical, une forme qui pourrait également être dite « sonate », « trio » ou « quatuor ». En tout cas, cette forme commande l'économie, la concision, le caractère unitaire du récit. Paul Bourget néglige cependant les multiples tonalités de la nouvelle – qui vont de la fantaisie au fantastique – et ses principales catégories en matière de sujets traités. Celles-ci peuvent être réduites à deux, la première relatant des événements exceptionnels (Baudelaire traduit *Tales of the Grotesque and Arabesque* d'Edgar Allan Poe par *Histoires extraordinaires*), la seconde des événements ordinaires : simples anecdotes, faits divers, menus incidents, accidents survenus dans la grande Histoire, bref, toutes les sortes d'aventures qui font de chacun de nous un conteur.

Pour Huysmans, les possibilités ne sont pas nombreuses car il ne s'intéresse qu'aux réalités de tous les jours. En tant que nouvelliste, il en rend compte avec constance, exclusivement. Cette disposition est conforme aux principes du naturalisme que Zola ne cesse de clamer haut et fort : ne plus lâcher la bride à l'imagination, tordre le cou au *romanesque*, peindre la vie « telle qu'elle est », en donner « l'exacte impression [2] ».

---

1. *Revue des Deux Mondes*, 15 septembre 1920, p. 263.
2. É. Zola, *Le Roman expérimental*, GF-Flammarion, 2006, p. 207.

Et c'est justement à propos des *Sœurs Vatard* de Huysmans qu'il propose à tout récit le modèle de la chronique :

> On finira par donner de simples études, sans péripéties ni dénouement, l'analyse d'une année d'existence, l'histoire d'une passion, la biographie d'un personnage, les notes prises sur la vie et logiquement classées [1].

Huysmans a eu l'occasion de signaler des écrits qui sortent de l'ordinaire sans avoir pour autant retenu l'attention. Lorsqu'il rend hommage à « L'Affaire du Grand 7 » de Léon Hennique (*Les Soirées de Médan*) qui a excellé « dans ce genre elliptique et prompt de la nouvelle, enlevée en vivante anecdote [2] », il songe probablement aussi à son propre apport. De fait, se pose à lui un problème à résoudre : trouver une manière qui, dans le flux des écrits en cours, puisse être distinguée. Il suffit de recenser des publications majeures du temps pour percevoir la difficulté de l'entreprise :

1873 : Daudet, *Les Contes du lundi.*
1874 : Gobineau, *Les Pléiades.*
Zola, *Nouveaux Contes à Ninon.*
1877 : Flaubert, *Trois Contes.*
Huysmans, *Sac au dos*.
1880 : Zola, Maupassant, **Huysmans**, Céard, Hennique, Alexis, ***Les Soirées de Médan***.
1881 : Maupassant, *La Maison Tellier.*
1882 : Barbey d'Aurevilly, *Les Diaboliques* [3].
Huysmans, *À vau-l'eau*.
1883 : Villiers de l'Isle-Adam, *Contes cruels.*
Maupassant, *Contes de la bécasse.*

---

1. *Ibid.*, p. 234.

2. Huysmans commente en ces termes « L'Affaire du Grand 7 » des *Soirées de Médan* : « Cette nouvelle est certainement l'une des plus pressantes et des plus tenaces de ce livre qui n'attendit point les soi-disantes vaillances des cavaleries centre-gauche de l'époque actuelle pour frapper avec acharnement dans les ridicules futaies du chauvinisme » ; *Léon Hennique*, *Les Hommes d'aujourd'hui*, n° 314, L. Vanier, 1887.

3. Première édition interdite, en 1874.

1884 : **Huysmans, *Un dilemme*.**
1885 : Maupassant, *Contes du jour et de la nuit.*
1886 : Maupassant, *La Petite Roque. Monsieur Parent.*
1887 : Laforgue, *Moralités légendaires.*
1888 : Villiers, *Nouveaux Contes cruels.*
[**Huysmans, *La Retraite de Monsieur Bougran***] [1].
1889 : Maupassant, *La Main gauche.*
1890 : Maupassant, *L'Inutile Beauté.*
1891 : Allais, *À se tordre.*
Schwob, *Cœur double.*
1893 : Bloy, *Sueur de sang.*
1894 : Bloy, *Histoires désobligeantes.*
Schwob, *Le Livre de Monelle.*

Ce répertoire ne mentionne que les titres dont la postérité se souvient. Il rend compte du relais entre les générations mais aussi de leurs interférences. Même réduit aux œuvres les plus réputées, il rappelle l'extrême variété du genre. Il met également en évidence la suprématie de Maupassant qui, à lui seul, en fait briller toutes les facettes. Les ambitieux *a priori* de la théorie ou de l'esthétique ne refrènent pas une prolifération de contes, de nouvelles, de recueils soumis aux lois d'un perpétuel renouvellement.

C'est par l'exercice effectif de la rédaction et de la publication que Huysmans a pu apprécier, au fur et à mesure, l'intérêt d'une veine et le parti qu'il pourrait en tirer.

Le burlesque, l'humour

À la différence des auteurs de recueils, Huysmans n'est pas un nouvelliste qui se fait une réputation par des collaborations régulières dans la presse et les revues. Il s'essaye à ce genre en même temps qu'à d'autres, eux aussi journalistiques, comme la critique

1. Écrite en 1888, cette nouvelle ne fut en fait publiée qu'en 1964 (voir Notice ci-après, p. 201).

littéraire et surtout la critique d'art. Ses nouvelles sont peu nombreuses – cinq, si l'on compte les deux versions de *Sac au dos* –, peu remarquées, parce que dispersées dans le temps et présentées parfois comme de brefs romans ou encore associées à un recueil de poèmes en prose (il en va ainsi pour *Croquis parisiens*, suivis d'*À vau-l'eau* et d'*Un dilemme*). Surtout, il n'est pas un inventeur d'histoires comme Villiers ou Maupassant qu'il fréquente et qu'il lit. Dans une bonne mesure, les titres qu'il signe – dont l'un, comme on l'a vu, n'a pas été accepté pour la publication – lui permettent d'adopter des formules différentes et de mettre en fable une vision des choses.

Huysmans relate dans *Sac au dos* son expérience de garde mobile enrôlé à vingt-deux ans, lorsque se déclare la guerre franco-prussienne de 1870. De même, il s'inspire dans *À vau-l'eau* d'une fréquentation assidue des gargotes de la rive gauche et, dans *La Retraite de Monsieur Bougran*, de ses activités de fonctionnaire soumis à la hiérarchie et aux rituels de l'administration. Tous ces récits procèdent d'une perception des plus sombres et on les associe aisément aux maximes de Schopenhauer, référence obligée du « pessimisme », à la fin du XIXe siècle. C'est d'ailleurs le nom du philosophe allemand que mentionnent tant les dernières pages d'*À vau-l'eau* que celles d'*À rebours* [1].

---

1. « Il appelait à l'aide pour se cicatriser, les consolantes maximes de Schopenhauer », *À rebours*, chap. XVI, *op. cit.*, p. 248. Dans une lettre à Zola datée de mars 1884, Huysmans revient longuement sur la « théorie du schopenhauerisme » dont il apprécie le côté « consolant » : « Au fond, si l'on n'est pas pessimiste, il n'y a qu'à être chrétien ou anarchiste ; un des trois pour peu qu'on y réfléchisse » (*Lettres inédites à Émile Zola*, Droz-Giard, 1953, p. 98-101). Comme l'indique une importante variante d'*À vau-l'eau* (voir ci-après, p. 133-135), Huysmans a songé accompagner la référence à Schopenhauer d'une autre à Karamzine, historien et écrivain russe. Au cours des dernières décennies du XIXe siècle, le « pessimisme » germanique est souvent associé à la désespérance slave. On se reportera, par exemple, à l'étude de Paul Bourget sur Tourgueniev parue dans *Le Parlement* du 16 janvier 1882 et reprise dans *Essais de psychologie contemporaine* (chap. III, « Pessimisme et tendresse »). En 1885, dans

Mais les composantes autobiographiques et désenchantées des récits paraissent trop vraies pour être *belles*, et surtout suffisantes.

Si Huysmans a pu se reprocher de toujours se représenter lui-même sous les noms divers de ses personnages (« *Cyprien Tibaille* et *André*, *Folantin* et *des Esseintes* ne sont, en somme, qu'une seule et même personne [1] »), il n'en a pas moins indiqué qu'il cherchait à peindre un *type* : « C'est une idée abstraite qui a dirigé ma nouvelle », écrit-il à son éditeur pour justifier la transformation du titre *Monsieur Folantin* en *À vau-l'eau* [2]. Et il s'en prend au lieu commun du pessimisme, déclarant avec dédain ne pas être un « Oberman suisse » qui se laisserait interroger « sur ce sujet ». Il se pose en revanche comme « artiste jusqu'au bout des ongles » et reprend à son compte la formule de Léon Bloy qui le dépeint « traînant » l'image « par les cheveux ou par les pieds dans l'escalier vermoulu de la Syntaxe épouvantée [3] ». Ces positions de

---

l'Avant-propos de la réédition de ce recueil, il revient sur ce caractère qui serait propre à la jeune génération et il rapproche *À rebours* de Huysmans et *Adolphe* de Benjamin Constant (éd. A. Guyaux, Gallimard, « Tel », p. 438). Si Tourgueniev a réintroduit et actualisé le terme « pessimisme » dans son roman *Père et fils* (1862), les complots et attentats des nihilistes russes, à partir des années 1870, sont en France associés à une vision fin de siècle millénariste, comme en témoigne le personnage de Souvarine dans *Germinal* (1885). Voir notamment E. Caro, *Le Pessimisme au* XIX*e siècle* (1878), et J. Sully, *Le Pessimisme. Histoire et critique* (trad. de l'anglais, 1882).

1. A. Meunier [J.-K. Huysmans], *Joris-Karl Huysmans*, *Les Hommes d'aujourd'hui*, n° 263, L. Vanier, 1885. Nous renvoyons au numéro des *Cahiers de l'Herne* consacré à l'écrivain (n° 47, 1985), qui reproduit cette monographie dans son intégralité (voir p. 28).

2. Voir la lettre de Huysmans à H. Kistemaekers (31 décembre 1881) citée dans la Notice, ci-après, p. 78-79.

3. *Joris-Karl Huysmans*, *Les Hommes d'aujourd'hui*, in *Cahiers de l'Herne*, *op. cit.*, p. 29. Dans son compte rendu d'*À rebours* (« Les représailles du Sphinx », *Le Chat noir*, 14 juin 1884), Léon Bloy avait écrit : « Son expression toujours armée et jetant le défi, ne supporte jamais de contrainte, pas même celle de sa mère l'Image, qu'elle outrage à la moindre velléité de tyrannie et qu'elle traîne continuellement, par les cheveux ou par les pieds, dans l'escalier vermoulu de la Syntaxe épouvantée » ; in *Œuvres*, t. IV, éd. J. Petit, Mercure de France, 1965, p. 336.

principe sont fermes, elles doivent être rappelées pour qu'on se déprenne des lectures réductrices qui ramènent l'*œuvre* à l'*homme* et sa pensée à un poncif. Quand Huysmans dit d'une de ses nouvelles – *À vau-l'eau* – qu'elle relate « le diaconat des misères moyennes [1] », il faut comprendre que c'est par l'expression que se démarque l'écrivain. En effet, la référence au *diaconat* (second ordre majeur dans la liturgie catholique) signale en clair un parti pris de transposition.

Les lecteurs ne trouvent pas dans les nouvelles de Huysmans ce qui d'habitude les séduit : l'énigme, la surprise, le coup de théâtre, le retournement final. Chez lui, l'aventure est réduite à sa portion congrue, aux existences sans éclat. Son réalisme au ras des menus faits s'adresse à ceux qui en perçoivent les à-côtés, les arrière-plans, les différents niveaux et registres. Il donne à penser, à sourire, il use à l'envi de la caricature, de la bouffonnerie, des tonalités variées de l'ironie et de l'humour. Dès lors, la concentration qu'on prête à la nouvelle ne se compte pas en nombre de pages : elle se manifeste par des effets de sens, des sous-entendus, une manière de dire une chose et d'en laisser entendre d'autres, toutes les sortes de stratagèmes qui appellent l'attention des lecteurs et qui suscitent leur connivence.

Alors que Zola et ses émules se préparaient à publier un recueil sur la guerre de 1870, Huysmans avait proposé de l'intituler *L'Invasion comique*. Ce titre provocant ne convenait absolument pas à la contribution du maître, qui offre en ouverture des *Soirées de Médan* un récit dramatique propre à ménager les sentiments patriotiques. « L'Attaque du moulin », en effet, relate comment, à la suite d'un combat périlleux, une escouade française vainc l'ennemi et reconquiert une position perdue. De son côté, Huysmans opte pour la dérision et la transposition bouffonne. Il adopte le point de vue du soldat complètement déboussolé, perdu dans la

---

1. *Joris-Karl Huysmans*, *Les Hommes d'aujourd'hui*, in *Cahiers de l'Herne*, *op. cit.*, p. 28.

mêlée, ce qui l'amène à caractériser son récit en ces termes : « Un peu de burlesque jeté dans l'horrible de guerre [1]. » C'est ainsi que dans *Sac au dos* la mention de la « trop célèbre victoire de Sarrebrück » – une simple escarmouche que Napoléon III avait fait passer pour un triomphe – est aussitôt suivie d'un épisode « héroïque » au cours duquel un groupe de mobiles affamés descend du train pour prendre d'assaut un buffet de gare :

> Affolé, furieux, le restaurateur défendait sa boutique à coups de broc. Poussé par leurs camarades qui venaient en bande, le premier rang des mobiles se rue sur le comptoir qui s'abat, entraînant dans sa chute le patron et ses garçons.

La conquête des victuailles est digne d'une tradition qu'ont illustrée Rabelais dans les *guerres picrocholines* ou Boileau dans son *repas ridicule*. Elle assure aux vainqueurs un butin dont le narrateur savoure le décompte : six rouelles de cervelas à l'ail, une langue écarlate, deux saucissons, une superbe tranche de mortadelle, quatre litres de vin, une demi-bouteille de cognac, et ainsi de suite [2]. Plusieurs épisodes relèvent pareillement de cette veine, comme la ripaille de deux soldats en goguette dans un restaurant, la cour qu'ils entreprennent auprès de filles de joie, ou encore, à l'hôpital militaire, la tournée de soins du médecin major. Chaque fois, les outrances de la caricature donnent à considérer des personnages ou des scènes que transforme la vision comique. Toujours dans *Sac au dos* (première version), le narrateur décrit ainsi les paysans qu'il côtoie, au moment de son retour à Paris, dans le compartiment de troisième classe : « des têtes

1. *Lettres inédites à Camille Lemonnier*, Droz-Minard, 1957, p. 46.

2. Dans *Sac au dos*, un seul passage évoque un combat de la guerre. Particulièrement éprouvant, il est raconté au narrateur par un soldat de ligne, épicier et père d'un enfant, qui s'est débarrassé de son fusil. Alors qu'un officier lui commande de rejoindre la troupe, un éclat d'obus le foudroie dans une giclée de sang. Saisi de terreur, le soldat rejoint la cohue des fuyards (voir ci-après, p. 63).

de courges, des barbes de feuilles d'artichauts, des peaux de tomates[1] ». Dans *À vau-l'eau*, le travail du concierge, homme de ménage que Folantin embauche pour remplacer la servante qui le berne, réjouit ceux qu'exalte ce genre de tâche : il « trépignait le lit de coups de poings et apprivoisait les araignées dont il ménageait les toiles[2] ».

Huysmans use de tous les procédés satiriques et burlesques : les descriptions techniques, les énumérations tatillonnes, les outrances délirantes. Il marque une prédilection pour les métaphores ponctuelles (« des sorbets de neige » ; « la fabrique de bouillabaisse » ; « le départ des deux fromages »), récurrentes (« il se laissait aller à vau-l'eau ») ou longuement filées. Dans *Sac au dos*, la *dysenterie* du narrateur, régulièrement rappelée dans le cours du récit, évoque selon les cas le malaise digestif et les basses fonctions corporelles, puis, au sens figuré, la peur qu'il éprouve (*avoir la foire*), le grand désordre des mouvements de troupes (*une vraie foire*) ou encore la guerre perçue comme un *merdier* : « Quand l'héroïsme semble grotesque, la chiasse devient glorieuse », écrivait Léon Bloy[3]. Suivant le même procédé de transposition, la longue errance qui mène M. Folantin d'un restaurant ou d'un

1. Les portraits d'individus ou d'un groupe d'individus sont souvent l'occasion de morceaux de bravoure dans les écrits de Huysmans. Voir par exemple la description des habitués de la Bodega dans *À rebours*, *op. cit.*, chap. XI, p. 165-166.

2. On ne compte pas les plaisanteries et les récriminations à l'égard du personnel de maison et des concierges, de la part des écrivains qui les côtoient tous les jours et qui recourent à leurs services (par exemple, dans *En ménage* de Huysmans). On voit ici comment le récit cesse d'attester le réel pour s'abandonner au libre cours de l'imagination. À l'*épistémé* classique, « toute de cloisonnements, Huysmans préfère la vision d'un monde ouvert dans lequel les êtres peuvent échapper à leur nature », écrit G. Bonnet (*L'Écriture comique de Joris-Karl Huysmans*, Honoré Champion, 2003, p. 75).

3. L. Bloy, *Joris-Karl Huysmans, de l'académie Goncourt*, in *Œuvres*, t. IV, *op. cit.*, p. 260. Dans cette diatribe, rédigée longtemps après sa rupture avec Huysmans, Bloy s'indigne : « Ne s'est-il pas vanté, il y a quelque vingt-cinq ans, d'avoir fait la guerre de 70 dans les hôpitaux, en proie à une continuelle colique ? »

lieu de plaisir supposé à un autre relate à tous les dyspeptiques, neurasthéniques et déprimés qui hantent la planète un délectable périple du dégoût. Le pittoresque « réaliste » se situe aux antipodes de la « chose vue », il révèle à tout moment les drôleries saumâtres du désenchantement.

Les nouvelles de Huysmans n'inspirent pas la « joie de vivre [1] », c'est le moins qu'on puisse dire. Elles relatent les déboires de héros sans prise sur leur destinée : le garde mobile de *Sac au dos*, M. Folantin, Sophie Mouveau, M. Bougran sont tous bringuebalés par les événements, les circonstances, soumis à des décisions venues d'ailleurs. La société, la loi, l'administration, la famille décident pour eux, et sans ménagement. On leur appliquera sans peine la « leçon » explicitement formulée par deux fois à la fin d'*À vau-l'eau*, d'abord à la dernière page : « Schopenhauer a raison, se dit-il, "la vie de l'homme oscille comme un pendule entre la douleur et l'ennui" [2] ». Ensuite dans la phrase finale : « Allons, décidément, le mieux n'existe pas pour les gens sans le sou ; seul, le pire arrive [3]. » Prises à la lettre, ces sentences bien frappées portent un message clair, acces-

1. *La Joie de vivre* est le titre du douzième volume des *Rougon-Macquart*, qui paraît en 1884. Rédigeant *À vau-l'eau*, Huysmans écrivait à Théodore Hannon, le 7 novembre 1881 : « Il n'y a plus qu'à se foutre à l'eau après la lecture de ce livre. Si ça va bien, ça aura une bonne gueule » (cité dans les *Lettres à Théodore Hannon*, éd. P. Cogny et C. Berg, Christian Pirot, 1985, p. 260).

2. Le public lit Schopenhauer dans les morceaux choisis traduits par J. Bourdeau, *Pensées et fragments* (F. Alcan, 1880). La première partie, « Les douleurs du monde », abonde en formules du même type : « Le monde, mais c'est l'enfer » (p. 57) ; « Nous devons considérer la vie comme un mensonge continuel » (p. 66). Ni la mise en question du Sujet livré aux forces obscures de la Volonté, ni la mise en cause du monde objectal que voile l'Illusion, ne sont alors perçues par des lecteurs surtout sensibles au lieu commun du « pessimisme ».

3. F. Gaillard a consacré une substantielle étude à cet épisode. Elle met en évidence la « jouissance perverse » de M. Folantin, tout en minorant les implications drôles du récit. « Seul le pire arrive. Schopenhauer à la lecture d'*À vau-l'eau* », in *Huysmans à côté et au-delà*, *op. cit.*, p. 65-83.

sible à tous. On ne peut cependant ignorer leur *tonalité* qui en complique singulièrement la valeur et la portée.

Huysmans joue sur la gamme *des* comiques, il en donne à voir de toutes les couleurs. Il a inventé l'expression « humour noir » qu'André Breton, l'un de ses admirateurs fervents, a si bien divulguée [1]. L'auteur d'*À rebours* se plaît aux alliances de mots qui amalgament des catégories jugées incompatibles. Ainsi parle-t-il, à propos de Swift, d'un « comique lugubre » et, à propos de Villiers de l'Isle-Adam, d'une « poignante ironie [2] ». Ces expressions désignent une modalité très particulière qui consiste soit à mêler le sérieux au facétieux, l'humeur sombre à la drôlerie, soit à dire d'un même trait une chose et son contraire – ou autre chose. Au rire simple de la charge, de la farce ou de la blague, l'humour apporte sa touche propre qui se plaît aux ambiguïtés. Toutefois, s'il aménage – tout comme l'ironie – une communication contournée, celle-ci est source d'un surplus de jouissance.

Dans les toutes premières lignes d'*À vau-l'eau*, Jean Folantin suit la recommandation du garçon qui le sert au restaurant. Il commande du roquefort, « ne doutant pas qu'il allait manger un désolant fromage ». Le commentaire qui accompagne l'épisode retient l'attention, du fait de l'étonnante satisfaction dont il fait part :

> son attente ne fut nullement déçue ; le garçon apporta une sorte de dentelle blanche marbrée d'indigo, évidemment coupée dans un pain de savon de Marseille.

L'assertion a valeur d'indice et elle éclaire une manière d'être. Elle sera suivie de rappels du même genre (« Il fut servi à souhait », lorsque Folantin décide de se lier avec des voisins de table) et elle prépare la célèbre clausule : « seul, le pire arrive ». Loin d'éprouver de la hargne à l'égard de ceux qui le grugent, le

---

1. Dans la remarquable Notice qu'il réserve à Huysmans, André Breton reconnaît sa dette. Voir *Anthologie de l'humour noir*, J.-J. Pauvert, 1966, p. 247.

2. J.-K. Huysmans, *À rebours*, *op. cit.*, chap. XIV, p. 222.

héros se sent comblé, ce qui crée la surprise du lecteur et provoque son sourire ou son rire. L'explication de cet effet est fournie par la négation *nullement* qui de prime abord neutralise toute protestation. Car il faut comprendre que le personnage se dédouble, que le client, forcément déçu à la vue de la part de roquefort, est réprimé par le « philosophe » qui veille en lui. Ayant anticipé sa déception, celui-ci ne peut que se réjouir de la voir advenir : « Je l'avais bien dit, une fois encore, tout se passe comme prévu ! » semble-t-il jubiler, en découvrant la tranche de *savon* qu'on lui sert en guise de fromage. Trouvant en cet événement la confirmation d'une Vérité universelle, Folantin renverse à son profit la vapeur, il transforme un désastre en triomphe.

On se souvient du condamné à mort qu'on mène à la potence un lundi et qui s'exclame : « La semaine commence bien ! » Ce propos que Freud juge humoristique est également ironique et tout simplement comique [1]. En opposant un *bon mot* aux calamités du monde, l'individu manifeste la toute-puissance de son « moi », tout comme Folantin *philosophe* remédie à sa déconvenue en vérifiant, une fois encore, que la loi du Pire sous-tend l'ordre des choses. Par la victoire narcissique qu'il assure à l'individu, écrit Freud, « l'humour a non seulement quelque chose de libérateur analogue à l'esprit et au comique, mais aussi quelque chose de sublime et d'élevé [2] ». Les nouvelles de Huysmans exploitent tous les registres du comique : le burlesque (*Sac au dos*), l'humour (*À vau-l'eau*), la cruauté (*Un dilemme*), l'absurde (*La Retraite de Monsieur Bougran*). Si son trait est souvent incisif lorsqu'il donne à imaginer ses semblables, il emporte la sympathie par son sens de la dérision ou de l'autodérision et par le fait qu'il transmue l'esprit chagrin en exultation. Lucien Descaves,

---

1. S. Freud, *Le Mot d'esprit et ses rapports avec l'inconscient*, Gallimard, « Idées », 1969, p. 367 (dans l'Appendice « L'humour »). Schopenhauer remarquait déjà que le mot « humour », utilisé à tout propos, tendait à se substituer à celui de « comique ».

2. *Ibid.*, p. 369.

qui a fréquenté Huysmans dans l'intimité, raconte qu'à la plupart de ses désagréments il se frottait les mains en disant : « Ça va loin [1] ! » Cette *posture* choisit le rire, face aux mille et une vicissitudes de la vie quotidienne. Elle doue la cruauté de la caricature d'un pouvoir jubilatoire propre à la conscience spectatrice, en posant un système de défense particulièrement efficace.

Réalisme et grotesque

La moquerie, dans les nouvelles de Huysmans, outrepasse les frontières de la satire. Elle engage une vision *grotesque*, tantôt bouffonne et tantôt désolée, sardonique et revigorante. Elle transfigure le monde familier et révèle son étrangeté, en concevant des personnages dont elle trace les traits d'une plume visionnaire. Ses représentations s'exécutent à la manière des grands caricaturistes, dans la logique d'un expressionnisme qui déforme à outrance.

Lorsqu'il considère son visage dans une petite glace, le narrateur de *Sac au dos* découvre un inconnu au teint hâve, aux cheveux coupés ras, au nez « dont les bosses luisent », affublé d'une « grande robe gris souris », de « savates immenses et sans talons ». Les malades en salle de l'hôpital militaire, semblables à « une réunion de Guignols hors d'âge », lui paraissent issus d'une Ballade des pendus, parce qu'ils se cramponnent aux potences qui surmontent leurs lits : « À la vue de ces têtes funambulesques, de ces bouches ébréchées, de ces yeux ouverts comme des bondes de tonneaux, de ces chefs vermoulus qui oscillent sous d'interminables casquamèches, ma colère tombe, je me tords de rire. » À tout moment, le réel bascule, le décor

1. Lucien Descaves écrit dans la Notice qui suit *À vau-l'eau* : « Il avait l'aigreur plutôt gaie, caustique et sardonique. Il se frottait les mains en constatant la canaillerie des gens, la laideur des choses et la fétidité des mœurs. Son œil aigu luisait sous d'épais sourcils, quand il disait en grinçant de joie : "Ça va loin !" » (*Œuvres complètes*, G. Crès et Cie, 1928, t. V, p. 92-93).

se métamorphose, les scènes de la vie ordinaire laissent place à d'interminables évocations qui procèdent de la rumination morose : les clients des restaurants bon marché – les « bouillons » –, enserrés dans des salles étroites, « paraissent jouer aux échecs, disposant leurs ustensiles [...] les uns au travers des autres, faute de place », tandis que des filles de salle aux « costumes de sœurs » leur servent des viandes « affadies par les cataplasmes des chicorées et des épinards » (*À vau-l'eau*). Mis à la retraite avant l'âge « pour cause d'invalidité morale », Monsieur Bougran considère d'un œil désolé les arbres du jardin du Luxembourg, projetant sur eux ses propres tourments : « On les écartelait le long de tringles, on les faisait ramper le long de fils de fer sur le sol, on leur déviait les membres dès leur naissance et l'on obtenait ainsi des végétations acrobates et des troncs désarticulés, comme en caoutchouc. »

Si on ne parvient pas toujours à clairement cerner la composante grotesque des nouvelles de Huysmans, c'est en raison de ses intrications avec les données « réalistes ». Par ailleurs, elle entretient des relations avec la grande famille bouffonne et pathétique qui, avant lui et après lui, en compose le cortège. De nombreux écrivains lui ont en effet apporté leur contribution, de Gogol à Kafka, de Céline à Beckett. L'imaginaire *grotesque* dit l'angoisse d'être au monde et il la met au jour pour mieux l'exorciser, en entremêlant l'effroi et l'hilarité. Cette veine a été maintes fois raisonnée, depuis que Victor Hugo l'a consacrée au théâtre [1]. Théo-

1. Dans la célèbre Préface de *Cromwell* (1827), Victor Hugo intronise le « grotesque » qu'il applique au théâtre, en le considérant comme une catégorie « romantique » et « moderne » : « C'est donc une des suprêmes beautés du drame que le grotesque [...]. Il s'infiltre partout [...]. Tantôt il jette du rire tantôt de l'horreur dans la tragédie [...] il peut sans discordance [...] mêler sa voix criarde aux plus sublimes, aux plus lugubres, aux plus rêveuses musiques de l'âme » ; in *Critique*, Robert Laffont, « Bouquins », 1985, p. 18. On lira sur cette question : E. Rosen, *Sur le grotesque. L'ancien et le nouveau dans la réflexion esthétique*, Saint-Denis, Presses universitaires de Vincennes, 1991 ; I. Ost, P. Piret et L. Van Eynde, *Le Grotesque. Théorie, généalogie, figures*, Publications des facultés universitaires Saint-Louis, Bruxelles, 2004.

phile Gautier puis Baudelaire en ont indiqué les implications dans les domaines de la poésie et de la caricature [1]. Elle a fait l'objet de manifestes et de théories et elle a inspiré bien des personnages « typés », dans les œuvres de Villiers, de Bloy, de Flaubert ou de Maupassant. Mais alors que prévaut la théorie dite *de l'écran*, en plein naturalisme, Huysmans a eu l'audace de dénoncer le contrat mimétique qui lie la fiction au « réel ». Dans ses nouvelles – et *par* elles – il trouve la formule d'une représentation déformée, inquiétante et drôle, en prenant le parti de l'expression *grotesque* [2]. Par des personnages, des décors et des situations qui délibérément en relèvent, il porte un regard sur l'Histoire, sur la société, qu'il juge inharmonieuses, privées d'un sens intelligible. Ses nouvelles amorcent un processus de « défiguration » qui, dans les lettres, dans les arts plastiques et dans les arts du spectacle, se poursuit encore aujourd'hui.

Daniel GROJNOWSKI.

---

1. Sur les brisées de Victor Hugo, Théophile Gautier applique la notion de « grotesque » à la poésie. Dans le premier de ses « médaillons », réservé à F. Villon (*Les Grotesques*, 1844), il déclare désigner des « poètes du second ordre » car c'est dans leurs œuvres « que se trouve le plus d'originalité et d'excentricité ». Pour sa part, Baudelaire assimile le grotesque au « comique absolu » qu'il oppose au « comique significatif » (*De l'essence du rire et plus généralement du comique dans les arts plastiques*, 1855). Il s'agit d'une catégorie transgénérique et mouvante, promise à des interprétations qui se développent dans la longue durée. Tout particulièrement visible dans les arts plastiques et les arts du spectacle, le grotesque apparaît à Fr. Dürrenmatt comme « la forme de l'informe, le visage d'un monde sans visage » (*Écrits sur le théâtre*, Gallimard, 1970, p. 66).

2. Huysmans, comme Gautier ou Baudelaire, est un critique d'art amateur de tableaux et de gravures. La filiation est manifeste entre ses charges écrites et les œuvres que Baudelaire commente dans ses études sur les caricaturistes français et étrangers (de Daumier à Goya, en passant par Cruikshank ou Bruegel). À propos des débuts de *La Caricature*, Baudelaire écrit : « C'est un tohu-bohu, un capharnaüm, une prodigieuse comédie satanique, tantôt bouffonne, tantôt sanglante, où défilent, affublés de costumes variés et grotesques, toutes les honorabilités politiques » (*Œuvres*, éd. cit., p. 734).

Note sur cette édition

La présente édition réunit pour la première fois l'ensemble des nouvelles écrites par Joris-Karl Huysmans. Chacune reproduit le texte de la version originale.

Deux d'entre elles ont été éditées en volumes (*À vau-l'eau*, *Un dilemme*), deux autres étaient destinées à une revue ou un recueil (« Sac au dos », « La Retraite de Monsieur Bougran »). Par souci d'unification, nous adoptons l'italique pour désigner tous les titres.

NOUVELLES

SAC AU DOS

Notice

Une première version de *Sac au dos* a paru d'août à octobre 1877 dans six numéros de *L'Artiste* de Bruxelles, que dirigeait Théodore Hannon. Huysmans s'était lié d'amitié avec lui au moment de son séjour dans la capitale belge où il a fait imprimer son premier roman, *Marthe* (1876). À l'occasion de la publication de *Sac au dos* que *L'Artiste* annonce comme une « narration sincère et piquante », une « idylle pimpante et gaie », la nouvelle fait l'objet d'un fascicule tiré à part et à petit nombre – dix exemplaires –, daté de 1878.

Joris-Karl Huysmans rédige une deuxième version de ce récit, lorsque Zola et ses émules décident de faire paraître chez l'éditeur Charpentier un recueil qui aurait valeur de manifeste littéraire et antimilitariste. Les auteurs comptent prendre le contre-pied des publications qui, après la défaite de 1870, accablent la brutale sauvagerie des envahisseurs et exaltent le courage du soldat français. Zola, Maupassant, Huysmans, Céard, Hennique, Alexis, signataires des *Soirées de Médan* (1880) – titre retenu, par référence aux réunions amicales qui avaient lieu dans la résidence de Zola –, partagent un commun dégoût de la guerre et adoptent, chacun à sa manière, le même parti pris de démystification à l'égard des valeurs qui s'y rattachent : culte des chefs et de la hiérarchie, exaltations belliqueuses, actes héroïques.

Au lendemain de la défaite, paraît en France une abondante littérature patriotique et revancharde dont Paul Déroulède, auteur des *Chants du soldat* (1872) et fondateur de la Ligue des patriotes (1882), est le représentant le plus connu. De nombreuses œuvres hostiles à l'armée s'en démarquent cependant. Elles sont tantôt le fait de jeunes auteurs révoltés, anarchistes comme Georges Darien qui dénonce les pratiques des bataillons disciplinaires (*Biribi*, 1881) et la lâcheté des petits-bourgeois pendant la guerre franco-prussienne (*Bas les cœurs*, 1889) ; tantôt de républicains comme Lucien Descaves, auteur de *La Caserne* (1887) puis de *Sous-offs* (1889). Quelques années plus tard, Remy de Gourmont publiera *Le Joujou patriotisme* (1891) qui fera scandale.

Sac au dos rapporte de manière circonstanciée l'expérience de l'auteur. Il est âgé de vingt-deux ans lorsque la guerre éclate. Il se trouve enrôlé le 2 mars 1870. Le 30 juillet il rejoint la caserne de Lourcine où il est affecté au sixième bataillon de la Garde mobile de la Seine. Bientôt atteint de dysenterie, il est hospitalisé à Châlons puis à Évreux. Six mois plus tard, après la capitulation de l'empereur à Sedan (2 septembre) et la proclamation de la République (4 septembre), il est démobilisé et peut rentrer chez lui. Cette composante autobiographique est renforcée dans la deuxième version de la nouvelle (voir Annexes, ci-après, p. 239 *sq.*) par un bref préambule qui inscrit le narrateur dans son milieu familial et qui rappelle ce que furent ses années d'études au Quartier latin. Ce préambule met également en évidence l'inertie d'un « héros » qui se laisse mener par les événements et par des décisions sur lesquelles il n'a pas prise : « mes parents jugèrent utile… » ; « tout l'arrière-ban de ma famille […] résolut enfin… », etc. Les informations qui relèvent de l'expérience vécue de l'auteur ont été maintes fois signalées [1]. Elles associent l'histoire individuelle à la grande Histoire, dont un certain nombre d'événements que mentionne le récit sont rapportés par des témoignages du temps :

> À six heures et demie, le train qui emportait les gardes mobiles s'est mis en route. Toute la journée, on pouvait voir dans Paris des groupes nombreux de gardes mobiles. Les uns

1. On se reportera à l'ouvrage de R. Baldick, *Joris-Karl Huysmans*, Denoël, 1958 (chap. III, « Le soldat », où la biographie, pour l'essentiel, se nourrit de la fiction), et surtout à l'article de P. Lambert, « Huysmans sac au dos », *Bulletin de la Société des amis de Joris-Karl Huysmans*, n° 28, 1954.

le sac au dos, les autres, le sabre au côté, et d'autres, enfin, comme dans la ballade de Marlborough, ne portant rien du tout... [1].

Les données réalistes de la nouvelle se doublent d'un parti pris de dégradation burlesque qui transfère l'aventure militaire en une succession de mésaventures personnelles. Elles relatent les menus et nombreux soucis matériels de la vie militaire qu'accompagnent les impératifs récurrents de la physiologie, conformément à un *genre* littéraire qui expose les sujets réputés « nobles » sur le registre trivial. L'épopée guerrière s'efface au profit d'épisodes désopilants que parachève la célébration du clysopompe (qui disparaîtra dans la deuxième version) : « Ô mes confrères en dysenterie, ne jetez plus de regard plaintif sur la pompe mignonne qui fume à votre chevet [2] ! »

Sur ce mode burlesque, la « colique » du narrateur, une fois qu'elle se déclenche, occupe le centre de ses préoccupations. Si les plaisanteries scatologiques sont monnaie courante, à une époque où les clystères, les pots de chambre et les pompes à vidange participent au décor de la vie quotidienne, leur application insistante à un récit de guerre assimile celle-ci à un vrai... *merdier.* À l'héroïsme belliqueux qui est d'usage, l'auteur substitue une vision excrémentielle des affrontements militaires. C'est ainsi que la fin du récit se termine par l'éloge des cabinets dont on dispose sans partage et « où l'on met culotte bas, à l'aise ». Cette clausule souligne la valeur métaphorique des basses fonctions corporelles dans l'ensemble de la nouvelle. Moins véhémente, la première version se terminait par le rêve du narrateur qui retrouvait les deux femmes dont la rencontre avait adouci les journées pénibles qu'il venait de vivre : sœur Angèle qui l'a soigné à l'hôpital et Suzanne (devenue Reine dans la deuxième version) qu'il rencontre dans le train, sur le retour à Paris.

Cependant, *Sac au dos* traduit plus une révolte individualiste qu'un engagement militant. Dix ans après sa publica-

1. *Le Gaulois*, juillet 1870. P. Lambert (*ibid.*) reproduit plusieurs extraits d'articles publiés dans la presse du temps, qui recoupent le récit de Huysmans dont l'expérience militaire aura duré un peu plus de deux mois.

2. Les deux versions ont été fréquemment comparées. Voir notamment H. Céard et J. de Caldain, « Huysmans intime », *Revue hebdomadaire*, 28 novembre 1908.

tion, Huysmans rappelle son expérience à Henry Fèvre qui lui fait parvenir un roman où sont relatés les désarrois du soldat Guerbert, injustement puni et brimé par les gradés de son régiment :

> C'est avec une entière satisfaction, mon cher confrère, que j'ai vu tremper dans les grandes latrines, les militaires. *Au port d'arme* est d'une belle carrure et je vous en félicite très sincèrement. Je n'ai fait, moi, que passer par cet horrible monde, au moment de la guerre et j'en ai gardé l'un des plus parfaits dégoûts de ma vie [1].

Cette nouvelle a été assez peu commentée par la presse, surtout sensible aux principes « naturalistes » qu'exposait le recueil des *Soirées de Médan*. Alors que sa tonalité drolatique échappe à la plupart des commentateurs, le parti pris antipatriotique est perçu mais désapprouvé : « Il y a du talent, mais bien mal employé dans [...] l'odyssée lamentable d'un mobile qui va à la guerre et en revient, sans avoir eu affaire à d'autres ennemis que la dysenterie » (A.T., *Le Courrier de l'Eure*, juin 1880) [2]. On retiendra deux commentaires, dont le premier, fort amical, concerne la version parue dans *L'Artiste* de Bruxelles. Camille Lemonnier l'ayant publié dans cette même revue reçoit de Huysmans une lettre de remerciement : « *Sac au dos* ne méritait pas tant. – Ce n'était qu'une alerte de plume un peu sentimentale et égayée çà et là de quelques modestes pétarades [3] ! »

> Je ne suis pas gêné par le fait de la publication de cette nouvelle dans *L'Artiste*, pour dire tout haut ce que j'en pense : ce n'est pas parce que deux écrivains sont les collaborateurs

---

1. *Revue d'histoire littéraire de la France*, janvier-mars 1950. Cette lettre date de 1887.

2. Cité par P. Lambert, art. cit.

3. J.-K. Huysmans, *Lettres inédites à Camille Lemonnier*, Droz-Minard, 1957, p. 46 (avril 1878). Un an plus tôt, Huysmans répondait à C. Lemonnier qui lui faisait part de ses impressions, après la lecture de sa nouvelle dans *L'Artiste* de Bruxelles : « Vous êtes trop indulgent pour *Sac au dos* ; cette minuscule pièce n'a pour elle qu'une chose, c'est d'être vraie. La partie de l'hôpital et la sœur Angèle valent mieux, je crois, que le commencement qui me semble bien empâté depuis qu'il a passé par l'impression. Je vais voir à alléger un peu tout cela et à y faire quelques abattis et trouées. Ça manque d'air » (*ibid.*, p. 43). Comme on le voit, Huysmans a songé réécrire sa nouvelle dès le lendemain de sa parution.

d'une même revue qu'il faut se tourner le dos, en oubliant de se reconnaître. Je fais grand cas de la verve de Joris-Karl Huysmans, un nom hollandais sous lequel se cache un Parisien raffiné, et je désire très ardemment dire pourquoi : il est jeune, il a des convictions, il possède l'outillage qui fait les bons ouvriers. Ceux qui ont lu *Sac au dos* savent quel art de boute-en-train, sans préparation et presque à la diable, il a mis à faire claquer les portes d'un bout à l'autre de sa très amusante nouvelle. Personne n'y tient en place ; tout le monde bouge, marche, galope, est pris d'une frénésie de crier, de piailler, de tapager, de déambuler, qui, par moments atteint le plus haut comique ; et naturellement le style se met de la partie, va par petites enjambées de phrases courtes qui sautent à cloche-pieds, frétillent, se trémoussent, entrent l'une dans l'autre, ont l'air de battre la campagne, disent très bien ce qu'il faut dire, claquent comme des fouets dans l'air, rient, bavardent, se font la nique, tournent, chantent la carmagnole, jettent des bouts de chansons, s'égosillent, se gaussent, font les fortes en gueule, se mettent le poing sur la hanche, clabaudent, ont l'air de parler dans un bruit de crécelles et en somme font en sourdine un très amusant métier de casser les vitres. La bonne figure que l'auteur au milieu de ce tournoiement, avec sa houppelande de malade, sa pâleur de caque-sangue, ses traîneries de chaussons le long des dortoirs ! Et comme la bande de falots qu'il secoue autour de lui se démène en postures fantastiques sur le kaléidoscope des petites phrases qui sautent, dansent, font leur kermesse endiablée !

Voilà qui est dit : Huysmans a fait là une de ces irrésistibles pochades qui nous mettent en joie, nous autres les cocardes rouges. Qu'il soit maudit par tout l'arrière-ban des pisse-froids et des gélatineux [1] !

Le second commentaire, dû à la plume de Jules Lemaitre, figure dans une étude sur l'œuvre de Huysmans et il concerne la deuxième version :

Sac au dos est peut-être le récit le plus vraiment triste des *Soirées de Médan*, celui qui implique la conception la plus méprisante des choses humaines. C'est la guerre vue dans les wagons de bestiaux et dans les salles puantes d'hôpital, une interminable enfilade de détails médiocres et misérablement douloureux. L'unité d'intérêt, où est-elle ? Dans les entrailles

---

1. C. Lemonnier, « *Sac au dos*, par Joris-Karl Huysmans », *L'Artiste*, 31 mars 1878.

du héros (il ne s'agit point des « entrailles » prises au figuré). Sa préoccupation dominante est celle-ci : quand pourra-t-il se soulager dans un endroit propre ? La bassesse excessive et paradoxale de la donnée, la vision très nette et un peu fiévreuse des détails infimes de la vie extérieure, un atroce sentiment de la platitude et de l'ennui de l'existence, un style brusque, inégal et violent, voilà ce qui frappe déjà dans *Sac au dos* et ce que vous retrouverez dans les autres romans de M. Huysmans [1].

Nous reproduisons dans les pages qui suivent la version de *Sac au dos* publiée dans *Les Soirées de Médan*. On trouvera en annexe (ci-après, p. 239-263) la première version publiée dans *L'Artiste* de Bruxelles (1878), ainsi que trois textes préparatoires à cette nouvelle : « Le Chant du départ », « La Léproserie » et « Châlons ».

Éditions

Sac au dos, in *L'Artiste* (Bruxelles), 19 et 26 août, 9 et 30 septembre, 7 et 21 octobre 1877.

Sac au dos (seconde version), in *Les Soirées de Médan*, G. Charpentier, 1880.

Sac au dos, in *Œuvres complètes*, éd. L. Descaves, Crès, 1928-1934, t. I.

Sac au dos, in *Les Soirées de Médan*, introduction, notes, dossier de C. Becker, Le Livre à venir, 1981.

Sac au dos, in *Un dilemme*, Ombres, « Petite bibliothèque », 1994.

Sac au dos, présenté par S. Thorel-Cailleteau, in *Romans*, I, Robert Laffont, « Bouquins », 2006.

1. J. Lemaitre, *Les Contemporains. Études et portraits*, Première série (1886).

SAC AU DOS

Aussitôt que j'eus achevé mes études, mes parents jugèrent utile de me faire comparoir devant une table habillée de drap vert et surmontée de bustes de vieux messieurs qui s'inquiétèrent de savoir si j'avais appris assez de langue morte pour être promu au grade de bachelier.

L'épreuve fut satisfaisante. – Un dîner où tout l'arrière-ban de ma famille fut convoqué, célébra mes succès, s'inquiéta de mon avenir, et résolut enfin que je ferais mon droit.

Je passai tant bien que mal le premier examen et je mangeai l'argent de mes inscriptions de deuxième année avec une blonde qui prétendait avoir de l'affection pour moi, à certaines heures.

Je fréquentai assidûment le Quartier latin et j'y appris beaucoup de choses, entre autres à m'intéresser à des étudiants qui crachaient, tous les soirs, dans des bocks, leurs idées sur la politique, puis à goûter aux œuvres de George Sand et de Heine, d'Edgar Quinet et d'Henri Mürger.

La puberté de la sottise m'était venue.

Cela dura bien un an ; je mûrissais peu à peu, les luttes électorales de la fin de l'Empire me laissèrent froid ; je n'étais le fils ni d'un sénateur ni d'un proscrit, je n'avais qu'à suivre sous n'importe quel régime les traditions de médiocrité et de misère depuis longtemps adoptées par ma famille.

Le droit ne me plaisait guère. Je pensais que le Code avait été mal rédigé exprès pour fournir à certaines gens l'occasion d'ergoter, à perte de vue, sur ses moindres mots ; aujourd'hui encore, il me semble qu'une phrase clairement écrite ne peut raisonnablement comporter des interprétations aussi diverses.

Je me sondais, cherchant un état que je pusse embrasser sans trop de dégoût, quand feu l'Empereur m'en trouva un ; il me fit soldat de par la maladresse de sa politique.

La guerre avec la Prusse éclata. À vrai dire, je ne compris pas les motifs qui rendaient nécessaires ces boucheries d'armées. Je n'éprouvais ni le besoin de tuer les autres, ni celui de me faire tuer par eux. Quoi qu'il en fût, incorporé dans la Garde mobile de la Seine, je reçus l'ordre, après être allé chercher une vêture et des godillots, de passer chez un perruquier et de me trouver à sept heures du soir à la caserne de la rue de Lourcine.

Je fus exact au rendez-vous. Après l'appel des noms, une partie du régiment se jeta sur les portes et emplit la rue. Alors la chaussée houla et les zincs [1] furent pleins.

Pressés les uns contre les autres, des ouvriers en sarrau, des ouvrières en haillons, des soldats sanglés et guêtrés, sans armes, scandaient, avec le cliquetis des verres, *La Marseillaise* qu'ils s'époumonaient à chanter faux. Coiffés de képis d'une profondeur incroyable et ornés de visières d'aveugles et de cocardes tricolores en fer-blanc, affublés d'une jaquette d'un bleu-noir avec col et parements garance, culottes d'un pantalon bleu de lin traversé d'une bande rouge, les mobiles [2] de la Seine hurlaient à la lune avant que d'aller faire la conquête de la Prusse. C'était un hourvari assourdissant chez les mastroquets [3], un vacarme de verres, de bidons, de cris, coupé, çà et là, par le grincement des

1. Zincs : comptoirs métalliques des débits de boissons (populaire).

2. Mobiles : soldats de la Garde mobile.

3. Mastroquet : marchand de vin au détail, tenancier d'un débit de boissons (cf. « troquet »).

fenêtres que le vent battait. Soudain un roulement de tambour couvrit toutes ces clameurs. Une nouvelle colonne sortait de la caserne ; alors ce fut une noce, une godaille [1] indescriptible. Ceux des soldats qui buvaient dans les boutiques s'élancèrent dehors, suivis de leurs parents et de leurs amis qui se disputaient l'honneur de porter leur sac ; les rangs étaient rompus, c'était un pêle-mêle de militaires et de bourgeois ; des mères pleuraient, des pères plus calmes suaient le vin, des enfants sautaient de joie et braillaient, de toute leur voix aiguë, des chansons patriotiques !

On traversa tout Paris à la débandade, à la lueur des éclairs qui flagellaient de blancs zigzags les nuages en tumulte. La chaleur était écrasante, le sac était lourd, on buvait à chaque coin de rue, on arriva enfin à la gare d'Aubervilliers. Il y eut un moment de silence rompu par des bruits de sanglots, dominés encore par une hurlée de *La Marseillaise*, puis on nous empila comme des bestiaux dans des wagons. « Bonsoir, Jules ! à bientôt ! sois raisonnable ! écris-moi surtout ! » – On se serra la main une dernière fois, le train siffla, nous avions quitté la gare.

Nous étions bien une pelletée de cinquante hommes dans la boîte qui nous roulait. Quelques-uns pleuraient à grosses gouttes, hués par d'autres qui, soûls perdus, plantaient des chandelles allumées dans leur pain de munition et gueulaient à tue-tête : « À bas Badinguet et vive Rochefort [2] ! » Plusieurs à l'écart dans un coin, regardaient, silencieux et mornes, le plancher qui trépidait dans la poussière. Tout à coup le

---

1. Godaille : débauche de table et de boisson (populaire).

2. Badinguet : nom du maçon dont Louis-Napoléon Bonaparte emprunta le vêtement pour s'enfuir du fort de Ham, en 1846. Les ennemis politiques de Napoléon III le désignaient de ce surnom pour rappeler son passé de conspirateur.

Rochefort : Henri Rochefort (1831-1913) : journaliste politique hostile à l'empire. En fondant *La Lanterne* (1868), il afficha ses positions républicaines. Favorable à la Commune de Paris, il fut déporté en Nouvelle-Calédonie d'où il s'évada en 1874 pour s'installer à Genève. En 1880, il bénéficia de l'amnistie et revint en France.

convoi fait halte, – je descends. – Nuit complète, – minuit vingt-cinq minutes.

De tous côtés, s'étendent des champs, et au loin, éclairés par les feux saccadés des éclairs, une maisonnette, un arbre, dessinent leur silhouette sur un ciel gonflé d'orage. On n'entend que le grondement de la machine dont les gerbes d'étincelles filant du tuyau s'éparpillent comme un bouquet d'artifice le long du train. Tout le monde descend, remonte jusqu'à la locomotive qui grandit dans la nuit et devient immense. L'arrêt dura bien deux heures. Les disques flambaient rouges, le mécanicien attendait qu'ils tournassent. Il redevinrent blancs ; nous remontons dans les wagons, mais un homme qui arrive en courant et en agitant une lanterne, dit quelques mots au conducteur qui recule tout de suite jusqu'à une voie de garage où nous reprenons notre immobilité. Nous ne savions, ni les uns ni les autres, où nous étions. Je redescends de voiture et, assis sur un talus, je grignotais un morceau de pain et buvais un coup, quand un vacarme d'ouragan souffla au loin, s'approcha, hurlant et crachant des flammes, et un interminable train d'artillerie passa à toute vapeur, charriant des chevaux, des hommes, des canons dont les cous de bronze étincelaient dans un tumulte de lumières. Cinq minutes après, nous reprîmes notre marche lente, interrompue par des haltes de plus en plus longues. Le jour finit par se lever et, penché à la portière du wagon, fatigué par les secousses de la nuit, je regarde la campagne qui nous environne : une enfilade de plaines crayeuses et, fermant l'horizon, une bande d'un vert pâle comme celui des turquoises malades, un pays plat, triste, grêle, la Champagne pouilleuse !

Peu à peu le soleil s'allume, nous roulions toujours ; nous finîmes pourtant bien par arriver ! Partis le soir à huit heures, nous étions rendus le lendemain à trois heures de l'après-midi à Châlons. Deux mobiles étaient restés en route, l'un qui avait piqué une tête du haut d'un wagon dans une rivière ; l'autre qui s'était brisé la tête au rebord d'un pont. Le reste, après avoir pillé les cahutes et les jardins rencontrés sur la route, aux stations du train, bâillait, les lèvres bouffies de vin et les yeux gros, ou bien jouait, se jetant d'un bout de la voiture à l'autre des tiges d'arbustes et des cages à poulets qu'ils avaient volées.

Le débarquement s'opéra avec le même ordre que le départ. Rien n'était prêt : ni cantine, ni paille, ni manteaux, ni armes, rien, absolument rien. Des tentes seulement pleines de fumier et de poux, quittées à l'instant par des troupes parties à la frontière. Trois jours durant, nous vécûmes au hasard de Mourmelon, mangeant un cervelas un jour, buvant un bol de café au lait un autre, exploités à outrance par les habitants, couchant n'importe comment, sans paille et sans couverture. Tout cela n'était vraiment pas fait pour nous engager à prendre goût au métier qu'on nous infligeait.

Une fois installées, les compagnies se scindèrent ; les ouvriers s'en furent dans les tentes habitées par leurs semblables, et les bourgeois firent de même. La tente où je me trouvais n'était pas mal composée, car nous étions parvenus à expulser, à la force des litres, deux gaillards dont la puanteur de pieds native s'aggravait d'une incurie prolongée et volontaire.

Un jour ou deux s'écoulent ; on nous faisait monter la garde avec des piquets, nous buvions beaucoup d'eau-de-vie, et les claquedents [1] de Mourmelon étaient sans cesse pleins, quand subitement Canrobert [2] nous passe en revue sur le front de bandière [3]. Je le vois encore, sur un grand cheval, courbé en deux sur la selle, les cheveux au vent, les moustaches cirées dans un visage blême. Une révolte éclate. Privés de tout, et

---

1. Claquedents : tripots de bas étage.

2. François Certain Canrobert (1809-1893) est la bête noire des républicains. Général, il apporta son soutien au coup d'État de Louis-Napoléon Bonaparte, réprimant avec une extrême violence les défenseurs de la Constitution. À son retour de la guerre de Crimée, il a été promu maréchal de France.

3. Le front de bandière : rangée de drapeaux et d'étendards en tête d'une armée.

mal convaincus par ce maréchal que nous ne manquions de rien, nous beuglâmes en chœur, lorsqu'il parla de réprimer par la force nos plaintes : « Ran, plan, plan ! cent mille hommes par terre, à Paris ! à Paris ! »

Canrobert devint livide et il cria, en plantant son cheval au milieu de nous : « Chapeau bas devant un maréchal de France ! » De nouvelles huées partirent des rangs ; alors tournant bride, suivi de son état-major en déroute, il nous menaça du doigt, sifflant entre ses dents serrées : « Vous me le payerez cher, messieurs les Parisiens ! »

Deux jours après cet épisode, l'eau glaciale du camp me rendit tellement malade que je dus entrer d'urgence à l'hôpital. Je boucle mon sac après la visite du médecin, et sous la garde d'un caporal me voilà parti clopin-clopant, traînant la jambe et suant sous mon harnais. L'hôpital regorgeait de monde, on me renvoie. Je vais alors à l'une des ambulances les plus voisines, un lit restait vide, je suis admis. Je dépose enfin mon sac, et en attendant que le major m'interdise de bouger, je vais me promener dans le petit jardin qui relie le corps des bâtiments. Soudain surgit d'une porte un homme à la barbe hérissée et aux yeux glauques. Il plante ses mains dans les poches d'une longue robe couleur de cachou et me crie du plus loin qu'il m'aperçoit :

– Eh ! l'homme ! qu'est-ce que vous foutez là ?

Je m'approche, je lui explique le motif qui m'amène. Il secoue les bras et hurle :

– Rentrez ! vous n'aurez le droit de vous promener dans le jardin que lorsqu'on vous aura donné un costume.

Je rentre dans la salle, un infirmier arrive et m'apporte une capote, un pantalon, des savates et un bonnet. Je me regarde ainsi fagoté dans ma petite glace. Quelle figure et quel accoutrement, bon Dieu ! avec mes yeux culottés et mon teint hâve, avec mes cheveux coupés ras et mon nez dont les bosses luisent, avec ma grande robe gris souris, ma culotte d'un roux pisseux, mes savates immenses et sans talons, mon bonnet de coton gigantesque, je suis prodigieusement laid. Je ne puis m'empêcher de rire. Je tourne la tête du côté de mon voisin de lit, un grand garçon au type juif, qui crayonne mon portrait sur un calepin. Nous devenons tout de suite amis ; je lui dis m'appeler Eugène Lejantel, il me répond se nommer Francis Émonot. Nous connaissons l'un et l'autre tel et tel peintre, nous entamons des discussions d'esthétique et oublions nos infortunes. Le soir arrive, on nous distribue un plat de bouilli perlé de noir par quelques lentilles, on nous verse à pleins verres du coco [1] clairet et je me déshabille, ravi de m'étendre dans un lit sans garder mes hardes et mes bottes.

Le lendemain matin je suis réveillé vers six heures par un grand fracas de porte et par des éclats de voix. Je me mets sur mon séant, je me frotte les yeux et j'aperçois le monsieur de la veille, toujours vêtu de sa houppelande couleur de cachou, qui s'avance majestueux, suivi d'un cortège d'infirmiers. C'était le major.

À peine entré, il roule de droite à gauche et de gauche à droite ses yeux d'un vert morne, enfonce ses mains dans ses poches et braille :

– Numéro 1, montre ta jambe… ta sale jambe. Eh ! elle va mal, cette jambe, cette plaie coule comme une fontaine ; lotion d'eau blanche, charpie, demi-ration, bonne tisane de réglisse.

– Numéro 2, montre ta gorge… ta sale gorge. Elle va de plus en plus mal cette gorge ; on lui coupera demain les amygdales.

– Mais, docteur…

– Eh ! je ne te demande rien, à toi ; si tu dis un mot, je te fous à la diète.

– Mais enfin…

– Vous fouterez [2] cet homme à la diète. Écrivez : diète, gargarisme, bonne tisane de réglisse.

1. Coco : boisson faite d'une infusion du bois de réglisse.
2. *Sic*. Foutrez.

Il passa ainsi la revue des malades, prescrivant à tous, vénériens et blessés, fiévreux et dysentériques, sa bonne tisane de réglisse.

Il arriva devant moi, me dévisagea, m'arracha les couvertures, me bourra le ventre de coups de poing, m'ordonna de l'eau albuminée [1], l'inévitable tisane et sortit, reniflant et traînant les pieds.

La vie était difficile avec les gens qui nous entouraient. Nous étions vingt et un dans la chambrée. À ma gauche couchait mon ami, le peintre, à ma droite un grand diable de clairon, grêlé comme un dé à coudre et jaune comme un verre de bile. Il cumulait deux professions, celle de savetier pendant le jour et celle de souteneur de filles pendant la nuit. C'était, au demeurant, un garçon cocasse, qui gambadait sur la tête, sur les mains, vous racontant le plus naïvement du monde la façon dont il activait à coups de souliers le travail de ses marmites, ou bien qui entonnait d'une voix touchante des chansons sentimentales :

Je n'ai gardé dans mon malheur-heur,
Que l'amitié d'une hirondelle !

Je conquis ses bonnes grâces en lui donnant vingt sous pour acheter un litre, et bien nous prit de n'être pas mal avec lui, car le reste de la chambrée, composée en partie de procureurs de la rue Maubuée [2], était fort disposé à nous chercher noise.

Un soir, entre autres, le 15 août, Francis Émonot menaça de gifler deux hommes qui lui avaient pris une serviette. Ce fut un charivari formidable dans le dortoir. Les injures pleuvaient, nous étions traités de « roule-en-cul » et de « duchesses ». Étant deux contre dix-neuf, nous avions la chance de recevoir une soi-

1. Albuminée : qui contient de l'albumine (qu'on trouve notamment dans le blanc d'œuf).

2. Procureurs de la rue Maubuée : proxénètes. Donnant sur la rue Saint-Martin, proche de la Bastille, cette rue fait partie des nombreux lieux mal famés de la capitale.

gneuse raclée quand le clairon intervint, prit à part les plus acharnés, les amadoua et fit rendre l'objet volé. Pour fêter la réconciliation qui suivit cette scène, Francis et moi nous donnâmes trois francs chacun, et il fut entendu que le clairon, avec l'aide de ses camarades, tâcherait de se faufiler au-dehors de l'ambulance et rapporterait de la viande et du vin.

La lumière avait disparu à la fenêtre du major, le pharmacien éteignit enfin la sienne, nous rampons en dehors du fourré, examinons les alentours, prévenons les hommes qui se glissent le long des murs, ne rencontrent pas de sentinelles sur leur route, se font la courte échelle et sautent dans la campagne. Une heure après ils étaient de retour, chargés de victuailles ; ils nous les passent, rentrent avec nous dans le dortoir ; nous supprimons les deux veilleuses, allumons des bouts de bougie par terre, et autour de mon lit, en chemise, nous formons le cercle. Nous avions absorbé trois ou quatre litres et dépecé la bonne moitié d'un gigotin, quand un énorme bruit de bottes se fait entendre : je souffle les bouts de bougie à coups de savate, chacun se sauve sous les lits. La porte s'ouvre, le major paraît, pousse un formidable « Nom de Dieu ! » trébuche dans l'obscurité, sort et revient avec un falot et l'inévitable cortège des infirmiers. Je profite du moment de répit pour faire disparaître les reliefs du festin ; le major traverse au pas accéléré le dortoir, sacrant, menaçant de nous faire tous empoigner et coller au bloc.

Nous nous tordons de rire sous nos couvertures, des fanfares éclatent à l'autre bout du dortoir. Le major nous met tous à la diète, puis il s'en va, nous prévenant que nous connaîtrons dans quelques instants le bois dont il se chauffe.

Une fois parti nous nous esclaffons à qui mieux mieux ; des roulements, des fusées de rire grondent et pétillent ; le clairon fait la roue dans le dortoir, un de ses amis lui fait vis-à-vis, un troisième saute sur sa couche comme sur un tremplin et bondit et rebondit, les bras flottants, la chemise envolée ; son voisin entame un cancan triomphal ; le major rentre brusquement, ordonne à quatre lignards [1] qu'il amène d'empoigner les danseurs et nous annonce qu'il va rédiger un rapport et l'envoyer à qui de droit.

Le calme est enfin rétabli ; le lendemain nous faisons acheter des mangeailles par les infirmiers. Les jours s'écoulent sans autres incidents. Nous commencions à crever d'ennui dans cette ambulance, quand à cinq heures, un jour, le médecin se précipite dans la salle, nous ordonne de reprendre nos vêtements de troupiers et de boucler nos sacs.

Nous apprenons, dix minutes après, que les Prussiens marchent sur Châlons.

Une morne stupeur règne dans la chambrée. Jusque-là nous ne nous doutions pas des événements qui se passaient. Nous avions appris la trop célèbre victoire de Sarrebrück [2], nous ne nous attendions pas aux revers qui nous accablaient. Le major examine chaque homme ; aucun n'est guéri, tout le monde a été trop longtemps gorgé d'eau de réglisse et privé de soins. Il renvoie néanmoins dans leurs corps les moins malades et il ordonne aux autres de coucher tout habillés et le sac prêt.

Francis et moi nous étions au nombre de ces derniers. La journée se passe, la nuit se passe, rien, mais j'ai toujours la colique et je souffre ; enfin vers neuf heures du matin apparaît une longue file de cacolets [3] conduits par des tringlots [4]. Nous grimpons à deux sur l'appareil. Francis et moi nous étions hissés sur le même mulet, seulement, comme le peintre était très gras et moi très maigre, le système bascula ; je montai dans les airs tandis qu'il descendait en bas sous la panse de la bête qui, tirée par-devant, poussée par-derrière, gigota et rua furieusement. Nous courions

1. Lignards : soldats d'infanterie destinés à combattre en ligne.
2. Sarrebrück : chef-lieu du territoire de la Sarre. Le 2 août 1870, s'y engage la guerre franco-prussienne. Cette « victoire » fut en fait une simple échauffourée montée en épingle par Napoléon III.
3. Cacolets : paniers à dossier dont on charge les mulets.
4. Tringlots (ou « trainglots ») : soldats du train (argot).

dans un tourbillon de poussière, aveuglés, ahuris, secoués, nous cramponnant à la barre du cacolet, fermant les yeux, riant et geignant. Nous arrivâmes à Châlons plus morts que vifs ; nous tombâmes comme un bétail harassé sur le sable, puis on nous empila dans des wagons et nous quittâmes la ville pour aller où ?... personne ne le savait.

Il faisait nuit ; nous volions sur les rails. Les malades étaient sortis des wagons et se promenaient sur les plates-formes. La machine siffle, ralentit son vol et s'arrête dans une gare, celle de Reims, je suppose, mais je ne pourrais l'affirmer. Nous mourions de faim, l'Intendance n'avait oublié qu'une chose : nous donner un pain pour la route. Je descends et j'aperçois un buffet ouvert. J'y cours, mais d'autres m'avaient devancé. On se battait alors que j'y arrivai. Les uns s'emparaient de bouteilles, les autres de viandes, ceux-ci de pain, ceux-là de cigares. Affolé, furieux, le restaurateur défendait sa boutique à coups de broc. Poussé par leurs camarades qui venaient en bande, le premier rang des mobiles se rue sur le comptoir qui s'abat, entraînant dans sa chute le patron du buffet et ses garçons. Ce fut alors un pillage réglé ; tout y passa, depuis les allumettes jusqu'aux cure-dents. Pendant ce temps une cloche sonne et le train part. Aucun de nous ne se dérange, et, tandis qu'assis sur la chaussée, j'explique au peintre que ses bronches travaillent, la contexture du sonnet, le train recule sur ses rails pour nous chercher.

Nous remontons dans nos compartiments, et nous passons la revue du butin conquis. À vrai dire, les mets étaient peu variés : de la charcuterie, et rien que de la charcuterie ! Nous avions six rouelles de cervelas à l'ail, une langue écarlate, deux saucissons, une superbe tranche de mortadelle, une tranche au liséré d'argent, aux chairs d'un rouge sombre marbrées de blanc, quatre litres de vin, une demi-bouteille de cognac et des bouts de bougie. Nous fichâmes les lumignons [1] dans le col de nos gourdes qui se balancè-

1. Lumignons : mèches allumées de chandelles ou de bougies.

rent, retenues aux parois du wagon par des ficelles. C'était, par instants, quand le train sautait sur les aiguilles des embranchements, une pluie de gouttes chaudes qui se figeaient presque aussitôt en de larges plaques, mais nos habits en avaient vu bien d'autres !

Nous commençâmes immédiatement le repas qu'interrompaient les allées et venues de ceux des mobiles qui, courant sur les marchepieds, tout le long du train, venaient frapper au carreau et nous demandaient à boire. Nous chantions à tue-tête, nous buvions, nous trinquions ; jamais malades ne firent autant de bruit et ne gambadèrent ainsi sur un train de marche ! On eût dit d'une cour des Miracles roulante ; les estropiés sautaient à pieds joints, ceux dont les intestins brûlaient les arrosaient de lampées de cognac, les borgnes ouvraient les yeux, les fiévreux cabriolaient, les gorges malades beuglaient et pintaient, c'était inouï !

Cette turbulence finit cependant par se calmer. Je profite de cet apaisement pour passer le nez à la fenêtre. Il n'y avait pas une étoile, pas même un bout de lune, le ciel et la terre ne semblaient faire qu'un, et dans cette intensité d'un noir d'encre clignotaient comme des yeux de couleur différentes des lanternes attachées à la tôle des disques. Le mécanicien jetait ses coups de sifflet, la machine fumait et vomissait sans relâche de flammèches. Je referme le carreau et je regarde mes compagnons. Les uns ronflaient ; les autres, gênés par les cahots du coffre, ronchonnaient et juraient, se retournant sans cesse, cherchant une place pour étendre leurs jambes, pour caler leur tête qui vacillait à chaque secousse.

À force de les regarder, je commençais à m'assoupir, quant l'arrêt complet du train me réveilla. Nous étions dans une gare, et le bureau du chef flamboyait comme un feu de forge dans la sombreur de la nuit. J'avais une jambe engourdie, je frissonnais de froid, je descends pour me réchauffer un peu. Je me promène de long en large sur la chaussée, je vais regarder la machine que l'on dételle et que l'on remplace par une autre, et, longeant le bureau, j'écoute la sonnerie et le tic-tac du télégraphe. L'employé, me tournant le dos, était un peu penché sur la droite, de sorte que, du point où j'étais placé, je ne voyais que le derrière de sa tête et le bout de son nez qui brillait, rose et perlé de sueur, tandis que le reste de la figure disparaissait dans l'ombre que projetait l'abat-jour d'un bec de gaz.

On m'invite à remonter en voiture, et je retrouve mes camarades tels que je les ai laissés. Cette fois, je m'endors pour tout de bon. Depuis combien de temps mon sommeil durait-il ? Je ne sais, quand un grand cri me réveille : Paris ! Paris ! Je me précipite à la portière. Au loin, sur une bande d'or pâle se détachent, en noir, des tuyaux de fabriques et d'usines. Nous étions à Saint-Denis ; la nouvelle court de wagon en wagon. Tout le monde est sur pied. La machine accélère le pas. La gare du Nord se dessine au loin, nous y arrivons, nous descendons, nous nous jetons sur les portes, une partie d'entre nous parvient à s'échapper, l'autre est arrêtée par les employés du chemin de fer et par les troupes, on nous fait remonter de force dans un train qui chauffe, et nous revoilà partis Dieu sait pour où !

Nous roulons derechef, toute la journée. Je suis las de regarder ces ribambelles de maisons et d'arbres qui filent devant mes yeux, et puis j'ai toujours la colique et je souffre. Vers quatre heures de l'après-midi, la machine ralentit son essor et s'arrête dans un débarcadère où nous attendait un vieux général autour duquel s'ébattait une volée de jeunes gens, coiffés de képis roses, culottés de rouge et chaussés de bottes à éperons jaunes. Le général nous passe en revue et nous divise en deux escouades ; l'une part pour le séminaire, l'autre est dirigée sur l'hôpital. Nous sommes, paraît-il, à Arras. Francis et moi, nous faisions partie de la première escouade. On nous hisse sur des charrettes bourrées de paille, et nous arrivons devant un grand bâtiment qui farde [1] et semble vouloir s'abattre dans la rue. Nous montons au deuxième étage, dans une

1. Qui farde : qui s'affaisse sous son propre poids.

pièce qui contient une trentaine de lits ; chacun déboucle son sac, se peigne et s'assied. Un médecin arrive.

– Qu'avez-vous ? dit-il au premier.

– Un anthrax.

– Ah ! Et vous ?

– Une dysenterie.

– Ah ! Et vous ?

– Un bubon.

– Mais alors vous n'avez pas été blessés pendant la guerre ?

– Pas le moins du monde.

– Eh bien ! vous pouvez reprendre vos sacs. L'archevêque ne donne les lits des séminaristes qu'aux blessés.

Je remets dans mon sac les bibelots que j'en avais tirés, et nous repartons, cahin-caha, pour l'hospice de la ville. Il n'y avait plus de place. En vain les sœurs s'ingénient à rapprocher les lits de fer, les salles sont pleines. Fatigué de toutes ces lenteurs, j'empoigne un matelas, Francis en prend un autre, et nous allons nous étendre dans le jardin, sur une grande pelouse.

Le lendemain matin, je cause avec le directeur, un homme affable et charmant. Je lui demande pour le peintre et pour moi la permission de sortir dans la ville. Il y consent, la porte s'ouvre, nous sommes libres ! nous allons enfin déjeuner ! manger de la vraie viande, boire du vrai vin ! Ah ! nous n'hésitons pas, nous allons au plus bel hôtel de la ville. On nous sert un succulent repas. Il y a des fleurs sur la table, de magnifiques bouquets de roses et de fuchsias qui s'épanouissent dans des cornets de verre ! Le garçon nous apporte une entrecôte qui saigne dans un lac de beurre ; le soleil se met de la fête, fait étinceler les couverts et les lames des couteaux, blute sa poudre d'or au travers des carafes, et, lutinant le pommard qui se balance doucement dans les verres, pique d'une étoile sanglante la nappe damassée.

Ô sainte joie des bâfres ! j'ai la bouche pleine, et Francis est soûl ! Le fumet des rôtis se mêle au parfum des fleurs, la pourpre des vins lutte d'éclat avec la rougeur des roses, le garçon qui nous sert a l'air d'un idiot, nous, nous avons l'air de goinfres, ça nous est bien égal. Nous nous empiffrons rôtis sur rôtis, nous nous ingurgitons bordeaux sur bourgogne, chartreuse sur cognac. Au diable les vinasses et les trois-six que nous buvons depuis notre départ de Paris ! au diable ces ratas sans nom, ces gargotailles [1] inconnues dont nous nous sommes si maigrement gavés depuis près d'un mois ! Nous sommes méconnaissables ; nos mines de faméliques rougeoient comme des trognes, nous braillons, le nez en l'air, nous allons à la dérive ! Nous parcourons ainsi toute la ville.

Le soir arrive, il faut pourtant rentrer ! La sœur qui surveillait la salle des vieux nous dit avec sa petite voix flûtée :

– Messieurs les militaires, vous avez eu bien froid la nuit dernière, mais vous allez avoir un bon lit.

Et elle nous emmène dans une grande salle où fignolent [2] au plafond trois veilleuses mal allumées. J'ai un lit blanc, je m'enfonce avec délices dans les draps qui sentent encore la bonne odeur de la lessive. On n'entend plus que le souffle ou le ronflement des dormeurs. J'ai bien chaud, mes yeux se ferment, je ne sais plus où je suis, quand un gloussement prolongé me réveille. J'ouvre un œil et j'aperçois, au pied de mon lit, un individu qui me contemple. Je me dresse sur mon séant. J'ai devant moi un vieillard, long, sec, l'œil hagard, les lèvres bavant dans une barbe pas faite. Je lui demande ce qu'il me veut. – Pas de réponse. – Je lui crie :

– Allez-vous-en, laissez-moi dormir !

Il me montre le poing. Je le soupçonne d'être un aliéné ; je roule une serviette au bout de laquelle je tortille sournoisement un nœud ; il avance d'un pas, je saute sur le parquet, je pare le coup de poing qu'il

---

1. Gargotailles : mauvais aliments.
2. Fignolent : exécutent avec le plus grand soin (emploi impropre à valeur ironique).

m'envoie, et lui assène en riposte, sur l'œil gauche, un coup de serviette à toute volée. Il en voit trente-six chandelles, se rue sur moi ; je me recule et lui décoche un vigoureux coup de pied dans l'estomac. Il culbute, entraîne dans sa chute une chaise qui rebondit ; le dortoir est réveillé ; Francis accourt en chemise pour me prêter main-forte, la sœur arrive, les infirmiers s'élancent sur le fou qu'ils fessent et parviennent à grand-peine à recoucher.

L'aspect du dortoir était éminemment cocasse. Aux lueurs d'un rose vague qu'épandaient autour d'elles les veilleuses mourantes, avait succédé le flamboiement de trois lanternes. Le plafond noir avec ses ronds de lumière qui dansaient au-dessus des mèches en combustion éclatait maintenant avec ses teintes de plâtre fraîchement crépi. Les malades, une réunion de Guignols hors d'âge, avaient empoigné le morceau de bois qui pendait au bout d'une ficelle au-dessus de leurs lits, s'y cramponnaient d'une main, et faisaient de l'autre des gestes terrifiés. À cette vue, ma colère tombe, je me tords de rire, le peintre suffoque, il n'y a que la sœur qui garde son sérieux et arrive, à force de menaces et de prières, à rétablir l'ordre dans la chambrée.

La nuit s'achève tant bien que mal ; le matin, à six heures, un roulement de tambour nous réunit, le directeur fait l'appel des hommes. Nous partons pour Rouen.

Arrivés dans cette ville, un officier dit au malheureux qui nous conduisait que l'hospice était plein et ne pouvait nous loger. En attendant, nous avons une heure d'arrêt. Je jette mon sac dans un coin de la gare, et bien que mon ventre grouille, nous voilà partis, Francis et moi, errant à l'aventure, nous extasiant devant l'église de Saint-Ouen, nous ébahissant devant les vieilles maisons. Nous admirons tant et tant, que l'heure s'était écoulée depuis longtemps avant même que nous eussions songé à retrouver la gare.

– Il y a beau temps que vos camarades sont partis, nous dit un employé du chemin de fer ; ils sont à Évreux !

Diable ! le premier train ne part plus qu'à neuf heures. – Allons dîner ! – Quand nous arrivâmes à Évreux, la pleine nuit était venue. Nous ne pouvions nous présenter à pareille heure dans un hospice, nous aurions eu l'air de malfaiteurs. La nuit est superbe, nous traversons la ville, et nous nous trouvons en rase campagne. C'était le temps de la fenaison, les gerbes étaient en tas. Nous avisons une petite meule dans un champ, nous y creusons deux niches confortables, et je ne sais si c'est l'odeur troublante de notre couche ou le parfum pénétrant des bois qui nous émeuvent, mais nous éprouvons le besoin de parler de nos amours défuntes. Le thème était inépuisable ! Peu à peu, cependant, les paroles deviennent plus rares, les enthousiasmes s'affaiblissent, nous nous endormons. « Sacrebleu ! crie mon voisin qui s'étire, quelle heure peut-il bien être ? » Je me réveille à mon tour. Le soleil ne va pas tarder à se lever, car le grand rideau bleu se galonne à l'horizon de franges roses. Quelle misère ! il va falloir aller frapper à la porte de l'hospice, dormir dans des salles imprégnées de cette senteur fade sur laquelle revient, comme une ritournelle obstinée, l'âcre fleur de la poudre d'iodoforme !

Nous reprenons tout tristes le chemin de l'hôpital. On nous ouvre, mais hélas ! un seul de nous est admis, Francis, – et moi on m'envoie au lycée.

La vie n'était plus possible, je méditais une évasion, quand un jour l'interne de service descend dans la cour. Je lui montre ma carte d'étudiant en droit ; il connaît Paris, le Quartier latin. Je lui explique ma situation. « Il faut absolument, lui dis-je, ou que Francis vienne au lycée, ou que j'aille le rejoindre à l'hôpital. » Il réfléchit, et le soir, arrivant près de mon lit, me glisse ces mots dans l'oreille : « Dites, demain matin, que vous souffrez davantage. » Le lendemain, en effet, vers sept heures, le médecin fait son entrée ; un brave et excellent homme, qui n'avait que deux défauts : celui de puer des dents et celui de vouloir se débarrasser de ses malades, coûte que coûte. Tous les matins, la scène suivante avait lieu :

« Ah ! ah ! le gaillard, criait-il, quelle mine il a ! bon teint, pas de fièvre ; levez-vous et allez prendre une bonne tasse de café ; mais pas de bêtises, vous savez, ne courez pas après les jupes, je vais vous signer votre *exeat* [1], vous retournerez demain à votre régiment. »

Malades ou pas malades, il en renvoyait trois par jour. Ce matin-là, il s'arrête devant moi et dit :

– Ah ! saperlotte, mon garçon, vous avez meilleure mine !

Je me récrie, jamais je n'ai tant souffert ! Il me tâte le ventre. « Mais ça va mieux, murmure-t-il, le ventre est moins dur. » – Je proteste. – Il semble étonné, l'interne lui dit alors tout bas :

– Il faudrait peut-être lui donner un lavement, et nous n'avons ici ni seringue ni clysopompe ; si nous l'envoyions à l'hôpital ?

– Tiens, mais c'est une idée, dit le brave homme, enchanté de se débarrasser de moi, et séance tenante, il signe mon billet d'admission ; je boucle radieux mon sac, et sous la garde d'un servant du lycée, je fais mon entrée à l'hôpital. Je retrouve Francis ! Par une chance incroyable, le corridor Saint-Vincent où il couche, faute de place dans les salles, contient un lit vide près du sien ! Nous sommes enfin réunis ! En sus de nos deux lits, cinq grabats longent à la queue leu leu les murs enduits de jaune. Ils ont pour habitants un soldat de la ligne, deux artilleurs, un dragon et un hussard [2]. Le reste de l'hôpital se compose de quelques vieillards fêlés et gâteux, de quelques jeunes hommes, rachitiques ou bancroches, et d'un grand nombre de soldats, épaves de l'armée de Mac-Mahon, qui, après avoir roulé d'ambulances en ambulances, étaient venus échouer sur cette berge. Francis et moi, nous sommes les seuls qui portions l'uniforme de la mobile de la

1. *Exeat* : sortie.
2. Hussard : soldat de la cavalerie légère.

Seine ; nos voisins de lit étaient d'assez gentils garçons, plus insignifiants, à vrai dire, les uns que les autres ; c'étaient, pour la plupart, des fils de paysans ou de fermiers rappelés sous les drapeaux lors de la déclaration de guerre.

Tandis que j'enlève ma veste, arrive une sœur, si frêle, si jolie, que je ne puis me lasser de la regarder ; les beaux grands yeux ! les longs cils blonds ! les jolies dents ! – Elle me demande pourquoi j'ai quitté le lycée ; je lui explique en des phrases nébuleuses comment l'absence d'une pompe foulante m'a fait renvoyer du collège. Elle sourit doucement et me dit :

– Oh ! monsieur le militaire, vous auriez pu nommer la chose par son nom, nous sommes habituées à tout.

Je crois bien qu'elle devait être habituée à tout, la malheureuse, car les soldats ne se gênaient guère pour se livrer à d'indiscrètes propretés devant elle. Jamais d'ailleurs je ne la vis rougir ; elle passait entre eux, muette, les yeux baissés, semblait ne pas entendre les grossières facéties qui se débitaient autour d'elle.

Dieu ! m'a-t-elle gâté ! Je la vois encore, le matin, alors que le soleil cassait sur les dalles l'ombre des barreaux de fenêtres, s'avancer lentement, au fond du corridor, les grandes ailes de son bonnet battant sur son visage. Elle arrivait près de mon lit avec une assiette qui fumait et sur le bord de laquelle luisait son ongle bien taillé. « La soupe est un peu claire ce matin, disait-elle, avec son joli sourire, je vous apporte du chocolat ; mangez vite pendant qu'il est chaud ! »

Malgré les soins qu'elle me prodiguait, je m'ennuyais à mourir dans cet hôpital. Mon ami et moi nous étions arrivés à ce degré d'abrutissement qui vous jette sur un lit, s'essayant à tuer, dans une somnolence de bête, les longues heures des insupportables journées. Les seules distractions qui nous fussent offertes, consistaient en un déjeuner et un dîner composés de bœuf bouilli, de pastèque, de pruneaux et d'un doigt de vin, le tout en insuffisante quantité pour nourrir un homme.

Grâce à ma simple politesse vis-à-vis des sœurs et aux étiquettes de pharmacie que j'écrivais pour elles, j'obtenais heureusement une côtelette de temps à autre et une poire cueillie dans le verger de l'hôpital. J'étais donc, en somme, le moins à plaindre de tous les soldats entassés pêle-mêle dans les salles, mais, les premiers jours, je ne parvenais même point à avaler ma pitance le matin. C'était l'heure de la visite et le docteur choisissait ce moment pour faire ses opérations. Le second jour après mon arrivée, il fendit une cuisse du haut en bas ; j'entendis un cri déchirant ; je fermai les yeux, pas assez cependant pour que je ne visse une pluie rouge s'éparpiller en larges gouttes sur son tablier. Ce matin-là, je ne pus manger. Peu à peu, cependant, je finis par m'aguerrir ; bientôt, je me contentai de détourner la tête et de préserver ma soupe.

En attendant, la situation devenait intolérable. Nous avions essayé, mais en vain, de nous procurer des journaux et des livres, nous en étions réduits à nous déguiser, à mettre pour rire la veste du hussard ; mais cette gaieté puérile s'éteignait vite et nous nous étirions, toutes les vingt minutes, échangeant quelques mots, nous renfonçant la tête dans le traversin.

Il n'y avait pas grande conversation à tirer de nos camarades. Les deux artilleurs et le hussard étaient trop malades pour causer. Le dragon [1] jurait des « Nom de Dieu » sans parler, se levait à tout instant, enveloppé dans son grand manteau blanc et allait aux latrines dont il rapportait l'ordure gâchée par ses pieds nus. L'hôpital manquait de thomas [2] ; quelques-uns des plus malades avaient cependant sous leur lit une vieille casserole que les convalescents faisaient sauter comme des cuisinières, offrant, par plaisanterie, le ragoût aux sœurs.

Restait donc seulement le soldat de la ligne : un malheureux garçon épicier, père d'un enfant, rappelé sous les drapeaux, battu constamment par la fièvre, grelottant sous ses couvertures.

1. Dragon : soldat de la cavalerie qui combat en ligne.
2. Thomas : vase de nuit (populaire).

Assis en tailleur sur nos lits, nous l'écoutions raconter la bataille où il s'était trouvé.

Jeté près de Frœschwiller [1], dans une plaine entourée de bois, il avait vu des lueurs rouges filer dans des bouquets de fumée blanche, et il avait baissé la tête, tremblant, ahuri par la canonnade, effaré par le sifflet des balles. Il avait marché, mêlé aux régiments, dans de la terre grasse, ne voyant aucun Prussien, ne sachant où il était, entendant à ses côtés des gémissements traversés par des cris brefs, puis les rangs des soldats placés devant lui s'étaient tout à coup retournés et dans la bousculade d'une fuite, il avait été, sans savoir comment, jeté par terre. Il s'était relevé, s'était sauvé, abandonnant son fusil et son sac, et à la fin, épuisé par les marches forcées subies depuis huit jours, exténué par la peur et affaibli par la faim, il s'était assis dans un fossé. Il était resté là, hébété, inerte, assourdi par le vacarme des obus, résolu à ne plus se défendre, à ne plus bouger ; puis il avait songé à sa femme, et pleurant, se demandant ce qu'il avait fait pour qu'on le fît ainsi souffrir, il avait ramassé, sans savoir pourquoi une feuille d'arbre qu'il avait gardée et à laquelle il tenait, car il nous la montrait souvent, séchée et ratatinée dans le fond de ses poches.

Un officier était passé, sur ces entrefaites, le revolver au poing, l'avait traité de lâche et menacé de lui casser la tête s'il ne marchait pas. Il avait dit : « J'aime mieux ça ; ah ! que ça finisse ! » Mais l'officier, au moment où il le secouait pour le remettre sur ses jambes, s'était étalé, giclant le sang par la nuque. Alors, la peur l'avait repris, il s'était enfui et avait pu rejoindre une lointaine route, inondée de fuyards, noire de troupes, sillonnée d'attelages dont les chevaux emportés crevaient et broyaient les rangs.

---

1. Frœschwiller : la bataille la plus meurtrière pour l'armée française. Les 5 et 6 août 1870, Mac-Mahon et ses cinq divisions d'infanterie y résistèrent inutilement pendant neuf heures aux assauts des troupes prussiennes.

On était enfin parvenu à se mettre à l'abri. Le cri de trahison s'élevait des groupes. De vieux soldats paraissaient résolus encore, mais les recrues se refusaient à continuer. « Qu'ils aillent se faire tuer, disaient-ils, en désignant les officiers, c'est leur métier à eux ! Moi, j'ai des enfants, c'est pas l'État qui les nourrira si je suis mort ! » Et l'on enviait le sort des gens un peu blessés et des malades qui pouvaient se réfugier dans les ambulances.

« Ah ! ce qu'on a peur et puis ce qu'on garde dans l'oreille la voix des gens qui appellent leur mère et demandant à boire », ajoutait-il, tout frissonnant. Il se taisait, et regardant le corridor d'un air ravi, il reprenait : « C'est égal, je suis bien heureux d'être ici ; et puis, comme cela, ma femme peut m'écrire », et il tirait de sa culotte des lettres, disant avec satisfaction : « Le petit a écrit, voyez », et il montrait au bas du papier, sous l'écriture pénible de sa femme, des bâtons formant une phrase dictée où il y avait des « J'embrasse papa » dans des pâtés d'encre.

Nous écoutâmes vingt fois au moins cette histoire, et nous dûmes subir pendant de mortelles heures les rabâchages de cet homme enchanté de posséder un fils. Nous finissions par nous boucher les oreilles et par tâcher de dormir pour ne plus l'entendre.

Cette déplorable vie menaçait de se prolonger, quand un matin Francis qui, contrairement à son habitude, avait rôdé toute la journée de la veille dans la cour, me dit : « Eh ! Eugène, viens-tu respirer un peu l'air des champs ? » Je dresse l'oreille. « Il y a un préau réservé aux fous, poursuit-il ; ce préau est vide ; en grimpant sur le toit des cabanons, et c'est facile, grâce aux grilles qui garnissent les fenêtres, nous atteignons la crête du mur, nous sautons et nous tombons dans la campagne. À deux pas de ce mur s'ouvre l'une des portes d'Évreux. Qu'en dis-tu ?

– Je dis… je dis que je suis tout disposé à sortir ; mais comment ferons-nous pour rentrer ?

– Je n'en sais rien ; partons d'abord, nous aviserons ensuite. Lève-toi, on va servir la soupe, nous sautons sur le mur après. »

Je me lève. L'hôpital manquait d'eau, de sorte que j'en étais réduit à me débarbouiller avec de l'eau de Seltz que la sœur m'avait fait avoir. Je prends mon siphon, je vise le peintre qui crie feu, je presse la détente, la décharge lui arrive en pleine figure ; je me pose à mon tour devant lui, je reçois le jet dans la barbe, je me frotte le nez avec la mousse, je m'essuie. Nous sommes prêts, nous descendons. Le préau est désert ; nous escaladons le mur. Francis prend son élan et saute. Je suis assis à califourchon sur la crête, je jette un regard rapide autour de moi ; en bas, un fossé et de l'herbe ; à droite, une des portes de la ville ; au loin, une forêt qui moutonne et enlève ses déchirures d'or rouge sur une bande de bleu pâle. Je suis debout ; j'entends du bruit dans la cour, je saute ; nous rasons les murailles, nous sommes dans Évreux !

– Si nous mangions ?

– Adopté.

Chemin faisant, à la recherche d'un gîte, nous apercevons deux petites femmes qui tortillent des hanches ; nous les suivons et leur offrons à déjeuner ; elles refusent ; nous insistons, elles répondent non plus mollement ; nous insistons encore, elles disent oui. Nous allons chez elles, avec un pâté, des bouteilles, des œufs, un poulet froid. Ça nous paraît drôle de nous trouver dans une chambre claire, tendue de papier moucheté de fleurs lilas et feuillé de vert ; il y a, aux croisées, des rideaux en damas groseille, une glace sur la cheminée, une gravure représentant un Christ embêté par des pharisiens, six chaises en merisier, une table ronde avec une toile cirée montrant les rois de France, un lit pourvu d'un édredon de percale rose. Nous dressons la table, nous regardons d'un œil goulu les filles qui tournent autour ; le couvert est long à mettre, car nous les arrêtons au passage pour les embrasser ; elles sont laides et bêtes, du reste. Mais, qu'est-ce que ça nous fait ? il y a si longtemps que nous n'avons flairé de la bouche de femme !

Je découpe le poulet, les bouchons sautent, nous buvons comme des chantres et bâfrons comme des ogres. Le café fume dans les tasses, nous le dorons avec du cognac ; ma tristesse s'envole, le punch s'allume, les flammes bleues du kirsch voltigent dans le saladier qui crépite, les filles rigolent, les cheveux dans les yeux et les seins fouillés ; soudain quatre coups sonnent lentement au cadran de l'église. Il est quatre heures. Et l'hôpital, Seigneur Dieu ! nous l'avions oublié ! Je deviens pâle, Francis me regarde avec effroi, nous nous arrachons des bras de nos hôtesses, nous sortons au plus vite.

– Comment rentrer ? dit le peintre.

– Hélas ! nous n'avons pas le choix ; nous arriverons à grand-peine pour l'heure de la soupe. À la grâce de Dieu, filons par la grande porte !

Nous arrivons, nous sonnons ; la sœur concierge vient nous ouvrir et reste ébahie. Nous la saluons, et je dis assez haut pour être entendu d'elle :

– Sais-tu, dis donc, qu'ils ne sont pas aimables à l'Intendance, le gros surtout nous a reçus plus ou moins poliment…

La sœur ne souffle mot ; nous courons au galop vers la chambrée ; il était temps, j'entendais la voix de sœur Angèle qui distribuait les rations. Je me couche au plus vite sur mon lit, je dissimule avec la main un suçon que ma belle m'a posé le long du cou ; la sœur me regarde, trouve à mes yeux un éclat inaccoutumé et me dit avec intérêt :

– Souffrez-vous davantage ?

Je la rassure et lui réponds :

– Au contraire, je vais mieux, ma sœur, mais cette oisiveté et cet emprisonnement me tuent.

Quand je lui exprimais l'effroyable ennui que j'éprouvais, perdu dans cette troupe, au fond d'une province, loin des miens, elle ne répondait pas, mais ses lèvres se serraient, ses yeux prenaient une indéfinissable expression de mélancolie et de pitié. Un jour pourtant elle m'avait dit d'un ton sec : « Oh ! la liberté ne vous vaudrait rien », faisant allusion à une conversation qu'elle avait surprise entre Francis et moi, discutant sur les joyeux appas des Parisiennes ; puis elle s'était adoucie et avait ajouté avec sa petite moue charmante :

– Vous n'êtes vraiment pas sérieux, monsieur le militaire.

Le lendemain matin nous convenons, le peintre et moi, qu'aussitôt la soupe avalée nous escaladerons de nouveau les murs. À l'heure dite, nous rôdons autour du préau, la porte est fermée ! « Bast, tant pis ! dit Francis, en avant ! » et il se dirige vers la grande porte de l'hôpital. Je le suis. La sœur tourière nous demande où nous allons. « À l'Intendance. » La porte s'ouvre, nous sommes dehors.

Arrivés sur la grande place de la ville, en face de l'église, j'avise, tandis que nous contemplions les sculptures du porche, un gros monsieur, une face de lune rouge hérissée de moustaches blanches, qui nous regardait avec étonnement. Nous le dévisageons à notre tour, effrontément, et nous poursuivons notre route. Francis mourait de soif, nous entrons dans un café, et, tout en dégustant ma demi-tasse, je jette les yeux sur le journal du pays, et j'y trouve un nom qui me fait rêver. Je ne connaissais pas, à vrai dire, la personne qui le portait, mais ce nom rappelait en moi des souvenirs effacés depuis longtemps. Je me rappelais que l'un de mes amis avait un parent haut placé dans la ville d'Évreux. « Il faut absolument que je le voie », dis-je au peintre ; je demande son adresse au cafetier, il l'ignore ; je sors et je vais chez tous les boulangers et chez tous les pharmaciens que je rencontre. Tout le monde mange du pain et boit des potions ; il est impossible que l'un de ces industriels ne connaisse pas l'adresse de M. de Fréchêde. Je la trouve, en effet ; j'époussette ma vareuse, j'achète une cravate noire, des gants et je vais sonner doucement, rue Chartraine, à la grille d'un hôtel qui dresse ses façades de brique et ses toitures d'ardoise dans le fouillis ensoleillé d'un parc. Un domestique m'introduit. M. de Fréchêde est absent, mais Madame est là. J'attends, pendant quelques secondes, dans un salon ; la portière se soulève et une vieille dame paraît. Elle a l'air si affable que je suis rassuré. Je lui explique, en quelques mots, qui je suis.

– Monsieur, me dit-elle, avec un bon sourire, j'ai beaucoup entendu parler de votre famille ; je crois même avoir vu chez Mme Lezant, madame votre mère, lors de mon dernier voyage à Paris ; vous êtes ici le bienvenu.

Nous causons longuement ; moi, un peu gêné, dissimulant avec mon képi, le suçon de mon cou ; elle, cherchant à me faire accepter de l'argent que je refuse.

– Voyons, me dit-elle enfin, je désire de tout mon cœur vous être utile ; que puis-je faire ?

Je lui réponds :

– Mon Dieu ! madame, si vous pouviez obtenir qu'on me renvoie à Paris, vous me rendriez un grand service ; les communications vont être prochainement interceptées, si j'en crois les journaux ; on parle d'un nouveau coup d'État ou du renversement de l'Empire ; j'ai grand besoin de retrouver ma mère, et surtout de ne pas me laisser faire prisonnier ici, si les Prussiens y viennent.

Sur ces entrefaites rentre M. de Fréchêde. Il est mis, en deux mots, au courant de la situation.

– Si vous voulez venir avec moi chez le médecin de l'hospice, me dit-il, nous n'avons pas de temps à perdre.

– Chez le médecin ! bon Dieu ! et comment lui expliquer ma sortie de l'hôpital ? Je n'ose souffler mot ; je suis mon protecteur, me demandant comment tout cela va finir. Nous arrivons, le docteur me regarde d'un air stupéfait. Je ne lui laisse pas le temps d'ouvrir la bouche, et je lui débite avec une prodigieuse volubilité un chapelet de jérémiades sur ma triste position.

M. de Fréchêde prend à son tour la parole et lui demande, en ma faveur, un congé de convalescence de deux mois.

– Monsieur est, en effet, assez malade, dit le médecin, pour avoir droit à deux mois de repos ; si mes collègues et si le général partagent ma manière de voir, votre protégé pourra, sous peu de jours, retourner à Paris.

– C'est bien, réplique M. de Fréchêde ; je vous remercie, docteur ; je parlerai ce soir même au général.

Nous sommes dans la rue, je pousse un soupir de soulagement, je serre la main de l'excellent homme qui veut bien s'intéresser à moi, je cours à la recherche de Francis. Nous n'avons que bien juste le temps de rentrer, nous arrivons à la grille de l'hôpital ; Francis sonne, je salue la sœur. Elle m'arrête :

– Ne m'aviez-vous pas dit, ce matin, que vous alliez à l'Intendance ?

– Mais certainement, ma sœur.

– Eh bien ! le général sort d'ici. Allez voir le directeur et la sœur Angèle, ils vous attendent ; vous leur expliquerez, sans doute, le but de vos visites à l'Intendance.

Nous remontons, tout penauds, l'escalier du dortoir. Sœur Angèle est là qui m'attend et qui me dit :

– Jamais je n'aurais cru pareille chose ; vous avez couru par toute la ville, hier et aujourd'hui, et Dieu sait la vie que vous avez menée !

– Oh ! par exemple, m'écriai-je.

Elle me regarda si fixement que je ne soufflai plus mot.

– Toujours est-il, poursuivit-elle, que le général vous a rencontrés aujourd'hui même sur la Grand-Place. J'ai nié que vous fussiez sortis, et je vous ai cherchés par tout l'hôpital. Le général avait raison, vous n'étiez pas ici. Il m'a demandé vos noms ; j'ai donné celui de l'un d'entre vous, j'ai refusé de livrer l'autre, et j'ai eu tort, bien certainement, car vous ne le méritez pas !

– Oh ! combien je vous remercie, ma sœur !... Mais sœur Angèle ne m'écoutait pas, elle était indignée de ma conduite ! Je n'avais qu'un parti à prendre, me taire et recevoir l'averse sans même tenter de me mettre à l'abri. Pendant ce temps, Francis était appelé chez le directeur, et comme, je ne sais pourquoi, on le soupçonnait de me débaucher, et qu'il était d'ailleurs, à cause de ses gouailleries, au plus mal avec le médecin et avec les sœurs, il lui fut annoncé qu'il partirait le lendemain pour rejoindre son corps.

– Les drôlesses chez lesquelles nous avons déjeuné hier sont des filles en carte qui nous ont vendus, m'affirmait-il, furieux. C'est le directeur lui-même qui me l'a dit.

Tandis que nous maudissions ces coquines et que nous déplorions notre uniforme qui nous faisait si facilement reconnaître, le bruit court que l'Empereur est prisonnier et que la République est proclamée à Paris ; je donne 1 franc à un vieillard qui pouvait sortir et qui me rapporte un numéro du *Gaulois*. La nouvelle est vraie. L'hôpital exulte. « Enfoncé Badingue [1] ! c'est pas trop tôt, v'là la guerre qui est enfin finie ! » Le lendemain matin, Francis et moi, nous nous embrassons, et il part. « À bientôt, me crie-t-il en fermant la grille, et rendez-vous à Paris ! »

Oh ! les journées qui suivirent ce jour-là ! quelles souffrances ! quel abandon ! Impossible de sortir de l'hôpital ; une sentinelle se promenait, en mon honneur, de long en large, devant la porte. J'eus cependant le courage de ne pas m'essayer à dormir ; je me promenais comme une bête encagée, dans le préau. Je rôdai ainsi douze heures durant. Je connaissais ma prison dans ses moindres coins. Je savais les endroits où les pariétaires [2] et la mousse poussaient, les pans de muraille qui fléchissaient en se lézardant. Le dégoût de mon corridor, de mon grabat aplati comme une galette, de mon geigneux [3], de mon linge pourri de crasse, m'était venu. Je vivais, isolé, ne parlant à personne, battant à coups de pied les cailloux de la cour,

1. Badingue (pour « Badinguet ») : voir ci-avant, p. 45, note 2.
2. Pariétaires : plantes qui croissent sur les murailles.
3. Geigneux : pot de chambre à anse.

errant comme une âme en peine sous les arcades badigeonnées d'ocre jaune ainsi que les salles, revenant à la grille d'entrée surmontée d'un drapeau, montant au premier où était ma couche, descendant au bas où la cuisine étincelait, mettant les éclairs de son cuivre rouge dans la nudité blafarde de la pièce. Je me rongeais les poings d'impatience, regardant, à certaines heures, les allées et venues des civils et des soldats mêlés, passant et repassant à tous les étages, emplissant les galeries de leur marche lente.

Je n'avais plus la force de me soustraire aux poursuites des sœurs, qui nous rabattaient le dimanche dans la chapelle. Je devenais monomane ; une idée fixe me hantait : fuir au plus vite cette lamentable geôle. Avec cela, des ennuis d'argent m'opprimaient. Ma mère m'avait adressé cent francs à Dunkerque, où je devais me trouver, paraît-il. Cet argent ne revenait point. Je vis le moment où je n'aurais plus un sou pour acheter du tabac ou du papier.

En attendant, les jours se suivaient. Les de Fréchêde semblaient m'avoir oublié et j'attribuais leur silence à mes escapades, qu'ils avaient sans doute apprises. Bientôt à toutes ces angoisses vinrent s'ajouter d'horribles douleurs : mal soignées et exaspérées par les prétentaines que j'avais courues, mes entrailles flambaient. Je souffris tellement que j'en vins à craindre de ne plus pouvoir supporter le voyage. Je dissimulais mes souffrances, craignant que le médecin ne me forçât à demeurer plus longtemps à l'hôpital. Je gardai le lit quelques jours ; puis, comme je sentais mes forces diminuer, je voulus me lever quand même et je descendis dans la cour. Sœur Angèle ne me parlait plus, et le soir, alors qu'elle faisait sa ronde dans les corridors et les chambrées, se détournant pour ne point voir le point de feu des pipes qui scintillait dans l'ombre, elle passait devant moi, indifférente, froide, détournant les yeux.

Une matinée, cependant, comme je me traînais dans la cour et m'affaissais sur tous les bancs, elle me vit si changé, si pâle, qu'elle ne put se défendre d'un mouvement de compassion. Le soir, après qu'elle eut terminé sa visite des dortoirs, je m'étais accoudé sur mon traversin et, les yeux grands ouverts, je regardais les traînées bleuâtres que la lune jetait par les fenêtres du couloir, quand la porte du fond s'ouvrit de nouveau, et j'aperçus, tantôt baignée de vapeurs d'argent, tantôt sombre et comme vêtue d'un crêpe noir, selon qu'elle passait devant les croisées ou devant les murs, sœur Angèle qui venait à moi. Elle souriait doucement. « Demain matin, me dit-elle, vous passerez la visite des médecins. J'ai vu Mme de Fréchêde aujourd'hui, il est probable que vous partirez dans deux ou trois jours pour Paris. » Je fais un saut dans mon lit, ma figure s'éclaire, je voudrais pouvoir sauter et chanter ; jamais je ne fus plus heureux. Le matin se lève, je m'habille et inquiet cependant, je me dirige vers la salle où siège une réunion d'officiers et de médecins.

Un à un, les soldats étalaient des torses creusés de trous ou bouquetés de poils. Le général se grattait un ongle, le colonel de la gendarmerie s'éventait avec un papier, les praticiens causaient en palpant les hommes. Mon tour arrive enfin : on m'examine des pieds à la tête, on me pèse sur le ventre qui est gonflé et tendu comme un ballon, et, à l'unanimité des voix, le conseil m'accorde un congé de convalescence de soixante jours. Je vais enfin revoir ma mère ! retrouver mes bibelots, mes livres ! Je ne sens plus ce fer rouge qui me brûle les entrailles, je saute comme un cabri !

J'annonce à ma famille la bonne nouvelle. Ma mère m'écrit lettres sur lettres, s'étonnant que je n'arrive point. Hélas ! mon congé doit être visé à la Division de Rouen. Il revient après cinq jours ; je suis en règle, je vais trouver sœur Angèle, je la prie de m'obtenir, avant l'heure fixée pour mon départ, une permission de sortie afin d'aller remercier les de Fréchêde qui ont été si bons pour moi. Elle va trouver le directeur et me la rapporte ; je cours chez ces braves gens, qui me forcent à accepter un foulard et cinquante francs pour la route ; je vais chercher ma feuille à l'Intendance, je rentre à l'hospice, je n'ai plus que quelques minutes à moi. Je me mets en quête de sœur Angèle que je trouve dans le jardin, et je lui dis, tout ému :

– Ô chère sœur, je pars ; comment pourrai-je jamais m'acquitter envers vous ?

Je lui prends la main qu'elle veut retirer, et je la porte à mes lèvres. Elle devient rouge. – Adieu ! murmure-t-elle, et me menaçant du doigt, elle ajoute gaiement : soyez sage, et surtout ne faites pas de mauvaises rencontres en route !

– Oh ! ne craignez rien, ma sœur, je vous le promets ! L'heure sonne, la porte s'ouvre, je me précipite vers la gare, je saute dans un wagon, le train s'ébranle, j'ai quitté Évreux.

La voiture est à moitié pleine, mais j'occupe heureusement l'une des encoignures. Je mets le nez à la fenêtre, je vois quelques arbres écimés, quelques bouts de collines qui serpentent au loin et un pont enjambant une grande mare qui scintille au soleil comme un éclat de vitre. Tout cela n'est pas bien joyeux. Je me renfonce dans mon coin, regardant parfois les fils du télégraphe qui règlent l'outremer de leurs lignes noires, quand le train s'arrête, les voyageurs qui m'entourent descendent, la portière se ferme, puis s'ouvre à nouveau et livre passage à une jeune femme.

Tandis qu'elle s'assied et défripe sa robe, j'entrevois sa figure sous l'envolée du voile. Elle est charmante, avec ses yeux pleins de bleu de ciel, ses lèvres tachées de pourpre, ses dents blanches, ses cheveux couleur de maïs mûr.

J'engage la conversation ; elle s'appelle Reine et brode des fleurs : nous causons en amis. Soudain elle devient pâle et va s'évanouir ; j'ouvre les lucarnes, je lui tends un flacon de sels que j'ai emporté, lors de mon départ de Paris, à tout hasard ; elle me remercie, ce ne sera rien, dit-elle, et elle s'appuie sur mon sac pour tâcher de dormir. Heureusement que nous sommes seuls dans le compartiment, mais la barrière de bois qui sépare, en tranches égales, la caisse de la voiture ne s'élève qu'à mi-corps, et l'on voit et surtout on entend les clameurs et les gros rires des paysans et des paysannes. Je les aurais battus de bon cœur, ces imbéciles qui troublaient son sommeil ! Je me contentai d'écouter les médiocres aperçus qu'ils échangeaient sur la politique. J'en ai vite assez ; je me bouche les oreilles ; j'essaye, moi aussi, de dormir ; mais cette phrase qui a été dite par le chef de la dernière station : « Vous n'arriverez pas à Paris, la voie est coupée à Mantes », revient dans toutes mes rêveries comme un refrain entêté. J'ouvre les yeux, ma voisine se réveille elle aussi ; je ne veux pas lui faire partager mes craintes : nous causons à voix basse, elle m'apprend qu'elle va rejoindre sa mère à Sèvres. « Mais, lui dis-je, le train n'entrera guère dans Paris avant onze heures du soir, vous n'aurez jamais le temps de regagner l'embarcadère de la rive gauche. – Comment faire, dit-elle, si mon frère n'est pas en bas, à l'arrivée ? »

Ô misère, je suis sale comme un peigne et mon ventre brûle ! je ne puis songer à l'emmener dans mon logement de garçon, et puis, je veux avant tout aller chez ma mère. Que faire ? Je regarde Reine avec angoisse, je prends sa main ; à ce moment, le train change de voie, la secousse la jette en avant, nos lèvres sont proches, elles se touchent, j'appuie les miennes bien vite, elle devient rouge. Seigneur Dieu ! sa bouche remue imperceptiblement, elle me rend mon baiser ; un long frisson me court sur l'échine, au contact de ces braises adentes je me sens défaillir : Ah ! sœur Angèle, sœur Angèle, on ne peut se refaire !

Et le train rugit et roule sans ralentir sa marche, nous filons à toute vapeur sur Mantes ; mes craintes sont vaines, la voie est libre. Reine ferme à demi ses yeux, sa tête tombe sur mon épaule, ses petits frisons s'emmêlent dans ma barbe et me chatouillent les lèvres, je soutiens sa taille qui ploie et je la berce. Paris n'est pas loin, nous passons devant les docks à marchandises, devant les rotondes où grondent, dans une vapeur rouge, les machines en chauffe ; le train s'arrête, on prend les billets. Tout bien réfléchi, je conduirai d'abord Reine dans mon logement de garçon.

Pourvu que son frère ne l'attende pas à l'arrivée ! Nous descendons des voitures, son frère est là. Dans cinq jours, me dit-elle, dans un baiser, et le bel oiseau s'envole ! Cinq jours après j'étais dans mon lit atrocement malade, et les Prussiens occupaient Sèvres. Jamais plus depuis je ne l'ai revue.

J'ai le cœur serré, je pousse un gros soupir ; ce n'est pourtant pas le moment d'être triste ! Je cahote maintenant dans un fiacre, je reconnais mon quartier, j'arrive devant la maison de ma mère, je grimpe les escaliers, quatre à quatre, je sonne précipitamment, la bonne ouvre. C'est Monsieur ! et elle court prévenir ma mère qui s'élance à ma rencontre, devient pâle, m'embrasse, me regarde des pieds à la tête, s'éloigne un peu, me regarde encore et m'embrasse de nouveau. Pendant ce temps, la bonne a dévalisé le buffet. Vous devez avoir faim, monsieur Eugène ? – Je crois bien que j'ai faim ! je dévore tout ce qu'on me donne, j'avale de grands verres de vin ; à vrai dire, je ne sais ce que je mange et ce que je bois !

Je retourne enfin chez moi pour me coucher ! – Je retrouve mon logement tel que je l'ai laissé. Je le parcours, radieux, puis je m'assieds sur le divan et je reste là, extasié, béat, m'emplissant les yeux de la vue de mes bibelots et de mes livres. Je me déshabille pourtant, je me nettoie à grande eau, songeant que pour la première fois depuis des mois, je vais entrer dans un lit propre avec des pieds blancs et des ongles faits. Je saute sur le sommier qui bondit, je m'enfouis la tête dans la plume, mes yeux se ferment, je vogue à pleines voiles dans le pays du rêve.

Il me semble voir Francis qui allume sa vaste pipe de bois, sœur Angèle qui me considère avec sa petite moue, puis Reine s'avance vers moi, je me réveille en sursaut, je me traite d'imbécile et me renfonce dans les oreillers, mais les douleurs d'entrailles un moment domptées se réveillent maintenant que les nerfs sont moins tendus et je me frotte doucement le ventre, pensant que toute l'horreur de la dysenterie qu'on traîne dans des lieux où tout le monde opère, sans pudeur, ensemble, n'est enfin plus ! Je suis chez moi, dans des cabinets à moi ! et je me dis qu'il faut avoir vécu dans la promiscuité des hospices et des camps pour apprécier la valeur d'une cuvette d'eau, pour savourer la solitude des endroits où l'on met culotte bas, à l'aise.

À VAU-L'EAU

Notice

À vau-l'eau illustre à merveille le programme qui tend à convertir la narration romanesque en chronique. Il a déjà été bien des fois mis en œuvre, notamment par Henry Céard – un an avant que le récit de Huysmans paraisse en revue – dans *Une belle journée* (1881), relation minutieuse d'un adultère qui ne s'accomplit pas. L'homme ordinaire, tantôt quelconque et tantôt raté, est devenu un personnage symptomatique, voué au malheur, aux déconvenues ou à la médiocrité, dont Tourgueniev avait déjà fait connaître les considérations désolées dans *Le Journal d'un homme de trop* (1862, pour la traduction française). Réduit à sa plus simple expression, le récit naturaliste crée un poncif dont Huysmans tente de se déprendre. Il le fait d'instinct, suivant une pente naturelle qui marque sa différence. *À vau-l'eau* est le premier de ses récits où il impose ce qu'il a lui-même dénommé « humour noir [1] ».

Plusieurs mois durant, Huysmans fait part de son entreprise à des amis belges, Théodore Hannon et Camille Lemonnier. Il sollicite également les observations de Zola, le maître encore vénéré, toujours bienveillant à l'égard de ses

1. C'est à propos de son roman *Les Sœurs Vatard* que Huysmans caractérise la marque de ses œuvres : « une pincée d'humour noir et de comique rêche anglais ». Voir la monographie présentée sous forme d'interview et signée A. Meunier (*Les Hommes d'aujourd'hui*, n° 263, L. Vanier, 1885), in *Cahiers de l'Herne*, « Huysmans », n° 47, 1985, p. 25-29.

jeunes amis. Les commentaires de l'auteur portent sur son propos, le sujet qu'il traite, le titre de sa nouvelle et l'accueil qu'elle reçoit.

Joris-Karl Huysmans à Théodore Hannon (16 octobre 1881) :

> Ici, c'est le spleen accablant. On clapote, dans la boue sous les rafales – C'est affreux – joignez à cela, que je n'ai pas de bonne pour l'instant, que je suis livré au bon vouloir de mon concierge, que je mange dans les restaurants, vous voyez la joie !
>
> Ce qui me console, c'est que ça m'a donné l'idée d'une nouvelle qui m'amuse assez à faire, celle de l'homme solitaire qui mange dans les restaurants – il y a de bonnes notes à donner ; je suis en train de buriner ça – le roman que j'ai commencé, m'ennuyant pour l'instant, à mort.
>
> Ici, il y a le prodigieux succès de *Numa Roumestan* : quarante mille exemplaires dès le premier jour – C'est vraiment beaucoup pour ce que ça est – et l'on se dit vraiment à voir ces engouements du public, qu'il n'y a pas de justice littéraire de par le monde – Car vraiment entre *L'Assommoir* et ça, il y a parité de vente, et les deux livres ne peuvent pas se comparer... malheureusement pour Daudet [1].

Joris-Karl Huysmans à Camille Lemonnier (7 novembre 1881) :

> Je suis attelé sur un bouquin assez bizarre et assez rigolo – en deux parties très courtes – l'une dénombrant les misères du célibat, les restaurants, les bouillons, les femmes de ménage, etc., l'autre dénombrant les misères du mariage, les gosses, les coups tirés sans envie, les femmes malades. Il n'y a plus qu'à se foutre à l'eau après la lecture de ce livre. Si ça va bien, ça aura une bonne gueule [2].

Joris-Karl Huysmans à Henry Kistemaekers (31 décembre 1881) :

> Zola trouve que le titre *Monsieur Folantin* est déplorable, que ça ne dit rien, que, du reste, étant donné la philosophie

1. J.-K. Huysmans, *Lettres à Théodore Hannon*, Ch. Pirot, 1985.
2. J.-K. Huysmans, *Lettres inédites à Camille Lemonnier*, Droz et Minard, 1957.

de la nouvelle, ce n'est pas de M. Folantin qu'il s'agit, mais bien du célibataire isolé et triste. Et, en effet, à ce point de vue, il a raison : c'est une idée abstraite qui a dirigé ma nouvelle. Donc, il est d'avis, ainsi que Céard, qu'*À vau-l'eau* est le seul titre à donner, faute d'un meilleur que nous avons tous cherché *sans résultat*. – Donc, nous arrêtons *À vau-l'eau*, quelque médiocre qu'il soit ; je vous ai donné là-dessus du reste mon opinion. Cela m'ennuie, car j'ai peur que ces perpétuels changements ne vous occasionnent des tracas et des traverses, avec les annonces que vous avez sans doute faites sous le titre de *Folantin* ; mais, au fond, je crois qu'ils ont raison. *Monsieur Folantin* ne signifie rien, amoindrit la pensée de la nouvelle et ce n'est pas un titre de vente supérieur de beaucoup à *À vau-l'eau* [1].

Émile Zola à Joris-Karl Huysmans (17 janvier 1882) :

J'ai lu *À vau-l'eau* le soir même du jour où je l'ai reçu [...]. C'est une étude bien curieuse et bien intense. Je regrette peut-être un peu qu'il y ait là une répétition de certaines pages d'*En ménage*, élargie il est vrai. Seulement, l'unité, je dirai même le parti pris du sujet, lui donne une acuité toute particulière. Cela est d'une abominable cruauté dans la mélancolie. Et que de jolis coins : les cochers mangeant, la table d'hôte, le restaurant discret de la Croix-Rouge ; sans parler de l'accouplement désespéré de la fin, qui est d'un effet énorme [2].

Joris-Karl Huysmans à Émile Zola (1er février 1882) :

Votre lettre m'a fait bien plaisir, car j'étais un peu pris de frousse ; l'*À vau l'eau* m'apparaissait si monotone et si gris ! Votre observation sur la répétition de certains coins d'*En ménage* est juste – et je le sentais, car j'ai renoncé à cause de cela, à étendre cette nouvelle que je voulais d'abord faire bien plus longue. Mais fatalement le sujet m'amenait à des situations déjà explorées dans mon roman. J'étais pourtant forcé de refaire le côté bonne, le côté ennui solitaire, dans Folantin – mais je crois que j'ai vraiment eu raison de mesurer parcimonieusement mes lignes et d'être le plus bref possible.

---

1. J.-K. Huysmans, lettre à H. Kistemaekers, citée par R. Baldick, *La Vie de Joris-Karl Huysmans*, Denoël, 1958, p. 86.

2. Ce passage et le suivant sont extraits de J.-K. Huysmans, *Lettres inédites à Émile Zola*, Droz, 1953.

Joris-Karl Huysmans à Théodore Hannon (15 février 1882) :

> [...] je rigole un brin dans mon belvédère de la rue de Sèvres pour l'instant, car les bons journaux sont en train de canonner des bombes fécales, à qui mieux mieux, sur *À vau-l'eau* ! ça les occupe et ça me divertit. Ce livre-là les exaspère [1] !

Dès sa publication, *À vau-l'eau* apparaît comme l'illustration d'un désenchantement bien souvent formulé par d'autres écrivains, avant d'être exposé comme un symptôme d'époque par Paul Bourget : « l'existence du pessimisme dans l'âme de la jeunesse contemporaine n'est-elle pas reconnue aujourd'hui par ceux-là mêmes à qui cet esprit de négation et de dépression répugne le plus ? Je crois avoir été un des premiers à signaler cette reprise inattendue de ce qu'on appelait en 1830 le mal du siècle [2] ». De fait, les propos du personnage, dans la dernière page de la nouvelle, le placent sous l'égide de Schopenhauer. La locution adverbiale, qui lui donne son titre, invoque l'abandon des forces individuelles à une Volonté qui les dépasse et qui les régit, en dépit d'elles-mêmes : aller « à vau-l'eau », c'est se laisser porter passivement par un courant [3] : « Schopenhauer a raison, se dit-il [4]. » De nombreux extraits du philosophe allemand, traduits et présentés par Jean Bourdeau, avaient fait alors connaître au public une vulgate qui oblitérait les intuitions d'une transcendance idéaliste au profit d'une *doxa* accessible à tous. Car un système de pensée qui accorde une part déterminante à l'irrationnel se trouve converti en simple « pessimisme » : « Les efforts sans trêve pour bannir la souffrance, n'ont d'autre résultat que d'en changer la figure » ; « Aussi les esprits sensés

1. J.-K. Huysmans, *Lettres à Théodore Hannon*, *op. cit.*

2. « Nos pessimistes encadrent leur misanthropie dans un décor parisien et l'habillent à la mode du jour », P. Bourget, *Essais de psychologie contemporaine*, éd. A. Guyaux, Gallimard, « Tel », 1993, p. 438.

3. Au tout début de la Deuxième partie, l'expression apparaît pour la première fois : « il se laissait aller à vau-l'eau, incapable de réagir contre ce spleen qui l'écrasait » (p. 96).

4. La dernière page d'*À vau-l'eau* a fait l'objet d'hésitations. Sur le manuscrit, une première version reproduit le constat désespéré d'un auteur russe, Karamzine (voir la variante *b* ci-après, p. 133), après qu'a été ajouté dans la marge le passage où Schopenhauer est mentionné et cité.

visent-ils moins à de vives jouissances qu'à une absence de peine » (*Pensées et fragments*, 1880) [1]. Suivant les considérations finales de la nouvelle, une tradition de lecture s'est d'emblée établie, qui s'est perpétuée jusqu'à nos jours. Dans son compte rendu, Guy de Maupassant ne retient que les résonances les plus accablées du récit, comme de son côté le commentaire de Jules Lemaitre :

> Cet Ulysse des gargotes, dont l'Odyssée se borne à des voyages entre des plats où graillonnent les beurres rancis autour de copeaux de chair inavouables, est navrant, poignant, désespérant, parce qu'il nous apparaît d'une effrayante vérité.
>
> *Le Gaulois*, 9 mars 1882 [2].

> La vision de M. Huysmans s'assombrit encore s'il se peut. Tout est laid, sale et nauséabond. Il nous mène du restaurant qui pue à la chambre garnie du célibataire, froide et misérable, où le feu ne prend pas, où l'on rentre le plus tard possible, le soir. Et toujours la même outrance morose.
>
> *Les Contemporains*, 1885 [3].

Il a fallu attendre un demi-siècle et les commentaires d'André Breton, fervent admirateur de Huysmans, pour que soient tempérées les interprétations qui considèrent *À vau-l'eau* comme une ultime variation du Livre de Job (« Périsse le jour où je suis né »). Le lecteur est dès lors invité à percevoir une *manière de dire* :

> Par l'excès des couleurs sombres de sa peinture, par l'atteinte et le dépassement dont il est coutumier d'un certain point critique dans les situations désolantes, par la préfiguration minutieuse, aiguë, des déboires qu'entraîne à ses yeux, dans l'alternative la plus banale, toute espèce d'option, il par-

1. La première traduction du *Monde comme volonté et comme représentation* de Schopenhauer n'a paru qu'en 1886. Au moment où Huysmans écrit *À vau-l'eau*, il a pu lire le philosophe allemand dans un choix de *Pensées et fragments* (« Les douleurs du monde », « L'amour », « La mort », « L'art et la morale »), dû à J. Bourdeau (F. Alcan, 1880). Cet ouvrage a connu un grand succès. Il en est à sa 22e réédition en 1908.

2. Le compte rendu de Maupassant est intégralement reproduit dans la présentation d'*À vau-l'eau* par R. Kopp ; in *Romans*, I, Robert Laffont, « Bouquins », 2005, p. 485-486.

3. J. Lemaitre, « J.-K. Huysmans », in *Les Contemporains*, 1885, p. 322-323.

vient à ce résultat paradoxal de libérer en nous le principe de plaisir [1].

Une telle observation invite à une juste accommodation. La malédiction que subit Folantin est avant tout sociale, comme l'indique la dernière phrase : « décidément, le mieux n'existe pas pour les gens qui n'ont pas le sou ; seul, le pire arrive ». De sorte que la fin du récit renoue avec son commencement. Rentrant chez lui en pleine nuit, le *héros à la triste figure* gravit dans le noir, faute d'allumettes, les marches de l'escalier pour regagner dans la froidure sa chambre de célibataire.

Cependant, la litanie qui forme la trame de la nouvelle provoque le sourire, fût-il amer ou désabusé. Si l'humour « noir » vire souvent au rire « jaune », c'est que l'auteur, relayé par le narrateur et son personnage, joue sur l'arc-en-ciel des différentes espèces du comique, sur toute la gamme des tons : l'hyperbole, l'ironie, le sous-entendu, et ainsi de suite. Une succession d'inventaires outranciers, maniaques ou techniques, de prédictions funestes, d'alternances où l'espoir du mieux-être précède l'inéluctable déconvenue, pose M. Folantin en héros dérisoire qui perçoit comme autant de cataclysmes les petites misères de la vie. Huysmans joue ainsi sur plusieurs tableaux. Entremêlant la gravité à la moquerie, il place le lecteur « entre reconnaissance et défamiliarisation [2] ». Il suscite tour à tour – voire simultanément – l'identification pathétique et la mise à distance rieuse. À cette oscillation s'ajoute le jeu d'un perpétuel dédoublement qu'entretient la voix du narrateur.

---

1. A. Breton, *Anthologie de l'humour noir* (1941), J.-J. Pauvert, 1966, p. 248. André Breton avait déjà rendu un vibrant hommage à Huysmans dans les premières pages de *Nadja*. La notoriété de l'*Anthologie* a suscité des lectures nouvelles d'une œuvre dont le désenchantement a souvent été jugé prémonitoire d'une conversion à la religion catholique. Toutefois, la composante comique des récits de Huysmans avait donné lieu à de belles analyses, comme celle de Remy de Gourmont pour qui *À vau-l'eau* est « une sorte de *Monsieur de Pourceaugnac*, de la bouffonnerie éternelle », « une épopée burlesque », « un des romans uniques de ce temps les plus assurés de vivre » (*Paris-Journal*, 9 septembre 1910 ; reproduit dans le *Mercure de France*, 1er octobre 1910, et repris dans *Promenades littéraires*, Mercure de France, t. III, 1963, p. 78-82).

2. G. Bonnet, *L'Écriture comique de Joris-Karl Huysmans*, Honoré Champion, 2003, p. 151.

Au centre de l'aventure – constituée par une succession de mésaventures –, M. Folantin, le personnage central, pour ainsi dire unique, d'*À vau-l'eau*, ne cesse d'enregistrer, de décompter, de prédire les désastres passés, présents et à venir. Mais les défaites qu'il subit se transfigurent par la grâce et le pouvoir de leur mise en récit.

Nous proposons à la suite du texte deux variantes d'*À vau-l'eau* (voir ci-après, p. 133).

Manuscrit

Bibliothèque de l'Arsenal, cote : Fonds Lambert, ms 15360.

Éditions

À vau-l'eau, H. Kistemaekers, Bruxelles, 1882.
À vau-l'eau, Tresse et Stock, 1894.
Croquis parisiens, *À vau-l'eau*, *Un dilemme*, Stock, 1905.
Œuvres complètes, avec une Note de Lucien Descaves, t. V, 1928.
À vau-l'eau, introduction et notes d'Italo Gotta, Rome, 1956.
En ménage, *À vau-l'eau*, préface de H. Juin, Union Générale d'Édition, « 10/18 », 1975.
À vau-l'eau, avec *Croquis parisiens*, *Un dilemme*, Collection Capitale, 1990.
À vau-l'eau, suivi de « Sonnet saignant » et de « Sonnet masculin », présenté par R.-P. Colin, Éditions du Lérot, 1991.
À vau-l'eau, préface de J. Borie, Slatkine, « Fleuron », 1996.
À vau-l'eau, Mille et Une Nuits, « La Petite collection », 2000.
À vau-l'eau, présenté par R. Kopp, in *Romans*, I, Robert Laffont, « Bouquins », 2005.

À VAU-L'EAU

I

Le garçon mit sa main gauche sur la hanche, appuya sa main droite sur le dos d'une chaise et il se balança sur un seul pied, en pinçant les lèvres.

– Dame, ça dépend des goûts, dit-il ; moi, à la place de monsieur, je demanderais du Roquefort.

– Eh bien, donnez-moi un Roquefort.

Et M. Jean Folantin, assis devant une table encombrée d'assiettes où se figeaient des rogatons et de bouteilles vides dont le cul estampillait d'un cachet bleu la nappe, fit la moue, ne doutant pas qu'il allait manger un désolant fromage ; son attente ne fut nullement déçue ; le garçon apporta une sorte de dentelle blanche marbrée d'indigo, évidemment découpée dans un pain de savon de Marseille.

M. Folantin chipota ce fromage, plia sa serviette, se leva, et son dos fut salué par le garçon qui ferma la porte.

Une fois dehors, M. Folantin ouvrit son parapluie et pressa le pas. Aux lames aiguës du froid vous rasant les oreilles et le nez, avaient succédé les fines lanières d'une pluie battante. L'hiver glacial et dur qui sévissait depuis trois jours sur Paris se détendait et les neiges amollies coulaient, en clapotant, sous un ciel gonflé, comme noyé d'eau.

M. Folantin galopait maintenant, songeant au feu qu'il avait allumé, chez lui, avant que d'aller se repaître dans son restaurant.

À dire vrai, il n'était pas sans craintes ; par extraordinaire, ce soir-là, la paresse l'avait empêché de réédifier, de fond en comble, le bûcher préparé par son concierge. Le coke est si difficile à prendre, songeait-il ; et il grimpa, quatre à quatre, ses escaliers, entra, et il n'aperçut, dans la cheminée, aucune flamme.

– Dire qu'il n'existe pas de femmes de ménage, pas de portiers qui sachent apprêter un feu, grogna-t-il, et il mit sa bougie sur le tapis et, sans se déshabiller, le chapeau sur la tête, il renversa la grille, l'emplit à nouveau, méthodiquement, ménageant dans sa construction des prises d'air. Il baissa la trappe, consuma des allumettes et du papier et il se dévêtit.

Soudain, il soupira, car il arrachait à sa lampe de profonds rots.

– Allons, bon, il n'y a pas d'huile ! Ah bien, en voilà une autre, c'est complet maintenant ! et il considéra, navré, la mèche qu'il venait de lever, une mèche éventée et jaune, à la couronne calcinée et tailladée de dents noires.

– Cette vie est intolérable, se dit-il, en cherchant des ciseaux ; tant bien que mal, il répara son éclairage, puis il se jeta dans un fauteuil et s'abîma dans ses réflexions.

La journée avait été mauvaise ; depuis le matin, il broyait du noir ; le chef du bureau où il était commis, depuis vingt ans, lui avait, sans politesse, reproché son arrivée plus tardive que de coutume.

M. Folantin s'était rebiffé et, tirant son oignon : « onze heures juste », avait-il dit, d'un ton sec.

Le chef avait à son tour extrait de sa poche un puissant remontoir.

– Onze vingt, avait-il riposté, je vais comme la Bourse et, d'un air méprisant, il avait consenti à excuser son employé, en s'apitoyant sur l'antique horlogerie qu'il exhibait.

M. Folantin vit, dans cette ironique manière de le disculper, une allusion à sa pauvreté et il répliqua vivement à son supérieur qui, n'acceptant plus alors les écarts séniles d'une montre, se redressa et, dans des termes comminatoires, reprocha de nouveau à M. Folantin d'être inexact.

La séance, mal commencée, avait continué d'être insupportable. Il avait fallu, sous un jour louche salissant le papier, copier d'interminables lettres, tracer de volumineux tableaux et écouter en même temps les bavardages du collègue, un petit vieux qui, les mains dans les poches, s'écoutait parler.

Celui-là récitait tout entier le journal et il l'allongeait encore par des jugements de son cru, ou bien il blâmait les formules des rédacteurs et il en citait d'autres qu'il eût été heureux de voir substituer à celles qu'il expédiait ; et il entremêlait ces observations de détails sur le mauvais état de sa santé qu'il déclarait s'améliorer un tantinet pourtant, grâce au constant usage de l'onguent populéum [1] et aux ablutions répétées d'eau froide.

À écouter ces intéressants propos, M. Folantin finissait par se tromper ; les raies de ses états godaient [2] et les chiffres couraient à la débandade, dans les colonnes ; il avait dû gratter des pages, surcharger des lignes, en pure perte d'ailleurs, car le chef lui avait retourné son travail, avec ordre de le refaire.

Enfin, la journée s'était terminée et, sous le ciel bas, au milieu des rafales, M. Folantin avait dû piétiner dans des parfaits [3] de fange, dans des sorbets de neige, pour atteindre son logis et son restaurant et voilà que, pour comble, le dîner était exécrable et que le vin sentait l'encre.

Les pieds gelés, comprimés dans des bottines racornies par l'ondée et par les flaques, le crâne chauffé à

1. Populéum : onguent formé d'extraits de diverses plantes et de bourgeons de peuplier (pharmacie).
2. Godaient : se soulevaient çà et là comme un papier mal collé.
3. Parfaits : crèmes glacées.

blanc par le bec de gaz qui sifflait au-dessus de sa tête, M. Folantin avait à peine mangé et maintenant la guigne ne le lâchait point ; son feu hésitait, sa lampe charbonnait, son tabac était humide et s'éteignait, mouillant le papier à cigarette de jus jaune.

Un grand découragement le poigna ; le vide de sa vie murée lui apparut, et, tout en tisonnant le coke avec son poker [1], M. Folantin, penché en avant sur son fauteuil, le front sur le rebord de la cheminée, se mit à parcourir le chemin de croix de ses quarante ans, s'arrêtant, désespéré, à chaque station.

Son enfance n'avait pas été des plus prospères ; de père en fils, les Folantin étaient sans le sou ; les annales de la famille signalaient bien, en remontant à des dates éloignées, un Gaspard Folantin qui avait gagné dans le commerce des cuirs presqu'un million ; mais la chronique ajoutait qu'après avoir dévoré sa fortune, il était resté insolvable ; le souvenir de cet homme était vivace chez ses descendants qui le maudissaient, le citaient à leurs fils comme un exemple à ne pas suivre et les menaçaient continuellement de mourir comme lui sur la paille, s'ils fréquentaient les cafés ou couraient les femmes.

Toujours est-il que Jean Folantin était né dans de désastreuses conditions ; le jour où la gésine de sa mère prit fin, son père possédait pour tout bien un dizain de petites pièces blanches. Une tante qui, sans être sage-femme, était experte à ce genre d'ouvrage dépota l'enfant, le débarbouilla avec du beurre et, par économie, lui poudra les cuisses, en guise de lycopode [2], avec de la farine raclée sur la croûte d'un pain.

– Tu vois, mon garçon, que ta naissance fut humble, disait la tante Eudore, qui l'avait mis au courant de ces petits détails, et Jean n'osait espérer déjà, pour plus tard, un certain bien-être.

---

1. Poker : tisonnier de petite dimension.

2. Lycopode : poudre de plante utilisée comme dessiccatif séchant les plaies (pharmacie).

Son père décéda très jeune et la boutique de papeterie qu'il exploitait rue du Four fut vendue pour liquider les dettes nécessitées par la maladie ; la mère et l'enfant se trouvèrent sur le pavé. Mme Folantin se plaça chez les autres et devint demoiselle de magasin, puis caissière dans une lingerie et l'enfant devint pensionnaire dans un lycée ; bien que Mme Folantin fût dans une situation réellement malheureuse, elle obtint une bourse et elle se priva de tout, économisant sur ses maigres mois, afin de pouvoir parer plus tard aux frais des examens et des diplômes.

Jean se rendit compte des sacrifices que s'imposait sa mère et il travailla de son mieux, emportant tous les prix, compensant aux yeux de l'économe le mépris qu'inspirait sa situation de pauvre hère, par des succès au grand concours. C'était un garçon très intelligent et, malgré sa jeunesse, déjà rassis. À voir la misérable existence que menait sa mère, enfermée, du matin au soir, dans une cage de verre, toussant, la main devant la bouche, sur des livres, demeurant timide et douce dans l'insolent brouhaha d'un magasin plein d'acheteurs, il comprit qu'il ne fallait compter sur aucune clémence du sort, sur aucune justice de la destinée.

Aussi eut-il le bon sens de ne pas écouter les suggestions de ses professeurs qui le chauffaient en vue d'exhausser leur réputation et de gagner des grades et, tâchant d'arrache-pied, il passa son baccalauréat, après sa seconde.

Il lui fallait sans tarder une place qui allégeât le pesant fardeau que supportait sa mère ; il demeura longtemps sans en découvrir, car son aspect chétif ne prévenait pas en sa faveur et sa jambe gauche boitait, par suite d'un accident survenu au collège, dans son enfance ; enfin, la malechance sembla tourner ; Jean concourut pour une place d'employé dans un ministère et fut admis avec les appointements de quinze cents francs.

Quand son fils lui annonça cette bonne nouvelle Mme Folantin sourit doucement : « Te voilà ton maître, dit-elle, tu n'as plus besoin de personne, mon pauvre garçon, il était grand temps » ; et en effet sa santé débile s'altérait de jour en jour ; un mois après, elle mourut des suites d'un gros rhume gagné dans la cage ventilée où elle demeurait, l'hiver comme l'été, assise.

Jean resta seul ; la tante Eudore était enterrée depuis longtemps ; ses autres parents étaient ou dispersés ou morts ; il ne les avait d'ailleurs pas connus ; c'est tout au plus s'il se souvenait du nom d'une cousine actuellement en province, dans un monastère.

Il se fit quelques camarades, quelques amis, puis arriva le moment où les uns quittèrent Paris et où les autres se marièrent ; il n'eut pas le courage de nouer de nouvelles liaisons et, peu à peu, il s'abandonna et vécut seul.

– C'est égal, la solitude est douloureuse, pensait-il maintenant, en remettant, un à un, des bouts de coke sur sa grille, et il songea à ses anciens camarades. Comme le mariage brisait tout ! on s'était tutoyé, on avait vécu de la même existence, l'on ne pouvait se passer les uns des autres et c'est à peine si l'on se saluait à présent lorsqu'on se rencontrait. L'ami marié est toujours un peu embarrassé, car c'est lui qui a rompu les relations, puis il s'imagine aussi qu'on raille la vie qu'il mène et enfin, il est de bonne foi, persuadé qu'il occupe dans le monde un rang plus honorable que celui d'un célibataire, se disait M. Folantin, qui se rappelait la gêne et un peu la morgue d'anciens camarades entrevus depuis leur mariage. Tout cela, c'est bien bête ! Et il sourit, car le souvenir de ces compagnons de jeunesse le ramenait forcément au temps où il les fréquentait.

Il avait vingt-deux ans alors et tout l'amusait. Le théâtre lui apparaissait comme un lieu de délices, le café comme un enchantement, et Bullier [1], avec ses filles cabrant le torse, au son des cymbales et chahu-

1. Bullier : établissement de bal situé au carrefour de l'Observatoire, en face de l'actuelle Closerie des Lilas. Les étudiants s'y rendaient pour y rencontrer leurs compagnes, des jeunes femmes aux mœurs libres.

tant, le pied en l'air, l'allumait, car, dans son ardeur, il se les figurait déshabillées et voyait sous les pantalons et sous les jupes la chair se mouiller et se tendre. Tout un fumet de femme montait dans des tourbillons de poussière et il restait là, ravi, enviant les gens en chapeaux mous qui cavalcadaient en se tapant sur les cuisses. Lui, boitait, était timide, et n'avait pas d'argent. N'importe, ce supplice était doux, puis de même que bien des pauvres diables, un rien le contentait. Un mot jeté au passage, un sourire lancé par-dessus l'épaule, le rendaient joyeux et, en rentrant chez lui, il rêvait à ces femmes et s'imaginait que celles-là qui l'avaient regardé et qui lui avaient souri étaient meilleures que les autres.

Ah ! si ses appointements avaient été plus élevés ! – Dépourvu d'argent comme il l'était, ne pouvant prétendre à lever des filles dans un bal, il s'adressait aux affûts des corridors, aux malheureuses dont le gros ventre bombe au ras du trottoir ; il plongeait dans les couloirs, tâchant de distinguer la figure perdue dans l'ombre ; et la grossièreté de l'enluminure, l'horreur de l'âge, l'ignominie de la toilette et l'abjection de la chambre ne l'arrêtaient point. Ainsi que dans ces gargotes où son bel appétit lui faisait dévorer de basses viandes, sa faim charnelle lui permettait d'accepter les rebuts de l'amour. Il y avait même des soirs où sans le sou, et par conséquent sans espoir de se satisfaire, il traînait dans la rue de Buci, dans la rue de l'Égout, dans la rue du Dragon, dans la rue Neuve-Guillemin, dans la rue Beurrière, pour se frotter à de la femme ; il était heureux d'une invite, et, quand il connaissait une de ces raccrocheuses, il causait avec elle, échangeait le bonsoir, puis il se retirait, par discrétion, de peur d'effaroucher la pratique, et il aspirait après la fin du mois, se promettant, dès qu'il aurait touché son traitement, des bonheurs rares.

Le beau temps ! – Et dire que maintenant qu'il était un peu plus riche, maintenant qu'il pouvait goûter à de meilleures pâtures et s'épuiser sur des couches plus fraîches, il n'avait plus envie de rien ! L'argent était arrivé trop tard, alors qu'aucun plaisir ne le séduisait.

Mais une période intermédiaire avait existé, entre celle où ces turbulences du sang le bouleversaient et celle où, incurieux, presque impuissant, il restait là, chez lui, dans un fauteuil, auprès du feu. Vers les vingt-sept ans, le dégoût l'avait pris des femmes en carte, éparses dans son quartier ; il avait désiré un peu de cajolerie, un peu de caresse ; il avait rêvé de ne plus se précipiter à la hâte sur un divan, mais bien de temporiser et de s'asseoir. Comme ses ressources l'obligeaient à n'entretenir aucune fille, comme il était malingre et ne possédait aucun talent de société, aucune gaîté libertine, aucun bagout, il avait pu, tout à son aise, réfléchir sur la bonté d'une Providence qui donne argent, honneur, santé, femme, tout aux uns et rien aux autres. Il avait dû se contenter encore de banales dînettes, mais comme il payait davantage, il était expédié dans des salles plus propres et dans des linges plus blancs.

Une fois, il s'était cru heureux ; il avait fait connaissance d'une fillette qui travaillait : celle-là lui avait bien distribué des à peu près de tendresse, mais, du soir au lendemain, sans motifs, elle l'avait lâché, lui laissant un souvenir dont il eut de la peine à se guérir ; il frémissait, se rappelant cette époque de souffrances où il fallait quand même aller à son bureau et quand même marcher. Il est vrai qu'il était encore jeune et qu'au lieu de s'adresser au premier médecin venu, il avait eu recours aux charlatans, sans tenir compte des inscriptions qui rayaient leurs affiches dans les rambuteaux [1], des inscriptions véridiques comme celle-ci : « Remède dépuratif… » oui, pour la bourse ; – menaçantes comme celle-là : « On perd ses cheveux » ; – philosophiques et résignées comme cette autre : « Vaut encore mieux coucher avec sa femme » ; – et, partout, l'adjectif gra-

1. Rambuteaux : urinoirs publics édifiés dans les rues et réservés aux hommes (populaire). Ils doivent leur dénomination à l'administrateur qui les fit adopter à Paris.

tuit accolé au mot traitement était biffé, creusé, ravagé à coups de couteaux, par des gens qu'on sentait avoir accompli cette besogne avec conviction et avec rage.

Maintenant les amours étaient bien finies, les élans bien réprimés ; aux halètements, aux fièvres, avaient succédé une continence, une paix profondes ; mais aussi quel abominable vide s'était creusé dans son existence depuis le moment où les questions sensuelles n'y avaient plus tenu de place !

– Tout cela ce n'est pas risible, pensait M. Folantin, en hochant la tête et il ajoura son feu. – On gèle ici, murmura-t-il, c'est dommage que le bois soit si cher, quelles belles flambées on ferait ! – Et cette réflexion l'amena à songer au bois qu'on leur distribuait à gogo, au ministère, puis à l'administration elle-même et enfin à son bureau.

Là encore, ses illusions avaient été de courte durée. Après avoir cru qu'on arrivait à des positions supérieures par la bonne conduite et le travail, il s'aperçut que la protection était tout ; les employés nés en province étaient soutenus par leurs députés et ils arrivaient quand même. Lui, était né à Paris, il n'était aidé par aucun personnage, il demeura simple expéditionnaire et il copia et recopia, pendant des années, des monceaux de dépêches, traça d'innombrables barres de jonction, bâtit des masses d'états, répéta des milliers de fois les invariables salutations des protocoles ; à ce jeu, son zèle se refroidit et maintenant, sans attente de gratifications, sans espoir d'avancements, il était peu diligent et peu dévoué.

Avec ses 237 fr. 40 c. par mois, jamais il n'avait pu s'installer dans un logement commode, prendre une bonne, se régaler, les pieds au chaud, dans des pantoufles ; un essai malheureux tenté, un jour de lassitude, en dépit de toute vraisemblance, de tout bon sens, avait été d'ailleurs décisif et, au bout de deux mois, il avait dû naviguer de nouveau, au travers des restaurants, s'estimant encore satisfait d'être débarrassé de sa femme de ménage, Mme Chabanel, une vieillesse haute de six pieds, aux lèvres velues et aux yeux obscènes plantés au-dessus de bajoues flasques. C'était une sorte de vivandière qui bâfrait comme un roulier et buvait comme quatre ; elle cuisinait mal et sa familiarité dépassait les bornes du possible. Elle posait les plats, bout-ci, bout-là, sur la table, puis s'asseyait en face de son maître, faisait chapelle [1] sous ses jupes et roussinait [2], en rigolant, le bonnet de côté et les mains aux hanches.

Impossible d'être servi ; mais M. Folantin eût peut-être encore supporté cet humiliant sans-gêne, si cette étonnante dame ne l'avait dévalisé ainsi que dans un bois ; les gilets de flanelle et les chaussettes disparaissaient, les savates devenaient introuvables, les alcools se volatilisaient, les allumettes même brûlaient toutes seules.

Il avait pourtant fallu mettre un terme à cet état de choses ; aussi, M. Folantin rassembla son courage et, de peur que cette femme ne le pillât complètement pendant son absence, il brusqua la scène et, un soir, séance tenante, il la congédia.

Mme Chabanel devint cramoisie et sa bouche béa, vidée de dents ; puis elle se mit à gigoter et à battre de l'aile lorsque M. Folantin dit d'un ton aimable : – Puisque je ne mangerai plus désormais chez moi, je préfère vous faire profiter des provisions qui restent plutôt que de les perdre ; nous allons donc, si vous le voulez bien, les passer en revue, ensemble.

Et alors il avait ouvert les armoires.

– Ça, c'est un sac de café et cette bouteille contient de l'eau-de-vie, n'est-ce pas ?

– Oui, monsieur, c'en est, avait gémi Mme Chabanel.

– Eh bien, c'est bon à conserver et je la garde, disait M. Folantin, et ainsi du tout ; la mère Chabanel n'héritait en fin de compte que de deux sous de vinaigre,

1. « Faire chapelle » se dit d'un navire qui vire brusquement de bord (Littré).

2. Roussiner : « Relever sa jupe pour se chauffer à un feu de cheminée » (Larchey, *Dictionnaire d'argot*, 1880).

d'une poignée de sel gris et d'un petit verre d'huile à lampe.

– Ouf ! s'était écrié M. Folantin, alors que cette femme descendait l'escalier, en trébuchant contre les marches ; mais sa joie s'était vite éteinte ; depuis ce temps-là, son intérieur avait marché tout de guingois. La veuve Chabanel avait été remplacée par le concierge, qui trépignait le lit de coups de poings et apprivoisait les araignées dont il ménageait les toiles.

Depuis ce temps, la victuaille avait été aussi invraisemblable qu'indécise ; les stations chez les nourrisseurs du quartier n'avaient plus cessé et son estomac s'était rouillé ; la période des eaux de Saint-Galmier et des eaux de Seltz, de la moutarde masquant le goût faisandé des viandes et attisant la froide lessive des sauces, était venue.

À force d'évoquer toute la séquelle de ces souvenirs, M. Folantin tomba dans une affreuse mélancolie. Il avait subi vaillamment, depuis des années, la solitude, mais, ce soir-là, il s'avoua vaincu ; il regretta de ne pas s'être marié et il retourna contre lui les arguments qu'il débitait quand il prêchait le célibat pour les gens pauvres. – Eh bien, quoi ? les enfants, on les élèverait, on se serrerait un peu plus le ventre. – Parbleu, je ferais comme les autres, je m'attellerais à des copies, le soir, pour que ma femme fût mieux mise ; nous mangerions de la viande le matin seulement et, de même que la plupart des petits ménages, nous nous contenterions au dîner d'une assiettée de soupe. Qu'est-ce que toutes ces privations à côté de l'existence organisée, de la soirée passée entre son enfant et sa femme, de la nourriture peu abondante mais vraiment saine, du linge raccommodé, du linge blanchi et rapporté à des heures fixes ? – Ah ! le blanchissage, quel aria [1] pour un garçon ! – On me visite quand on a le temps et l'on m'apporte des chemises molles et bleues, des mouchoirs en loques, des chaussettes criblées de trous comme des écumoires et l'on se fiche de moi lorsque

1. Aria : embarras (populaire).

je me fâche ! – Et puis, comment tout cela finira-t-il, à l'hospice ou à la maison Dubois [1], si la maladie se prolonge ; ici, invoquant la pitié d'une garde-malade, si la mort est prompte.

Trop tard... plus de virilité, le mariage est impossible. Décidément, j'ai raté ma vie. – Allons, ce que j'ai de mieux à faire, soupira M. Folantin, c'est encore de me coucher et de dormir. – Et, pendant qu'il ouvrait ses couvertures, et disposait ses oreillers, des actions de grâces s'élevèrent dans son âme, célébrant les pacifiants bienfaits du secourable lit.

II

Ni le lendemain, ni le surlendemain, la tristesse de M. Folantin ne se dissipa ; il se laissait aller à vau-l'eau, incapable de réagir contre ce spleen qui l'écrasait. Mécaniquement, sous le ciel pluvieux, il se rendait à son bureau, le quittait, mangeait et se couchait à neuf heures pour recommencer, le jour suivant, une vie pareille ; peu à peu, il glissait à un alourdissement absolu d'esprit.

Puis, il eut, un beau matin, un réveil. Il lui sembla qu'il sortait d'une léthargie ; le temps était clair et le soleil frappait les vitres damasquinées de givre ; l'hiver reprenait, mais lumineux et sec ; M. Folantin se leva, en murmurant : fichtre, ça pince ! il se sentait ragaillardi. Ce n'est pas tout cela, il s'agirait de trouver un remède aux attaques d'hypocondrie, se dit-il.

Après de longues délibérations, il se décida à ne plus vivre ainsi enfermé et à varier ses restaurants. Seulement, si ces résolutions étaient faciles à concevoir, elles étaient, en revanche, difficiles à mettre en

1. Maison Dubois : maison située faubourg Saint-Denis où on soignait les malades mentaux. Elle fut fondée au début du XIXe siècle par le baron Dubois.

pratique. Il demeurait rue des Saints-Pères et les restaurants manquaient. Le VIe arrondissement était impitoyable au célibat. Il fallait être ordonné prêtre pour trouver des ressources, des dîners spéciaux dans des tables d'hôtes réservées aux ecclésiastiques, pour vivre dans ce lacis de rues qui enveloppent l'église de Saint-Sulpice. Hors la religion, point de mangeaille, à moins d'être riche et de pouvoir fréquenter des maisons huppées ; M. Folantin, ne remplissant pas ces conditions, devait se borner à prendre ses repas chez les quelques traiteurs disséminés, çà et là, dans son voisinage. Décidément, il semblait que cette partie de l'arrondissement ne fût habitée que par des concubins ou des gens mariés. Si j'avais le courage de l'abandonner, soupirait de temps à autre M. Folantin. Mais son bureau était là, puis il y était né, sa famille y avait constamment vécu ; tous ses souvenirs tenaient dans cet ancien coin tranquille, déjà défiguré par des percées de nouvelles rues, par de funèbres boulevards, rissolés l'été et glacés l'hiver, par de mornes avenues qui avaient américanisé l'aspect du quartier et détruit pour jamais son allure intime, sans lui avoir apporté en échange des avantages de confortable, de gaîté et de vie.

Il faudrait traverser l'eau pour dîner, se répétait M. Folantin, mais un profond dégoût le saisissait dès qu'il franchissait la rive gauche ; puis il avait peine à marcher avec sa jambe qui clochait, et il abominait les omnibus. Enfin, l'idée de faire des étapes, le soir, pour chercher pâture, l'horripila. Il préféra tâter de tous les marchands de vins, de tous les bouillons qu'il n'avait pas encore visités, dans les alentours de son domicile.

Et tout aussitôt il déserta le gargot où il mangeait d'habitude ; il hanta d'abord les bouillons, eut recours aux filles dont les costumes de sœur évoquent l'idée d'un réfectoire d'hôpital. Il y dîna quelques jours, et sa faim, déjà rabrouée par les graillonnants effluves de la pièce, se refusa à entamer des viandes insipides, encore affadies par les cataplasmes des chicorées et des épinards. Quelle tristesse dégageaient ces marbres froids, ces tables de poupées, cette immuable carte, ces parts infinitésimales, ces bouchées de pain ! Serrés en deux rangs placés en vis-à-vis, les clients paraissaient jouer aux échecs, disposant leurs ustensiles, leurs bouteilles, leurs verres, les uns au travers des autres, faute de place ; et, le nez dans un journal, M. Folantin enviait les solides mâchoires de ses partners qui broyaient les filaments des aloyaux dont les chairs fuyaient sous la fourchette. Par dégoût des viandes cuites au four, il se rabattait sur les œufs ; il les réclamait sur le plat et très cuits ; généralement, on les lui apportait presque crus et il s'efforçait d'éponger avec de la mie de pain, de recueillir avec une petite cuiller le jaune qui se noyait dans des tas de glaires. C'était mauvais, c'était cher et surtout c'était attristant. En voilà assez, se dit M. Folantin, essayons d'autre chose.

Mais partout il en était de même ; les inconvénients variaient en même temps que les râteliers ; chez les marchands de vins distingués, la nourriture était meilleure, le vin moins âpre, les parts plus copieuses mais en thèse générale, le repas durait deux heures, le garçon étant occupé à servir les ivrognes postés en bas devant le comptoir ; d'ailleurs, dans ce déplorable quartier, la boustifaille se composait d'un ordinaire, de côtelettes et de biftecks qu'on payait bon prix parce que, pour ne pas vous mettre avec les ouvriers, le patron vous enfermait dans une salle à part et allumait deux branches de gaz.

Enfin, en descendant plus bas, en fréquentant les purs mannezingues [1] ou les bibines de dernier ordre, la compagnie était répulsive et la saleté stupéfiante ; la carne fétidait, les verres avaient des ronds de bouches encore marqués, les couteaux étaient dépolis et gras et les couverts conservaient dans leurs filets le jaune des œufs mangés.

M. Folantin se demanda si le changement était profitable, attendu que le vin était partout chargé de

1. Mannezingues : marchands de vin (argot).

litharge [1] et coupé d'eau de pompe, que les œufs n'étaient jamais cuits comme on les désirait, que la viande était partout privée de suc, que les légumes cuits à l'eau ressemblaient aux vestiges des maisons centrales ; mais il s'entêta ; – à force de chercher, je trouverai peut-être, – et il continua à rôder par les cabarets, par les crémeries ; seulement, au lieu de se débiliter, sa lassitude s'accrut, surtout quand, descendant de chez lui, il aspirait, dans les escaliers, l'odeur des potages, il voyait des raies de lumière sous les portes, il rencontrait des gens venant de la cave, avec des bouteilles, il entendait des pas affairés courir dans les pièces ; tout, jusqu'au parfum qui s'échappait de la loge de son concierge, assis, les coudes sur la table, et la visière de sa casquette ternie par la buée montant de sa jatte de soupe, avivait ses regrets. Il en arrivait presque à se repentir d'avoir balayé la mère Chabanel, cet odieux cent-garde [2]. – Si j'avais eu les moyens, je l'aurais gardée, malgré ses désolantes mœurs, se dit-il.

Et il se désespérait, car à ses ennuis moraux se joignait maintenant le délabrement physique. À force de ne pas se nourrir, sa santé, déjà frêle, chavirait. Il se mit au fer, mais toutes les préparations martiales qu'il avala lui noircirent, sans résultat appréciable, les entrailles. Alors il adopta l'arsenic, mais le Fowler [3] lui éreinta l'estomac et ne le fortifia point ; enfin il usa, en dernier ressort, des quinquinas qui l'incendièrent ; puis il mêla le tout, associant ces substances les unes aux autres, ce fut peine perdue ; ses appointements s'y épuisaient ; c'étaient chez lui des masses de boîtes, de topettes [4], de fioles, une pharmacie en chambre, contenant tous les citrates, les phosphates, les protocarbonates, les lactates, les sulfates de protoxyde, les iodures et les proto-iodures de fer, les liqueurs de

1. Litharge : ce protoxyde de plomb est utilisé pour falsifier les vins aigres.

2. Cent-garde : soldat de la garde particulière de Napoléon III.

3. Fowler : liqueur inventée par un médecin anglais qui lui a donné son nom.

4. Topettes : petites bouteilles longues et étroites.

Pearson, les solutions de Devergie, les granules de Dioscoride, les pilules d'arséniate de soude et d'arséniate d'or, les vins de gentiane et de quinium, de coca et de colombo !

Dire que tout cela c'est de la blague et que d'argent perdu ! soupirait M. Folantin, en regardant piteusement ces vains achats, et, bien qu'il n'eût pas voix au chapitre, le concierge était de cet avis ; seulement il époussetait la chambre, plus mal encore, sentant son mépris d'homme robuste s'accroître pour ce locataire étique qui ne vivait plus qu'en avalant des drogues.

En attendant, l'existence de M. Folantin persistait à être monotone. Il n'avait pu se décider à rentrer dans son premier restaurant ; une fois il était allé jusqu'à la porte, mais, arrivé là, l'odeur des grillades et la vue d'une bassine de crème violette au chocolat, l'avaient fait fuir. Il alternait marchands de vins et bouillons et, un jour par semaine, il s'échouait dans une fabrique de bouillabaisse. Le potage et le poisson étaient passables ; mais il ne fallait point réclamer d'autre pitance, les viandes étant ratatinées comme des semelles de bottes et tous les plats dégageant l'âcre goût des huiles à lampes.

Pour se raiguiser l'appétit, encore émoussé par les abjects apéritifs des cafés ; – les absinthes puant le cuivre ; les vermouths : la vidange des vins blancs aigris ; les madères : le trois-six coupé de caramel et de mélasse ; les malagas : les sauces des pruneaux au vin ; les bitters : l'eau de Botot à bas prix des herboristes ; – M. Folantin essaya d'un excitant qui lui réussissait dans son enfance ; tous les deux jours, il se rendit aux bains. Cet exercice lui plaisait surtout parce qu'ayant deux heures à tuer, entre la sortie de son bureau et son repas, il évitait ainsi de rentrer chez lui, de demeurer tout botté, tout habillé, consultant sa pendule, attendant l'heure du dîner. Et, les premières fois, ce furent des moments délicieux. Il se blottissait dans l'eau chaude, s'amusait à soulever avec ses doigts des tempêtes et à creuser des maelströms. Doucement, il s'assoupissait, au bruit argentin des gouttes tombant des becs de cygnes et dessinant de grands cercles qui se brisaient contre les parois de la baignoire ; tressautant, alors que des coups furieux de sonnettes partaient dans les couloirs, suivis de bruits de pas et de claquements de portes. Puis le silence reprenait avec le doux clapotis des robinets, et toutes ses détresses fuyaient à la dérive ; dans la cabine, voilée d'une vapeur d'eau, il rêvassait et ses pensées s'opalisaient avec la buée, devenaient affables et diffuses. Au fond, tout était pour le mieux ; il s'embêtait. Eh ! mon Dieu, chacun n'a-t-il pas ses ennuis ? Il avait, dans tous les cas, évité les plus douloureux, les plus poignants, ceux du mariage. Il fallait que je fusse bien bas, le soir où j'ai pleuré sur mon célibat, se dit-il. Voyez-vous cela, moi, qui aime tant à m'étendre, en chien de fusil, dans les draps, forcé de ne pas bouger, de subir le contact d'une femme, à toutes les époques, de la contenter alors que je souhaiterais simplement de dormir !

Et encore, si l'on ne procréait aucun enfant ! si la femme était vraiment stérile ou bien adroite, il n'y aurait que demi-mal ! – mais, est-on jamais sûr de rien ! et alors ce sont de perpétuelles nuits blanches, d'incessantes inquiétudes. Le gosse braille, un jour, parce qu'il lui pousse une quenotte ; un autre jour, parce qu'il ne lui en pousse pas ; ça pue le lait sur et le pipi, par toute la chambre ; enfin, il faudrait au moins tomber sur une femme aimable, sur une bonne fille ; oui, va-t'en voir si elles viennent, Jean ; avec ma déveine coutumière, j'aurais épousé une pimbêche, une petite chipie, qui m'aurait intarissablement reproché les gênes utérines survenues après ses couches.

Non, il faut être juste : chaque état a ses inquiétudes et ses tracas ; et puis, c'est une lâcheté lorsqu'on n'a pas de fortune que d'enfanter des mioches ! – C'est les vouer au mépris des autres quand ils seront grands ; c'est les jeter dans une dégoûtante lutte, sans défense et sans armes ; c'est persécuter et châtier des innocents à qui l'on impose de recommencer la misérable vie de leur père. – Ah ! au moins, la génération des tristes Folantin s'éteindra avec moi ! – Et, consolé, M. Folantin lapait sans se plaindre, une fois sorti du bain, l'eau de vaisselle de son bouillon, et déchiquetait l'amadou mouillé de sa viande.

Tant bien que mal, il atteignit la fin de l'hiver et la vie devint plus indulgente ; l'intimité des intérieurs cessait et M. Folantin ne regretta plus si vivement les douillettes somnolences au coin du feu ; ses promenades le long des quais recommencèrent.

Déjà les arbres se dentelaient de petites feuilles jaunes ; la Seine, réverbérant l'azur pommelé du ciel, coulait avec de grandes plaques bleues et banches que coupaient, en les brouillant d'écume, les bateaux-mouches. Le décor environnant semblait requinqué. Les deux immenses portants représentant, l'un, le Pavillon de Flore et toute la façade du Louvre ; l'autre, la ligne des hautes maisons jusqu'au Palais de l'Institut, avaient été ranimés et comme repeints et la toile du fond, de nouveau tendue, découpait sur un outremer adouci, tout neuf, les poivrières du Palais de Justice, l'aiguille de la Sainte-Chapelle, la vrille et les tours de Notre-Dame.

M. Folantin adorait cette partie du quai, comprise entre la rue du Bac et la rue Dauphine ; il choisissait un cigare, dans le débit de tabac situé près de la rue de Beaune, et il musait, à petits pas, allant un jour à gauche, fouillant les boîtes des parapets, et un autre jour à droite, consultant les rayons, en plein vent, des livres en boutique.

La plupart des volumes entassés dans les caisses étaient des rancarts de librairie, des rossignols sans valeur, des romans mort-nés, mettant en scène des femmes du grand monde racontant dans un langage de pipelette, les accidents de l'amour tragique, les duels, les assassinats et les suicides ; d'autres soutenaient des thèses, attribuaient tous les vices aux gens titrés, toutes les vertus aux gens du peuple ; d'autres enfin poursuivaient un but religieux ; ils étaient revêtus de l'approbation de Monseigneur un tel et ils délayaient des cuillerées d'eau bénite dans le mucilage [1] d'une gluante prose.

Tous ces romans avaient été rédigés par d'incontestables imbéciles et M. Folantin filait vite, ne reprenant haleine que devant les volumes de vers qui battaient de l'aile à toutes les brises. Ceux-là étaient moins dépiautés et moins souillés, attendu que personne ne les ouvrait. Une charitable pitié venait à M. Folantin pour ces recueils délaissés. Et il y en avait, il y en avait ! des vieux datant de l'entrée de Malekadel [2] dans la littérature, des jeunes, issus de l'école d'Hugo, chantant le doux Messidor, les bois ombreux, les divins charmes d'une jeune personne qui, dans la vie privée, faisait probablement la retape. Et tout cela avait été lu en petit comité et les pauvres écrivains s'étaient réjouis. Mon Dieu ! ils ne s'attendaient pas à un retentissant succès, à une vente populaire, mais seulement à un petit bravo de la part des délicats et des lettrés ; et rien ne s'était produit, pas même un peu d'estime. Par-ci, par-là, une louange banale dans une feuille de chou, une ridicule lettre du Grand-Maître pieusement conservée, et ç'avait été tout.

Ce qu'il y a de plus triste, pensait M. Folantin, c'est que ces malheureux peuvent justement exécrer le public, car la justice littéraire n'existe pas ; leurs vers ne sont ni meilleurs, ni pires que ceux qui se sont vendus et qui ont mené leurs auteurs à l'Institut.

Tout en rêvant de la sorte, M. Folantin rallumait son cigare, reconnaissait les bouquinistes qui, bavards et hâlés, se tenaient, comme l'année précédente, près de leurs boîtes. Il reconnaissait aussi les bibliomanes qui piétinaient, au dernier printemps, tout le long des parapets, et la vue de ces individus qu'il ne connaissait pas le charmait. Tous lui étaient sympathiques ; il devinait en eux de bons maniaques, de braves gens tranquilles, passant dans la vie, sans bruit, et il les

---

1. Mucilage : substance végétale de consistance visqueuse.
2. Malekadel : pour Malek-Adel, héros d'un roman sentimental de Mme Cotin, *Mathilde* (1805).

enviait. Si j'étais comme eux, songeait-il ; et déjà, il avait tenté de les imiter, de devenir bibliophile. Il avait consulté des catalogues, feuilleté des dictionnaires, des publications spéciales, mais il n'avait jamais découvert de pièces curieuses et il devinait d'ailleurs que leur possession ne comblerait pas ce trou d'ennui qui se creusait lentement, dans tout son être. – Hélas ! le goût des livres ne s'apprenait pas, et puis, en dehors des éditions épuisées que ses faibles ressources lui interdisaient d'acheter, M. Folantin n'avait guère de volumes à se procurer. Il n'aimait ni les romans de cape et d'épée, ni les romans d'aventure ; d'un autre côté, il abominait le bouillon de veau des Cherbuliez et des Feuillet ; il ne s'attachait qu'aux choses de la vie réelle ; aussi sa bibliothèque était restreinte, cinquante volumes en tout, qu'il savait par cœur. Et ce n'était pas l'un de ses moindres chagrins que cette disette de livres à lire ! En vain, il avait essayé de s'intéresser à l'histoire ; toutes ces explications compliquées de choses simples ne l'avaient ni captivé, ni convaincu. Vaguement, il furetait, n'espérant plus dépister un bouquin qu'il joindrait aux siens. Mais cette promenade le distrayait, puis, quand il était las de remuer la poussière des imprimés, il se penchait au-dessus des berges et la vue des bateaux aux coques goudronnées, aux cabines peintes en vert-poireau, au grand mât abattu sur le pont, lui plaisait : il demeurait là, enchanté, contemplant la cocotte mijotant sur un poêle de fonte, à l'air, l'éternel chien noir et blanc courant, la queue en trompette, le long des péniches ; les enfants très blonds, assis près du gouvernail, les cheveux sur les yeux et les doigts dans la bouche.

Ce serait gai de vivre ainsi, pensait-il, souriant, malgré lui, de ces envies puériles, et il sympathisait même avec les pêcheurs à la ligne, immobiles, en rang d'oignons, séparés par des boîtes d'asticots les uns des autres.

Ces soirs-là, il se sentait plus dispos et plus vert. Il consultait sa montre et si l'heure du dîner était lointaine encore, il traversait la chaussée, suivait le trottoir qui faisait face à celui qu'il venait de quitter et il remontait le long des maisons. Il flânait fouillonnant encore des livres dont les dos s'alignaient aux devantures des boutiques, s'extasiant sur d'anciennes reliures aux plats de maroquin rouge, estampés d'armes en or ; mais celles-là étaient enfermées sous verre, comme des choses précieuses que des initiés pouvaient seuls toucher ; et il repartait, examinait les magasins pleins de vieux chênes si bien réparés qu'ils ne conservaient plus un morceau du temps, les assiettes de vieux Rouen fabriquées aux Batignolles, les grands plats de Moustiers cuits à Versailles, les tableaux d'Hobbéma, le petit ru, le moulin à eau, la maison coiffée de tuiles rouges, éventée par un bouquet d'arbres enveloppé dans un coup de lumière jaune ; des tableaux étonnamment imités par un peintre, entré dans la peau du vieux Minderhout, mais incapable de s'assimiler la manière d'un autre maître ou de produire, de son cru, la moindre toile ; et M. Folantin essayait de percer la profondeur des boutiques, d'un coup d'œil au travers des portes ; jamais il n'y voyait de chalands ; seule, une vieille femme était généralement assise, dans le pêle-mêle des objets où elle s'était réservé une niche, et, ennuyée, elle ouvrait la bouche en un long bâillement qui se communiquait au chat campé sur une console.

C'est drôle tout de même, se disait M. Folantin, comme les marchandes de bric-à-brac changent. Les rares fois où j'ai cheminé au travers des quartiers de la rive droite, je n'ai jamais vu, dans les débits de bibelots, de bonnes vieilles dames comme celle-ci, mais j'ai toujours aperçu derrière les vitrines de belles et hautes gaillardes, de trente à quarante ans, soigneusement pommadées et la figure très travaillée au plâtre.

Une vague odeur de prostitution s'échappait de ces magasins où les œillades de la négociante devaient abréger les marchandages des acheteurs. – Allons, le bon enfant disparaît ; d'ailleurs, les centres se déplacent ; maintenant tous les antiquaires, tous les vendeurs des livres de luxe végètent dans ce quartier et ils fuient, dès que leurs baux expirent, de l'autre côté du fleuve. Dans dix ans d'ici, les brasseries et les cafés auront envahi tous les rez-de-chaussée du quai ! Ah ! décidément Paris devient un Chicago sinistre ! – Et, tout mélancolisé, M. Folantin se répétait : profitons du temps qui nous reste avant la définitive invasion de la grande muflerie du Nouveau Monde ! – Et il reprenait ses flânes, s'arrêtant devant les marchands d'estampes aux montres [1] tendues d'images du XVIIIe siècle, mais au fond les gravures en couleur de cette époque et les gravures à la manière noire anglaise qui les flanquaient, dans la plupart des étalages, ne le passionnaient guère et il regrettait les estampes de la vie intime flamande, maintenant reléguées dans les cartons, par suite de l'engouement des collectionneurs pour l'école française.

Quand il était las de baguenauder devant ces boutiques, il entrait, pour varier ses plaisirs, dans la salle des dépêches d'un journal, une salle garnie de dessins et de peintures représentant des Italiennes et des almées, des bébés embrassés par des mères, des pages Moyen Âge grattant de la mandoline sous des balcons, toute une série évidemment, destinée à l'ornementation des abat-jour, et il se détournait, passait, préférant encore regarder les photographies d'assassins, de généraux et d'actrices, de tous les gens qu'un crime, qu'un massacre ou qu'une chansonnette mettait pendant une semaine en évidence.

Mais ces exhibitions étaient, en somme, peu récréatives, et M. Folantin, gagnant la rue de Beaune, admirait davantage l'inébranlable appétit des cochers attablés chez des mastroquets et il prenait comme une prise de faim. Ces platées de bœuf reposant sur des lits épais de choux, ces haricots de mouton emplissant la petite et massive assiette, ces triangles de brie, ces verres pleins, lui communiquaient des fringales et ces gens aux joues gonflées par d'énormes bouchées de pain, aux grosses mains tenant un couteau la pointe en l'air, au chapeau de cuir bouilli montant et descendant en même temps

1. Montres : étalages de boutiques, vitrines.

que les mâchoires, l'excitaient et il filait, tâchant de conserver cette impression de voracité pendant la route ; malheureusement dès qu'il s'installait dans le restaurant, sa gorge se recroquevillait, et il contemplait piteusement sa viande, se demandant à quoi servait le quassia [1] qui marinait, à son bureau, dans une carafe.

Malgré tout, cette promenade écartait les pensées trop sombres et il écoula ainsi l'été, traînant le long de la Seine, avant le dîner et, une fois sorti de table, s'attablant à la porte d'un café. Il fumait, humant un peu de fraîcheur, et malgré le dégoût que lui inspiraient les bières de Vienne fabriquées avec du chicotin [2] et de l'eau de buis, sur la route de Flandre, il en lapait deux bocks, peu désireux de se mettre au lit.

La journée même, pendant cette saison, était moins lourde à vivre. En manches de chemise, dans sa pièce, il somnolait, entendant confusément les histoires de son collègue, se réveillant pour s'éventer avec un almanach, travaillant le moins possible, combinant des promenades. L'ennui de quitter, l'hiver, son bureau chauffé, pour courir au-dehors, dîner, les pieds trempés, et rentrer dans une chambre froide, n'existait plus. Au contraire, il éprouvait un soulagement en s'échappant de sa pièce empuantie par cette odeur de poussière et de renfermé que dégagent les cartons, les liasses et les pots d'encre.

Enfin, son intérieur était mieux tenu ; le portier n'avait plus à préparer le feu et si le lit continuait à être mal battu et pas bordé, peu importait, puisque M. Folantin couchait nu sur les draps et les couvertures.

La pensée de s'étendre seul, par ces nuits d'orage où l'on sue comme dans une étuve, où l'on se retourne dans des draps poissés, le réjouissait aussi. Je plains les gens qui sont à deux, se disait-il, en roulant sur le lit, à la recherche d'une place plus fraîche. Et la destinée lui semblait, à ces moments-là, plus hospitalière, moins rétive.

1. Quassia : petit arbre tropical.
2. Chicotin : suc amer extrait d'un aloès.

III

Bientôt les chaleurs accablantes s'atténuèrent ; les longues journées s'écourtèrent, l'air fraîchit, les ciels faisandés perdirent leur bleu, se peluchèrent comme de moisissure. L'automne revenait, ramenant les brouillards et les pluies ; M. Folantin prévit d'inexorables soirées et, effrayé, il dressa de nouveau ses plans.

D'abord il se résolut à rompre avec sa sauvagerie, à tâter des tables d'hôtes, à se lier avec des voisins d'assiettes, à fréquenter même les théâtres.

Il fut servi à souhait ; il rencontra, un jour, sur le seuil de son bureau, un monsieur qu'il connaissait. Ils avaient, pendant un an, mangé côte à côte, se préservant, l'un l'autre, des mets défectueux ou gâtés, se prêtant le journal, discutant sur les vertus des fers différents qu'ils avalaient, buvant, pendant un mois, ensemble, de l'eau de goudron, émettant des pronostics sur les changements de temps, cherchant, à eux deux, des alliances diplomatiques pour la France.

Leurs relations s'étaient bornées là. Ils se donnaient une poignée de main, se tournaient le dos une fois sur le trottoir, et cependant le départ de ce coreligionnaire avait attristé M. Folantin.

Ce fut avec plaisir qu'il l'aperçut.

– Tiens, monsieur Martinet, dit-il, et comment va ?

– Monsieur Folantin ! bah ! – et comment vous portez-vous, depuis les temps fous que nous ne nous sommes vus ?

– Ah ! vous êtes un joli lâcheur, riposta M. Folantin. Voyons, que diable êtes-vous devenu ?

Et ils avaient échangé leurs confidences. M. Martinet était maintenant l'hôte assidu d'une table d'hôte et il en fit immédiatement un chimérique éloge. Quatre-vingt-dix à cent francs, par mois ; c'est propre, bien tenu ; on en a à sa faim, on se trouve en bonne compagnie. Vous devriez venir dîner là ?

– Je n'aime guère la table d'hôte, disait M. Folantin ; je suis un peu ours, vous le savez ; je ne puis me décider à converser avec les gens que je ne connais point.

– Mais vous n'êtes pas forcé de parler. Vous êtes chez vous. L'on n'est pas tous autour d'une table, c'est la même chose que dans un grand restaurant. Tenez, essayez-en, venez ce soir.

M. Folantin hésita ; il balançait entre l'agrément de ne pas se repaître seul et la crainte que lui inspiraient les repas de corps.

– Allons ! vous n'allez pas refuser, insista M. Martinet. Je vais vous traiter, à mon tour, de lâcheur si, pour une fois que je vous rencontre, vous me laissez en plan.

M. Folantin eut peur d'être malhonnête et il suivit docilement son compagnon, au travers des rues. – Nous y voici, montons. – Et M. Martinet s'arrêta sur le palier, devant une porte à tambour vert.

Là sonnaient de grands bruits d'assiettes sur un bourdonnement ininterrompu de voix ; puis la porte s'ouvrit et, en même temps qu'un violent hourvari, des gens en chapeau se précipitèrent dans l'escalier en battant la rampe avec leurs cannes.

M. Folantin et son camarade se garèrent, puis ils poussèrent à leur tour la porte et s'introduisirent dans une salle de billards. M. Folantin, pris à la gorge, recula. Cette pièce était noyée dans une épaisse fumée de tabac, traversée par des coups de queues ; M. Martinet entraîna son invité dans une autre pièce, où la buée était peut-être plus intense encore, et çà et là, dans des chants de pipes bouchées, dans des écroulements de dominos, dans des éclats de rire, des corps passaient presque invisibles, devinés seulement par le déplacement de vapeur qu'ils opéraient. M. Folantin resta là, ahuri, cherchant à tâtons une chaise.

M. Martinet l'avait quitté. Vaguement, dans un nuage, M. Folantin l'aperçut, sortant d'une porte. Il faut attendre un peu, dit M. Martinet, toutes les tables sont pleines ; oh, ce ne sera pas long !

Une demi-heure s'écoula. M. Folantin eût donné bien des choses pour n'avoir jamais mis le pied dans cet estaminet, où l'on pouvait fumer, mais où l'on ne se nourrissait pas. De temps à autre, M. Martinet s'échappait et allait s'assurer que les sièges étaient toujours occupés. Il y a deux messieurs qui en sont au fromage, dit-il d'un air satisfait, j'ai retenu leurs places.

Une autre demi-heure s'écoula. M. Folantin se demanda s'il ne ferait pas bien de se diriger vers l'escalier tandis que son compagnon guettait les tables. Enfin, M. Martinet revint, lui annonça le départ des deux fromages et ils pénétrèrent dans une troisième pièce où ils s'assirent, serrés comme des harengs dans une caque.

Sur la nappe tiède, dans les éclaboussures de sauce, dans les mies de pain, on leur jeta des assiettes, et l'on servit un bœuf coriace et résistant, des légumes fades, un rosbif dont les chairs élastiques pliaient sous le couteau, une salade et du dessert. Cette salle rappela à M. Folantin le réfectoire d'une pension, mais d'une pension mal tenue, où on laisse brailler à table. Il n'y manquait vraiment que les timbales au fond rougi par l'abondance, et l'assiette retournée pour étaler sur une place moins sale les pruneaux ou les confitures.

Certes, la pâture et le vin étaient misérables, mais ce qui était plus misérable que la pâture et plus misérable que le vin, c'était la compagnie au milieu de laquelle on mâchait ; c'étaient les maigres servantes qui apportaient les plats, des femmes sèches, aux traits accentués et sévères, aux yeux hostiles. Une complète impuissance vous venait, en les regardant ; on se sentait surveillé et l'on mangeait, découragé, avec ménagement, n'osant laisser les tirants et les peaux, de peur d'une semonce, appréhendant de reprendre d'un plat, sous ces yeux qui jaugeaient votre faim et vous la refoulaient au fond du ventre.

– Eh bien, que vous disais-je, affirmait M. Martinet, c'est gai, n'est-ce pas ? et, ici, c'est de la vraie viande.

M. Folantin ne soufflait mot ; autour de lui, les tables vacarmaient avec un bruit terrible.

Toutes les races du Midi emplissaient les sièges, crachaient et se vautraient, en mugissant. Tous les gens de la Provence, de la Lozère, de la Gascogne, du Languedoc, tous ces gens, aux joues obscurcies par des copeaux d'ébène, aux narines et aux doigts poilus, aux voix retentissantes, s'esclaffaient comme des forcenés, et leur accent, souligné par des gestes d'épileptiques, hachait les phrases et vous les enfournait, toutes broyées, dans le tympan.

Presque tous faisaient partie de la jeunesse des écoles, de cette glorieuse jeunesse dont les idées subalternes assurent aux classes dirigeantes l'immortel recrutement de leur sottise ; M. Folantin voyait défiler devant lui tous les lieux communs, toutes les calembredaines, toutes les opinions littéraires surannées, tous les paradoxes usés par cent ans d'âge.

Il jugeait l'esprit des ouvriers plus délicat et celui des calicots plus fin. Avec cela, la chaleur était écrasante. Une vapeur couvrait les assiettes et voilait les verres ; les portes brusquement secouées envoyaient des exhalaisons de tabagie ; des troupeaux d'étudiants arrivaient encore et leur attente impatientée pressait les gens à table. De même que dans le buffet d'une gare, il fallait mettre les bouchées doubles, avaler son vin en toute hâte.

Ainsi, c'est là la fameuse table d'hôte qui distribuait jadis la becquée aux débutants de la politique, songeait M. Folantin, et la pensée que ces gens qui emplissaient les salles de leur bacchanale deviendraient, à leur tour, de solennels personnages, gorgés et d'honneurs et de places, lui fit lever le cœur.

S'empiffrer de la charcuterie chez soi et boire de l'eau, tout, excepté de dîner ici, se dit-il.

– Prenez-vous du café ? demanda M. Martinet d'un ton aimable.

– Non, merci, j'étouffe, je vais respirer un peu.

Mais M. Martinet n'était pas disposé à le quitter. Il le rejoignit sur le palier et lui saisit le bras.

– Où me menez-vous ? dit M. Folantin, découragé.

– Voyons, mon cher camarade, répondit M. Martinet, j'ai compris que ma table d'hôte ne vous plaisait guère...

– Mais si... mais si... pour le prix c'est même surprenant... seulement il faisait bien chaud, riposta timidement M. Folantin, qui craignait d'avoir blessé son hôte, par sa mine renfrognée et par sa fuite.

– Eh bien, nous ne nous voyons pas assez souvent pour que je veuille que vous vous sépariez de moi avec une mauvaise impression, fit M. Martinet d'un ton cordial. À propos, comment allons-nous tuer la soirée ? Si vous aimez le théâtre, je vous proposerais d'aller à l'Opéra-Comique. – Nous avons le temps, dit-il, en examinant sa montre. On joue ce soir *Richard Cœur de Lion* et *Le Pré-aux-Clercs.* Hein, qu'en dites-vous ?

– Tout ce que vous voudrez. – Après tout, pensa M. Folantin, peut-être arriverai-je à me distraire, et puis comment refuser la proposition de ce brave homme, dont j'ai déjà froissé tous les enthousiasmes ? – Voulez-vous me permettre de vous offrir un cigare, fit-il, en entrant chez un marchand de tabac.

Ils s'épuisèrent en vain pour activer la combustion de ces londrès, qui avaient un goût de chou et ne tiraient pas. – Encore un plaisir qui s'en va, se dit M. Folantin ; même en y mettant le prix, on ne peut plus se procurer maintenant un cigare propre ! – Nous ferons mieux d'y renoncer, poursuivit-il en se tournant vers M. Martinet, qui aspirait de toutes ses forces sur le londrès dont la peau se crevait en fumant un peu. Du reste, nous voici arrivés ; – et il courut au guichet et rapporta deux stalles d'orchestre.

Richard commençait, dans une salle vide.

M. Folantin éprouva, pendant le premier acte, une impression étrange ; cette série de chansons pour épinettes lui rappelait le tourniquet à musique d'un marchand de vins qu'il avait quelquefois hanté. Lorsque les ouvriers mettaient en branle la manivelle, un clapotis d'airs vieillots sonnait, quelque chose de très lent et de très doux, avec de temps à autre des notes cristallines et aiguës, sautant sur le tapotement mécanique des ritournelles.

Au second acte, une autre impression lui vint. L'air : « Une fièvre brûlante » évoqua en lui l'image de sa grand-mère, qui le chevrotait sur le velours d'Utrecht de sa bergère ; et il eut, pendant une seconde, dans la bouche, le goût des biscottes qu'elle lui donnait, tout enfant, lorsqu'il avait été sage.

Il finit par ne plus suivre du tout la pièce ; d'ailleurs, les chanteurs n'avaient aucune voix et ils se bornaient à avancer des bouches rondes au-dessus de la rampe, tandis que l'orchestre s'endormait, las d'épousseter la poussière de cette musique.

Puis, au troisième acte, M. Folantin ne songea plus ni au tourniquet du marchand de vins, ni à sa grand-mère, mais il eut subitement dans le nez l'odeur d'une antique boîte qu'il avait chez lui, une odeur moisie, vague, dans laquelle était resté comme un relent de cannelle. Mon Dieu ! que tout cela était donc vieux !

– Joli opéra-comique, n'est-ce pas ? fit M. Martinet, en lui lançant un coup de coude.

M. Folantin tomba de son haut. Le charme était rompu ; ils se levèrent, pendant que la toile baissait, saluée par des salves de claque.

Le Pré-aux-Clercs, qui succédait à *Richard*, atterra M. Folantin. Jadis, il s'était pâmé aux airs connus ; maintenant toutes ces romances lui semblaient troubadour et dessus de pendule, et les interprètes l'irritaient. Le ténor se tenait en scène comme un frotteur et il nasillait, quand par hasard il lui coulait de la bouche un filet de voix. Costumes, décors, tout était à l'avenant ; on eût sifflé dans n'importe quelle ville de l'étranger et de la province, car nulle part on n'eût supporté un chanteur aussi ridicule et des cantatrices aussi baroques. Et la salle s'était emplie pourtant, et le public applaudissait aux passages soulignés par l'implacable claque.

M. Folantin souffrait réellement. Voilà que *Le Pré-aux-Clercs*, dont il avait conservé un bon souvenir, s'effondrait aussi.

– Tout fiche le camp, se dit-il, avec un gros soupir.

Aussi, quand M. Martinet, enchanté de sa soirée, lui proposa de renouveler de temps à autre ces petites parties, d'aller ensemble, s'il le désirait, au Français, M. Folantin s'indigna et, oubliant les réserves qu'il s'était promis d'observer, il déclara violemment qu'il ne mettrait plus les pieds dans ce théâtre.

– Mais pourquoi ? questionna M. Martinet.

– Pourquoi ? Mais d'abord, parce que s'il existait une pièce vivante et bien écrite – et je n'en connais aucune pour ma part –, je la lirais chez moi, dans un fauteuil, et ensuite parce que je n'ai pas besoin que des cabots, sans instruction pour la plupart, essaient de me traduire les pensées du monsieur qui les a chargés de débiter sa marchandise.

– Mais enfin, dit M. Martinet, vous admettrez bien que des comédiens du Théâtre-Français…

– Eux ! s'écria M. Folantin, allons donc ! ce sont des Vatel de Palais-Royal, des sauciers, et voilà tout ! – Ils ne sont bons qu'à enduire les portions qu'on leur apporte, de l'immuable sauce blanche, s'il s'agit d'une comédie, et de l'éternelle sauce rousse, s'il s'agit d'un drame. Ils sont incapables d'inventer une troisième sauce ; d'ailleurs, la tradition ne le permettrait pas. Ah ! ce sont de bien vulgaires routiniers que ces êtres-là ! – Seulement, il faut leur rendre justice, ils s'entendent à la réclame, car ils ont emprunté aux grands magasins d'habits l'homme décoré qui se tient bien en vue dans les rayons et qui rehausse par sa présence le prestige de la maison et attire la clientèle !

– Oh ! voyons, monsieur Folantin…

– Il n'y a pas de voyons, c'est ainsi, et, au fond, je ne suis pas fâché de cette occasion qui se présente de donner mon avis sur le magasin de M. Coquelin. – Sur ce, cher monsieur, me voici à destination. Je suis enchanté de notre rencontre. À bientôt, j'espère, et à l'avantage de vous revoir.

Les conséquences de cette soirée furent salutaires. Au souvenir de cette fatigue, de cette gêne, M. Folantin s'estimait content de dîner où bon lui semblait et de demeurer, pendant toute une soirée, dans sa chambre ; il jugea que la solitude avait du bon, que ruminer ses souvenirs et se conter à soi-même des balivernes, était encore préférable à la compagnie de gens dont on ne partageait ni les convictions, ni les sympathies ; son désir de se rapprocher, de toucher le coude d'un voisin cessa et, une fois de plus, il se répéta cette désolante vérité : que lorsque les anciens amis ont disparu, il faut se résoudre à n'en point chercher d'autres, à vivre à l'écart, à s'habituer à l'isolement.

Puis il essaya de se concentrer, de prendre de l'intérêt aux moindres choses, d'extraire de consolantes déductions des existences remarquées près de sa table ; il alla dîner, pendant quelque temps, dans un petit bouillon près de la Croix-Rouge. Cet établissement était généralement fréquenté par des gens âgés, par de vieilles dames qui venaient, chaque jour, à six heures moins le quart, et la tranquillité de la petite salle le dédommageait de la monotonie de la nourriture. On eût dit des gens sans famille, sans amitiés, cherchant des coins un peu sombres pour expédier, en silence, une corvée ; et M. Folantin se trouvait plus à l'aise dans ce monde de déshérités, de gens discrets et polis, ayant sans doute connu des jours meilleurs et des soirs plus remplis. Il les connaissait presque tous de vue et il se sentait des affinités avec ces passants, qui hésitaient à choisir un plat sur la carte, qui émiettaient leur pain et buvaient à peine, apportant, avec le délabrement de leur estomac, la douloureuse lassitude des existences traînées sans espoir et sans but.

Là, pas d'appels bruyants, pas de cris ; les servantes consultaient les clients à voix basse. Mais si aucune de ces dames, aucun de ces messieurs, n'échangeait un propos, tous du moins se saluaient gracieusement, en entrant et en sortant, et ils apportaient des habitudes de salon dans cette gargote.

Je suis encore plus heureux que tout ce monde-là, se disait M. Folantin. Eux, regrettent peut-être des enfants, des femmes, une fortune perdue, une vie jadis debout et maintenant par terre.

À force de plaindre les autres, il finit par se moins plaindre ; il rentrait chez lui et pensait tout de même que ses détresses étaient bien creuses et ses misères bien peu profondes. – Combien d'individus, à l'heure qu'il est, arpentent le pavé, sans gîte ; combien envieraient mon grand fauteuil, mon feu, mon paquet de tabac où je peux puiser à ma fantaisie ! et il activait les flammes de la cheminée, rôtissait ses pantoufles, confectionnait des grogs dorés et chauds. – S'il paraissait en librairie des livres réellement artistes, la vie serait, en somme, très supportable, concluait-il.

Plusieurs semaines s'écoulèrent ainsi, et son collègue de bureau déclara que M. Folantin rajeunissait. Il causait maintenant, écoutait avec une patience angélique tous les papotages, s'intéressait même aux infirmités de son copain ; puis, avec le froid qui commençait, l'appétit agissait plus régulièrement, et il attribuait cette amélioration aux vins créosotés [1] et aux préparations de manganèse qu'il absorbait. – J'ai donc enfin expérimenté une médication moins infidèle et plus active que les autres, pensait-il. Et il la recommandait à toutes les personnes qu'il rencontrait.

Il atteignit ainsi l'hiver ; mais, aux premières neiges, sa mélancolie reparut. Le bouillon où il stationnait depuis l'automne le lassa et il recommença à brouter, au hasard, tantôt ici et tantôt là. Plusieurs fois il franchit les ponts et tenta de nouveaux restaurants ; mais, dans une bousculade, des garçons filaient, ne répondant pas aux appels, ou bien ils vous lançaient votre plat sur la table et fuyaient quand on leur réclamait du pain.

La nourriture n'était pas supérieure à celle de la rive gauche et le service était arrogant et dérisoire. M. Folantin se le tint pour dit et il resta désormais dans son arrondissement, bien résolu à ne plus en démarrer.

---

1. Créosotés : mélangés à de l'extrait de goudron (à de la créosote).

Le manque d'appétit lui revint. Il constata une fois de plus l'inutilité des stomachiques [1] et des stimulants, et les remèdes qu'il avait tant prônés allèrent rejoindre les autres, dans une armoire.

Que faire ? La semaine s'égouttait encore, mais c'était le dimanche qui lui pesait.

Jadis, il badaudait dans des quartiers déserts ; il se plaisait à longer les ruelles oubliées, les rues provinciales et pauvres, à surprendre, par les fenêtres des rez-de-chaussée, les mystères des petits ménages. Mais aujourd'hui, les rues calmes et muettes étaient démolies, les passages curieux, rasés. Impossible de regarder par les portes entr'ouvertes des vieilles bâtisses, d'apercevoir un bout de jardinet, une margelle de puits, un coin de banc ; impossible de se dire que la vie serait moins rechignée, moins rogue, dans cette cour, de rêver à l'époque où l'on pourrait se retirer dans ce silence et réchauffer sa vieillesse dans de l'air plus tiède.

Tout avait disparu ; plus de feuillages de massifs, plus d'arbres, mais d'interminables casernes s'étendant à perte de vue ; et M. Folantin subissait dans ce Paris nouveau une impression de malaise et d'angoisse.

Il était l'homme qui détestait les magasins de luxe, qui, pour rien au monde, n'eût mis les pieds chez un coiffeur élégant ou chez un de ces modernes épiciers dont les montres ruissellent de gaz ; il n'aimait que les anciennes et simples boutiques où l'on était reçu à la bonne franquette, où le marchand n'essayait pas de vous jeter de la poudre aux yeux et de vous humilier par sa fortune.

Aussi avait-il renoncé à se promener, le dimanche, dans tout ce luxe de mauvais goût qui envahissait jusqu'aux banlieues. D'ailleurs, les flânes dans Paris ne le tonifiaient plus comme autrefois ; il se trouvait encore plus chétif, plus petit, plus perdu, plus seul, au milieu de ces hautes maisons dont les vestibules sont

1. Stomachiques : médicaments qui facilitent la digestion.

vêtus de marbre et dont les insolentes loges de concierge arborent des allures de salons bourgeois.

Pourtant, une partie de son quartier demeurée intacte, près du Luxembourg mutilé, était restée pour lui bienveillante et intime : la place Saint-Sulpice.

Parfois, il déjeunait chez un marchand de vins dont la boutique faisait l'angle de la rue du Vieux-Colombier et de la rue Bonaparte, et là, à l'entresol, par la fenêtre, il plongeait sur la place, contemplait la sortie de la messe, les enfants descendant du parvis, des livres à la main, un peu en avant des père et mère, toute la foule qui s'épandait autour d'une fontaine décorée d'évêques, assis dans des niches, et de lions accroupis au-dessus d'une vasque.

En se penchant un peu sur la balustrade, il apercevait le coin de la rue Saint-Sulpice, un terrible coin, balayé par le vent de la rue Férou et occupé, lui aussi, par un marchand de vins qui possédait la clientèle assoiffée des chantres. Et cette partie de la place l'intéressait, avec sa vue de gens vacillant sur leurs pieds, la main au chapeau, sous la tourmente, près des grands omnibus de la Villette, dont les larges caisses rouge-brun s'alignent, au ras du trottoir, devant l'église.

La place s'animait, mais sans gaieté et sans fracas ; les fiacres dormaient à la station, devant un cabinet à cinq centimes et un trinckhall [1] ; les énormes omnibus jaunes des Batignolles sillonnaient, en ballottant, les rues, croisés par le petit omnibus vert du Panthéon et par la pâle voiture à deux chevaux d'Auteuil ; à midi, les séminaristes défilaient, deux à deux, les yeux baissés, avec un pas mécanique d'automates, se déroulant de Saint-Sulpice au séminaire, en une longue bande noire et blanche.

Sous un coup de soleil, la place devenait charmante : les tours inégales de l'église blondissaient ; l'or des annonces pétillait tout le long des débits de chasubles et de saints ciboires, le vaste tableau d'un déménageur

---

1. Trinckhall : chalet établi sur la voie publique, servant de buvette.

avivait ses couleurs qui éclataient plus crues, et, sur l'armure d'un urinoir, une réclame de teinturier : deux chapeaux écarlates, jaillissant sur un fond noir, évoquaient, dans ce quartier de bedeaux et de dévotes, les fastes d'une religion, les hautes dignités d'un sacerdoce.

Seulement, ce spectacle n'offrait à M. Folantin aucun imprévu. Combien de fois, dans sa jeunesse, avait-il piétiné sur cette place, afin de regarder le vieux sanglier que possédait autrefois la maison Bailly ; combien de fois, le soir, avait-il écouté la complainte d'un chanteur en plein vent, près de la fontaine ; combien de fois avait-il flâné, les jours de marché aux fleurs, près du séminaire ?

Depuis longtemps déjà, il avait épuisé le charme de ce lieu tranquille ; pour le savourer à nouveau, il fallait maintenant qu'il espaçât ses visites, qu'il ne le parcourût qu'à de rares intervalles.

Aussi, la place Saint-Sulpice ne lui était-elle plus d'aucun secours le dimanche et il préférait les autres jours de la semaine, car, allant à son bureau, il était moins désœuvré ; ah ! décidément, le dimanche devenait interminable ! Ce matin-là, il déjeunait un peu plus tard que de coutume et il s'éternisait à table, pour laisser au portier le temps de nettoyer la chambre, et jamais elle n'était rangée quand il revenait : il butait contre les tapis en rouleaux, et il avançait dans le nuage soulevé par les balais. Une, deux, le pipelet retapait les draps, étendait les tapis et il partait sous prétexte qu'il ne voulait pas déranger Monsieur.

M. Folantin récoltait de la poussière sur tous les meubles avec ses doigts, rangeait ses habits entassés sur un fauteuil, envoyait çà et là un coup de plumeau et remettait de la cendre dans son crachoir ; ensuite, il comptait le linge que rapportait parfois la blanchisseuse ; un tel dégoût l'assaillait à la vue de la charpie de ses chemises, qu'il les fichait, sans plus les examiner, dans un tiroir.

La journée s'égrappait encore facilement jusqu'à quatre heures. Il relisait de vieilles lettres de parents et d'amis depuis longtemps morts ; il feuilletait quelques-uns de ses livres, en dégustait quelques passages, mais vers les cinq heures, il commençait à souffrir ; le moment approchait où il allait falloir se rhabiller ; l'idée seule de déguerpir lui réprimait la faim, et, certains dimanches, il ne bougeait pas – ou bien s'il appréhendait un tardif appétit, il descendait en pantoufles et il acquérait deux petits pains, un pâté ou des sardines. Il avait toujours un peu de chocolat et de vin dans un placard et il mangeait, heureux d'être chez lui, de jouer des coudes, de s'étaler, d'éviter, pour une fois, la place restreinte d'un restaurant ; seulement, la nuit était mauvaise ; il se réveillait, en sursaut, avec des tiraillements et des frissons ; quelquefois l'insomnie durait une heure, et l'obscurité animant toutes les idées tristes, il se rabâchait les mêmes plaintes que dans le jour et il en arrivait à regretter de n'être pas un concubin. Le mariage est impossible, à mon âge, se disait-il. – Ah ! si j'avais eu, dans ma jeunesse, une maîtresse et si je l'avais conservée, je finirais mes années avec elle, j'aurais, à mon retour, ma lampe allumée et ma cuisine prête. Si la vie était à recommencer, je la mènerais autrement ! je me ferais une alliée pour mes vieux jours ; décidément, j'ai trop présumé de mes forces, je suis à bout. – Et, le matin venu, il se levait les jambes brisées, la tête étourdie et molle.

Le moment était du reste pénible ; l'hiver sévissait et le froid de la bise rendait enviable le chez soi et odieux le séjour des traiteurs dont on ouvre constamment les portes. Tout à coup, un grand espoir bouleversa M. Folantin. Un matin, dans la rue de Grenelle, il avisa une nouvelle pâtisserie qui s'installait. Cette inscription flambait en lettres de cuivre, sur les carreaux : « Dîners pour la ville ».

M. Folantin eut un éblouissement. Est-ce que ce rêve si longtemps caressé de se faire monter à dîner chez soi allait pouvoir enfin se réaliser ? – Mais il resta découragé, se rappelant ses inutiles chasses dans le quartier, à la recherche d'un établissement qui consentît à porter au-dehors de la nourriture.

Ça ne coûte rien de demander, se dit-il enfin, et il entra.

– Mais certainement, monsieur, lui répondit une jeune dame enfouie dans un comptoir et dont le buste était entouré de Saint-Honoré et de tartes. Rien n'est plus facile, puisque vous logez à deux pas. Et à quelle heure désirez-vous qu'on vienne ?

– À six heures, fit M. Folantin, tout palpitant.

– Parfaitement.

Le front de M. Folantin s'assombrit. – Maintenant, reprit-il, en bredouillant un peu, voilà, je voudrais un potage, un plat de viande et un légume, quel serait le prix ?

La dame parut s'absorber dans des réflexions, murmurant, les yeux au ciel... potage... viande... légume.

– Vous ne prenez pas de vin ?

– Non, j'en ai chez moi.

– Eh bien, monsieur, dans ces conditions-là, ce serait deux francs.

La figure de M. Folantin s'éclaira. – Soit, dit-il, c'est convenu ; et quand pourrons-nous commencer ?

– Mais quand il vous plaira, ce soir, si vous voulez.

– Ce soir même, madame. – Et il s'inclina et fut salué par une courbette si profonde, dans le comptoir, que le nez de la dame faillit creuser les Saint-Honoré et percer les tartes.

Dans la rue, M. Folantin s'arrêta, après quelques pas. Ça y est ! en voilà une chance, se dit-il ; puis, sa joie se modéra. Pourvu que cette boustifaille ne soit que médiocre ! Baste ! j'ai subi, dans ma pauvre vie, tant d'exécrables plats que je n'ai pas le droit de me montrer difficile. – Elle est gentille, cette dame, reprit-il ; ce n'est pas qu'elle soit jolie, mais elle a des yeux bien expressifs ; pourvu qu'elle fasse de bonnes affaires ! Et, tout en reprenant sa trotte, il souhaita la prospérité de la pâtissière.

Ensuite, il s'ingénia à parer au désordre du premier soir ; il commanda chez un épicier six litres de vin, puis, quand il fut arrivé à son bureau, il établit une petite liste des denrées qu'il achèterait :

Confitures
Fromage
Biscuits
Sel
Poivre
Moutarde
Vinaigre
Huile

Je ferai monter, tous les jours, le pain par mon concierge ; ah ! sapristi, si ça peut réussir, je suis sauvé !

Il aspira après la fin de la journée ; sa hâte à jouir de son contentement, tout seul, retardait encore la marche des heures.

Il consultait de temps à autre sa montre.

Son collègue, qu'avait déjà stupéfié l'air extatique de M. Folantin rêvant à son intérieur, sourit.

– Avouez qu'elle vous attend, dit-il.

– Qui ça, elle ? interrogea M. Folantin très étonné.

– Allons, c'est bon, vous voulez apprendre à un vieux singe à faire des grimaces. Voyons, blague à part, elle est blonde ou brune ?

– Oh ! mon ami, répliqua M. Folantin, je puis vous assurer que j'ai vraiment autre chose à penser qu'aux femmes.

– Oui, oui… je sais bien, ça se dit. Ah ! ah ! farceur, vous êtes encore un chaud de la pince, vous !

– Tenez, messieurs, copiez cela, tout de suite ; il me faut ces deux lettres pour la signature de ce soir ; – et le chef entra et disparut.

– C'est absurde, il y a quatre pages serrées, grogna M. Folantin ; je n'aurai pas fini avant cinq heures. – Mon Dieu, que c'est donc bête ! reprit-il, s'adressant à son collègue qui ricanait, tout en murmurant : Dame ! mon cher, l'administration ne peut pourtant pas s'occuper de ces détails.

Tant bien que mal, tout en maugréant, il termina sa tâche, puis il retourna chez lui par la voie la plus courte, les bras chargés de paquets, les poches bourrées de sacs ; il respira, une fois enfermé, mit ses chaussons, donna un coup de serviette au peu de vaisselle qu'il possédait, essuya ses verres et, ne trouvant ni planchette ni grès pour récurer les lames de ses couteaux, il les plongea dans la terre d'un vieux pot de fleur et parvint à les faire un peu reluire.

– Ouf ! dit-il en approchant la table du feu, je suis prêt ; six heures tintèrent.

M. Folantin attendait le mitron avec impatience, et il avait un peu en lui de cette fièvre qui l'empêchait, dans sa jeunesse, de tenir en place, quand un ami s'attardait, inexact au rendez-vous.

Enfin, à six heures un quart, la sonnerie carillonna et un galopin s'avança, entraîné, le nez en avant, par le poids d'une grande boîte en fer-blanc, de la forme d'un seau ; M. Folantin aida à distribuer sur la table les assiettes, qu'il découvrit lorsqu'il fut seul. Il y avait un bouillon au tapioca, un veau braisé, un chou-fleur à la sauce blanche.

– Mais ce n'est pas mauvais, se dit-il en goûtant à chacun de ces plats, et il se gava de bon appétit, but un peu plus que de coutume, puis il tomba dans une douce rêverie, en contemplant sa chambre.

Depuis des années, il manifestait l'intention de la décorer, mais il se répétait : Baste ! à quoi bon ? je ne vis pas chez moi ; si plus tard je puis m'arranger une autre existence, j'organiserai mon intérieur. Mais tout en n'achetant rien, il avait déjà jeté son dévolu sur bien des bibelots qu'il reluquait, en rôdant sur les quais et dans la rue de Rennes.

L'idée d'habiller les murs glacés de sa chambre s'implanta tout à coup en lui, tandis qu'il lampait un dernier verre. Son indécision cessait ; il était déterminé à dépenser les quelques sous qu'il entassait depuis des années dans ce but, et il eut une soirée charmante, réglant d'avance la toilette de son réduit. Je me lèverai demain, de bonne heure, conclut-il, et j'irai tout d'abord faire un tour chez les marchands de nouveautés et les bric-à-brac.

Son désœuvrement prenait fin ; un nouvel intérêt se glissait en lui ; la préoccupation de découvrir, sans trop dépenser d'argent, quelques gravures, quelques faïences, le soutenait et, après son bureau, il déployait une hâte fébrile, escaladait les étages du Bon Marché et du Petit Saint-Thomas, remuant des masses d'étoffes, les trouvant trop foncées ou trop claires, trop étroites ou trop larges, refusant les rebuts et les soldes que les calicots s'efforçaient de tarir, les obligeant à exhiber des marchandises qu'ils réservaient. À force de les tanner, de les tenir en haleine, pendant des heures, il finit par se faire montrer des rideaux tout faits et des tapis qui le séduisirent.

Après ces emplettes et après de féroces discussions chez les débitants de bibelots et d'estampes, il demeura sans le sou ; toutes ses économies étaient épuisées ; mais, comme un enfant à qui l'on vient d'offrir de nouveaux jouets, M. Folantin examinait, remuait ses achats dans tous les sens. Il grimpait sur les chaises pour attacher les cadres et il disposait ses livres en un autre ordre. L'on est bien chez soi, se disait-il ; et, en effet, sa chambre n'était plus reconnaissable. Au lieu de murailles aux papiers éraillés par d'anciennes traces de clous, les cloisons disparaissaient sous les gravures d'Ostade, de Teniers, de tous les peintres de la vie réelle dont il raffolait. Un amateur eût certainement haussé les épaules devant ces estampes sans aucune marge, mais M. Folantin n'était ni connaisseur, ni riche ; il acquérait surtout les sujets de la vie humble qui lui plaisaient, et il se moquait d'ailleurs de l'authenticité de ses vieux plats, pourvu que les couleurs en fussent actives et propres à égayer ses murs.

– Il aurait fallu changer aussi mes meubles d'acajou, se dit-il, considérant son lit à bateau, ses deux voltaires au damas roussi, sa toilette au marbre fendu, sa table au plaqué rougeâtre, mais ce serait trop cher, et du reste les rideaux et les tapis rajeunissent suffisamment ce mobilier qui, de même que mes vieux vêtements, est fait à mes mouvements et à mes habitudes.

Aussi quel empressement à rentrer maintenant chez lui, à éclairer tout, à s'enfoncer dans son fauteuil ! le froid lui semblait parqué au-dehors, repoussé par cette intimité de petit coin choyé, et la neige qui tombait, qui assoupissait tous les bruits de la rue, ajoutait encore à son bien-être ; dans le silence du soir, le dîner, les pieds devant le feu, tandis que les assiettes chauffaient devant la grille, près du vin dégourdi, était charmant, et les ennuis du bureau, la tristesse du célibat s'envolaient dans cette pacifiante quiétude.

Sans doute, huit jours ne s'étaient pas écoulés et déjà le pâtissier se relâchait. L'invariable tapioca était plein de grumeaux et le bouillon était fabriqué par des procédés chimiques ; la sauce des viandes puait l'aigre madère des restaurants ; tous les mets avaient un goût à part, un goût indéfinissable, tenant de la colle de pâte un peu piquée, et du vinaigre éventé et chaud. M. Folantin poivra vigoureusement sa viande et sinapisa [1] ses sauces ; baste ! ça s'avale tout de même, disait-il ; le tout, c'est de se faire à cette mangeaille !

Mais la mauvaise qualité des plats ne devait pas rester stationnaire et, peu à peu, elle s'accéléra, encore aggravée par les constants retards du petit mitron. Il arrivait à sept heures, couvert de neige, son réchaud éteint, des pochons sur les yeux et des égratignures tout le long des joues. M. Folantin ne pouvait douter que ce garçon déposât sa boîte auprès d'une borne et se flanquât une pile en règle avec les gamins de son âge. Il lui en fit doucement l'observation : l'autre pleurnicha, jura, en étendant le bras et en crachant par terre, un pied en avant, qu'il n'en était rien et continua de plus belle ; et M. Folantin se tut, pris de pitié, n'osant se plaindre à la pâtissière, de peur de nuire à l'avenir du gosse.

Pendant un mois encore, il supporta vaillamment tous ces déboires ; et pourtant le cœur lui défaillait quand il devait ramasser sa viande tombée dans le ferblanc, car il y avait des jours où une tempête semblait s'être abattue dans la boîte, où tout était sens dessus dessous, où la sauce blanche se mêlait au tapioca, dans lequel s'enlisaient des braises.

---

1. Sinapisa : additionna de farine de moutarde.

Il eut heureusement un temps de répit : le petit pâtissier avait été congédié, sur des plaintes sans doute de personnes moins indulgentes. Son successeur fut un long dadais, une sorte de jocrisse au teint blême et aux grandes mains rouges. Celui-là était exact, arrivait à six heures précises, mais sa saleté était répugnante ; il était vêtu de torchons de cuisine roides de graisse et de crasse, ses joues étaient barbouillées de farine et de suie et son nez mal mouché, coulait en deux vertes rigoles tout le long de la bouche.

M. Folantin para énergiquement ce nouveau coup ; il renonça aux sauces, aux assiettes maculées ; il transféra sa viande sur une assiette à lui, la racla, la nettoya et la mangea avec du sel.

En dépit de sa résignation, le moment vint où certains plats lui donnèrent des nausées. Il tâtait maintenant de tous les godiveaux ratés, de toutes les pâtisseries brûlées ou gâtées par les cendres ; il pêchait de vieilles boulettes de tourtes dans tous les plats ; enhardi par sa bienveillance, le pâtissier mettait de côté toute pudeur, toute vergogne et lui dépêchait tous les résidus de sa cuisine.

– L'empoisonneuse ! murmurait M. Folantin, devant la boutique de la pâtissière, qu'il ne jugeait plus si gentille, et il la regardait de côté, ne souhaitant plus du tout, à l'heure présente, la prospérité de ses affaires.

Il eut recours aux œufs durs. Il en achetait chaque jour, redoutant, pour le soir, un dîner impossible. – Et quotidiennement il se bourra de salades ; mais les œufs putridaient, la fruitière lui vendant, en sa qualité d'homme qui ne s'y connaissait pas, les œufs les plus avariés de sa boutique.

Tâchons d'atteindre le printemps, se disait M. Folantin pour se remonter ; mais, de semaines en semaines, son énergie se désarmait, en même temps que son corps, déplorablement nourri, criait famine. Sa gaieté s'effondra ; son intérieur se rembrunit ; le cortège des anciennes détresses cerna de nouveau son existence désœuvrée. – Si j'avais une passion quelconque, si j'aimais les femmes, le bureau, si j'aimais le café, le domino, les cartes, je pourrais bouffer au-dehors, ruminait-il, car je ne resterais jamais chez moi. Mais hélas ! rien ne me divertit, rien ne m'intéresse ; et puis mon estomac se détraque ! Ah ! ce n'est pas pour dire, mais les gens qui ont dans leur poche de quoi s'alimenter et qui ne peuvent cependant manger, faute d'appétit, sont tout aussi à plaindre que les malheureux qui n'ont pas le sou pour apaiser leur faim !

IV

Un soir qu'il chipotait des œufs qui sentaient la vesse, le concierge lui présenta une lettre de faire-part ainsi conçue :

†

M

Les religieuses de la Compagnie de Sainte-Agathe vous supplient très humblement de recommander à Dieu dans vos prières et au Saint Sacrifice de la Messe, l'âme de leur chère sœur Ursule, Aurélie Bougeard, religieuse de chœur, décédée, le 7 septembre 1880, dans la soixante-deuxième année de son âge et la trente-cinquième de sa profession religieuse, munie des Sacrements de Notre Sainte Mère l'Église.

De profundis !
Doux cœur de Marie, soyez mon salut.
(300 jours d'ind.)

C'était une cousine à lui qu'il avait autrefois aperçue, dans son enfance ; jamais, depuis vingt ans, il n'avait songé à elle et la mort de cette femme lui porta cependant un grand coup ; elle était sa dernière parente et il se crut encore plus esseulé depuis qu'elle était décédée, dans le fond d'une province. Il envia sa vie calme et muette et il regretta la foi qu'il avait perdue. Quelle occupation que la prière, quel passe-temps que la confession, quels débouchés que les pratiques d'un culte ! – Le soir, on va à l'église, on s'abîme dans la contemplation, et les misères de la vie sont de peu ; puis les dimanches s'égouttent dans la longueur des offices, dans l'alanguissement des cantiques et des vêpres, car le spleen n'a pas de prise sur les âmes pieuses. Oui, mais pourquoi la religion consolatrice n'est-elle faite que pour les pauvres d'esprit ? Pourquoi l'Église a-t-elle voulu ériger en articles de foi les croyances les plus absurdes ? Je ne puis cependant admettre, ni la virginité d'une accouchée, ni la divinité d'un comestible qu'on prépare chez un fabricant de pâtes, se disait-il [1] ; enfin, l'intolérance du clergé le révoltait. Et pourtant le mysticisme pourrait seul panser la plaie qui me tire. – C'est égal, on a tort de démontrer aux fidèles l'inanité de leurs adorations, car ceux-là sont heureux qui acceptent comme une épreuve passagère toutes les traverses, toutes les souffrances, toutes les afflictions de la vie présente. – Ah ! la tante Ursule a dû mourir sans regrets, persuadée que des allégresses infinies allaient éclore !

Il pensa à elle, tâcha de se rappeler ses traits, mais sa mémoire n'en avait gardé aucune trace ; alors, pour se rapprocher un peu d'elle, pour s'immiscer un peu dans l'existence qu'elle avait menée, il relut le mystérieux et pénétrant chapitre des *Misérables*, sur le couvent du Petit-Picpus.

– Pristi ! c'est payer cher l'improbable bonheur d'une vie future, se dit-il. Le couvent lui apparut comme une maison de force, comme un lieu de désolation et de terreur. Ah bien, pas de ça ! je ne jalouse plus le sort de la tante Ursule ; mais c'est égal, les malheurs de l'un ne consolent pas les malheurs de l'autre et, en attendant, la boustifaille du pâtissier devient inabordable.

---

1. Voir variante *a*, ci-après, p. 133.

Deux jours après, il reçut, en plein crâne, une nouvelle douche.

Pour faire diversion aux dîners composés de salades et de desserts, il retourna dans un restaurant ; il n'y avait personne, mais le service était lent et le vin fleurait la benzine.

– Enfin, l'on n'est pas foulé [1], c'est déjà quelque chose, se dit, en guise de consolation, M. Folantin.

La porte s'ouvrit, un soufflet lui éventa le dos ; il entendit un grand frou-frou de jupes et sa table se couvrit d'ombre. Une femme était devant lui, qui dérangeait la chaise sur les barreaux de laquelle il appuyait ses pieds. Elle s'assit, et posa sa voilette et ses gants près de son verre.

– Que le diable l'emporte, grommela-t-il, elle n'a que l'embarras du choix, toutes les tables sont vides ; et elle vient, juste, s'installer à la mienne !

Machinalement, il leva les yeux, qu'il tenait baissés sur son assiette, et il ne put s'empêcher d'inspecter sa voisine. Elle avait une figure de petit singe, une margoulette fripée, avec une bouche un peu grande marchant sous un nez retroussé, et de toutes petites moustaches noires au bout des lèvres ; malgré ses airs folichons, elle lui sembla cependant polie et réservée.

Elle lui dardait de temps à autre un coup d'œil et, d'une voix très douce, le priait de lui passer la carafe ou le pain. En dépit de sa timidité, M. Folantin dut répondre à quelques questions qu'elle lui lança ; peu à peu la conversation s'était engagée, et, au dessert, ils déploraient, ne sachant trop quoi dire, l'aigre bise qui sifflait au-dehors, en leur glaçant les jambes.

– C'est des temps où il ferait bon de ne pas coucher seul, fit la femme d'un ton rêveur.

Cette réflexion abasourdit M. Folantin, qui ne crut pas devoir répondre.

– N'est-ce pas, Monsieur ? reprit-elle.

– Mon Dieu !... Mademoiselle... et, comme un poltron, qui jette ses armes, pour ne pas engager une lutte

1. Foulé : maltraité.

avec son adversaire, M. Folantin avoua sa continence, son peu de besoins, son désir de tranquillité charnelle.

– Avec ça ! dit-elle, en le regardant bien dans les yeux.

Il se troubla, d'autant que le corsage qu'elle avançait exhalait un arôme de new-mown-hay [1] et d'ambre.

– Je n'ai plus vingt ans, et, ma foi, je n'ai plus de prétentions – si j'en ai jamais eues ; ce n'est plus de mon âge. Et il désigna sa tête chauve, son teint plombé, ses vêtements qui n'appartenaient plus à aucune mode.

– Laissez donc, vous voulez rire, vous vous faites plus vieux que vous n'êtes ; et elle avait ajouté qu'elle n'aimait pas les jeunes gens, qu'elle préférait les hommes mûrs, parce que ceux-là savent se conduire avec une femme.

– Sans doute... sans doute, balbutia M. Folantin, qui demanda l'addition ; la femme ne tira pas son porte-monnaie, et il comprit qu'il fallait s'exécuter. Il solda au garçon, railleur, le prix des deux dîners et il s'apprêtait à saluer la femme, sur le seuil de la porte, lorsqu'elle lui prit tranquillement le bras.

– Tu m'emmènes, dis, Monsieur ?

Il chercha des échappatoires, des excuses pour éviter ce mauvais pas, mais il s'embrouillait, il faiblissait sous les yeux de cette femme dont la parfumerie lui serrait les tempes.

– Je ne puis, finit-il par répondre, on n'amène pas de femmes dans ma maison.

– Alors, venez chez moi ; – et elle se pressa contre lui, jacassa et allégua qu'elle avait un bon feu dans sa chambre. – Puis, voyant la morne attitude de M. Folantin, elle soupira : Alors je ne vous plais pas ?

– Mais si, Madame... mais si... seulement on peut trouver une femme charmante et ne point...

Elle se mit à rire. – Est-il drôle ! dit-elle, et elle l'embrassa.

M. Folantin eut honte de ce baiser en pleine rue ; il eut la perception du grotesque que dégageait un vieil

1. New-mown-hay : parfum de foin coupé (anglais).

homme boiteux choyé publiquement par une fille. Il allongea les jambes, voulant se soustraire à ces caresses et craignant en même temps, s'il essayait de fuir, une scène ridicule qui ameuterait le monde.

– C'est ici, dit-elle, et elle le poussa légèrement, marchant derrière lui, lui barrant la retraite. Il monta jusqu'à un troisième et, contrairement aux affirmations de cette femme, il ne vit aucun feu allumé chez elle.

Il regarda, très penaud, la chambre dont les murs semblaient trembler, à la lueur vacillante d'une bougie ; une chambre aux meubles couverts de laine bleue et au divan tapissé d'algérienne. Une bottine crottée traînait sous une chaise et une pincette de cuisine lui faisait vis-à-vis sous une table ; çà et là, des réclames de marchands de semouille [1], de chastes chromos représentant des babys barbouillés de soupe étaient piqués sur le mur par des épingles ; le pied d'un gueux [2] apparaissait sous la trappe mal baissée de la cheminée, sur le faux marbre de laquelle s'étalaient, près d'un réveille-matin et d'un verre où l'on avait bu, de la pommade dans une carte à jouer, du tabac et des cheveux, dans un journal.

– Mets-toi donc à ton aise, fit la femme, et malgré son refus de se dévêtir, elle saisit les manches de son pardessus et s'empara de son chapeau.

– J.F., je parie que tu t'appelles Jules, dit-elle en regardant les lettres de la coiffe.

Il confessa se nommer Jean.

– C'est pas un vilain nom ; dis donc !... et elle le força à s'asseoir sur un canapé et sauta sur ses genoux.

– Dis donc, chéri, qu'est-ce que tu vas me donner pour mes petits gants ?

M. Folantin sortit péniblement une pièce de cent sous de sa poche et elle la fit prestement disparaître.

---

1. Semouille : pour « semoule ». Cette orthographe traduit la prononciation ancienne, signalée par Littré.

2. Gueux : chaufferette en terre cuite, percée de trous.

– Voyons, tu peux bien m'en donner une autre, je me déshabillerai, tu verras comme je serai gentille.

M. Folantin céda, tout en déclarant qu'il préférait qu'elle ne fût pas nue, et alors elle l'embrassa si habilement qu'une bouffée de jeunesse lui revint, qu'il oublia ses résolutions et perdit la tête ; puis à un moment, comme il tardait, tout en s'empressant. – Ne t'occupe pas de moi… dit-elle, ne t'occupe pas de moi… fais ton affaire.

....

M. Folantin descendit de chez cette fille, profondément écœuré et, tout en s'acheminant vers son domicile, il embrassa d'un coup d'œil l'horizon désolé de la vie [1] ; il comprit l'inutilité des changements de routes, la stérilité des élans et des efforts ; il faut se laisser aller à vau-l'eau ; Schopenhauer a raison, se dit-il, « la vie de l'homme oscille comme un pendule entre la douleur et l'ennui » ; aussi n'est-ce point la peine de tenter d'accélérer ou de retarder la marche du balancier ; il n'y a qu'à se croiser les bras et à tâcher de dormir ; mal m'en a pris d'avoir voulu renouveler les actes du temps passé, d'avoir voulu aller au théâtre, fumer un bon cigare, avaler des fortifiants et visiter une femme ; mal m'en a pris de quitter un mauvais restaurant pour en parcourir de non moins mauvais, et tout cela pour échouer dans les sales vol-au-vent d'un pâtissier !

Tout en raisonnant de la sorte, il était arrivé devant sa maison. Tiens, je n'ai pas d'allumettes, se dit-il, en fouillant ses poches, dans l'escalier ; il pénétra dans sa chambre, un souffle froid lui glaça la face et, tout en s'avançant dans le noir, il soupira : le plus simple est encore de rentrer à la vieille gargote, de retourner demain à l'affreux bercail. Allons, décidément, le mieux n'existe pas pour les gens sans le sou ; seul, le pire arrive.

---

1. Voir variante *b*, ci-après, p. 133.

VARIANTES D'À *VAU-L'EAU*

a. Dans la réédition de 1894, cette phrase a été remplacée par : « Il est vrai que si l'on avait la foi… oui, mais je ne l'ai plus. »

b. La fin suivante, après « l'horizon désolé de la vie », a été biffée sur le manuscrit (bibliothèque de l'Arsenal, cote Lambert, ms. 15360, p. 56) :

> Il comprit l'inutilité des changements de routes, des pas ralentis ou pressés, le vide des désirs et des espoirs, l'inanité des actions et des efforts. Ce n'est vraiment pas la peine d'avancer ou de reculer, se dit-il. Mal m'en a pris de renouveler les espoirs de ma jeunesse, d'être allé au théâtre, d'avoir visité une femme, mal m'en a pris de quitter un mauvais restaurant pour en parcourir de non moins mauvais et tout cela pour échouer finalement dans les sales godiveaux d'un pâtissier !
>
> Allons, demain je rentrerai à la vieille gargote, je retournerai à l'affreux bercail. Décidément le mieux n'existe pas pour les gens sans le sou, seul le pire arrive. Schopenhauer a raison de dire que la vie de l'homme oscille comme un pendule entre la douleur et l'ennui. Et mélancoliquement, il se répéta, en retournant chez lui, la plainte désespérée de Karamzine : « À quoi bon, moi, à quoi bon toi ; à quoi bon nous tous, vivons-nous ? à quoi bon vécurent nos aïeux, à quoi bon vivront nos descendants ?
>
> Mon âme est épuisée, faible et triste. »
>
> – FIN –

Nicolas Karamzine (1766-1826) : poète, journaliste, historien, il a été l'artisan de la prose russe moderne. Personnalité marquante de la vie culturelle, il fonde le *Journal de Moscou* (1790) à son retour d'un long séjour en Occident (Allemagne, Suisse, France, Angleterre). En 1802, il rédige *Le Messager d'Europe* où paraît la première partie de ses *Lettres d'un voyageur russe*. Lorsqu'il accepte la charge d'historiographe de l'empereur, il renonce à la littérature. Ses *Œuvres complètes* comptent neuf volumes dans leur réédition de 1815. Plusieurs de ses ouvrages ont été traduits en français : *Histoire de l'Empire russe* en 12 volumes (1816-1828) ; « Natalie », « La Pauvre Lise » ; « Julie », in *Romans du Nord* (1808) ; *Lettres d'un voyageur russe en France, en Allemagne et en Suisse* (1867).

À l'occasion de ses récits de voyage, Karamzine a fait part de ses moments de désespoir. Nous n'avons pu cependant retrouver l'œuvre dont Huysmans tire la citation qu'il pensait joindre à celle de Schopenhauer. Elle a dû circuler dans un petit groupe d'amis car Léon Bloy l'utilise à son tour dans son premier roman, où elle amorce une ample et remarquable méditation sur le nihilisme qui ravage la société contemporaine :

> « Un éternel mouvement dans le même cercle, une éternelle répétition, un éternel passage du jour à la nuit et de la nuit au jour ; une goutte de larmes douces et une mer de larmes amères ! Ami, à quoi bon moi, toi, nous tous, vivons-nous ? À quoi bon vécurent nos aïeux ? À quoi bon vivront nos descendants ? Mon âme est épuisée, faible et triste. »
>
> Ces lignes furent écrites dans les dernières années du siècle passé, par l'historien Karamzine.
>
> On le voit, l'étrange Russie est déjà travaillée de ce célèbre désespoir qui descend aujourd'hui, comme un dragon d'apocalypse, des plateaux slaves sur le vieil Occident accablé de lassitude.
>
> *Le Désespéré* (1886), Première partie, « Le Départ ».

Il importe de préciser que les citations de Karamzine par Huysmans et Bloy en ignorent le sens et le contexte, appliquant à un thème « décliniste », cher à la décadence de la fin du XIXe siècle, des réflexions qui ont paru en 1795 dans la revue *Aglaja* [*Aglaé*], un almanach entièrement rédigé par Karamzine. Celui-ci publie sous forme de dialogue en deux parties un échange entre Mélodore (le « Donneur de chants », ami de la vertu, que désespèrent les événements révolutionnaires de 1792-1793) et Philarète (l'« Ami de la vérité ») qui lui rappelle que les idéaux des Lumières gardent leur valeur et ne doivent pas être abandonnés. La citation par laquelle Huysmans pensait terminer *À vau-l'eau* méconnaît, par la force des choses, le texte original de Karamzine que nous reproduisons dans une traduction plus exacte et plus complète :

> L'éternel mouvement dans le même cercle, l'éternelle répétition, l'éternelle succession du jour à la nuit et de la nuit au jour, l'éternel mélange des vérités aux erreurs et des vertus aux vices, une larme de joie et la mer des larmes amères… Mon ami, pourquoi moi, toi et nous tous, vivons-nous ? Pourquoi ont vécu nos ancêtres ? Pourquoi vivront nos descendants ?
>
> Juge le chaos de mon âme, qui me représente toute la création en désordre ! Je regarde le soleil se lever et lui demande : « Pourquoi te lèves-tu ? » Je suis à l'ombre d'un chêne bruissant et lui demande : « Pourquoi bruis-tu ? » À présent, tout ce qui existe n'a plus de but pour moi.

Imagine-toi un homme plongé dans un doux sommeil, dans le silence de son cabinet [...], transporté dans un désert d'Afrique – la foudre le réveille – le malheureux ouvre les yeux, voit autour de lui la nuit et le désert – s'étonne –, réfléchit et ne comprend pas où il est ni ce qui lui est arrivé. [...] Point de chemin ! Point de salut !... Il se tord de désespoir, verse des larmes et tend son regard vers le ciel, mais celui-ci est sombre et rouge, l'orage menace [...]. Philarète ! Tu te réjouissais avec moi, autrefois, devant la vie, la nature, l'humanité : aujourd'hui, afflige-toi avec moi ou bien console-moi !

Mon esprit est las, faible et triste, mais je suis encore digne de ton amitié, car j'aime encore la vertu ! – Voilà le trait auquel tu reconnaîtras toujours Mélodore, dans la tempête, dans l'orage, et au bord de la tombe !

Voir Nicolas Karamzine, « Melodor k Filatelu », in *Sochinenija v dvux tomax*, t. II, Leningrad, Xudozhestvennaja literatura, 1984, p. 182-183. Que soit ici très vivement remercié Jean Breuillard, professeur à l'université de Poitiers, à qui je dois cette traduction et ces informations. Mes remerciements vont également à Catherine Géry, Jean Deboissel et Philippe Barascud, qui ont bien voulu me guider dans mes recherches.

UN DILEMME

NOTICE

Huysmans a publié cette nouvelle en 1884. Elle est sans doute la moins connue et la moins appréciée de ses nombreux récits. La critique y a prêté peu d'attention, en dépit de récentes tentatives de réhabilitation [1]. L'auteur ne l'a cependant jamais reléguée à l'arrière-plan, puisqu'il en assure la réédition et qu'il conçoit, en 1905, un volume dont elle compose le sommaire, à la suite de *Croquis parisiens* et d'*À vau-l'eau*. La publication d'*À rebours* (1884), roman de la décadence, de la névrose et de l'esthétisme, ne l'a nullement empêché de renouer avec sa manière naturaliste. À cette occasion, il pousse au paroxysme sa sombre vision des hommes et de la société. Alors que cette radicalisation réjouit un petit groupe de fidèles, elle semble avoir dissuadé les lecteurs en quête de héros qui suscitent un minimum de sympathie.

Le « dilemme » est un terme de logique. Il désigne un argument présentant deux propositions opposées dont aucune ne peut convaincre. Dans le langage courant, il concerne une alternative piégée, deux termes contradictoires également insatisfaisants – c'est le dilemme de Rodrigue dans *Le Cid* de Corneille : sauver l'honneur de son père et perdre l'amour de Chimène ou préserver l'amour de Chimène en sacrifiant l'honneur de son père (« Je dois à ma maîtresse aussi bien qu'à mon père », acte I, scène VI). Dans la nouvelle de

---

1. Il s'agit de deux articles récemment parus, les seuls qui s'attachent à une étude approfondie de la nouvelle (voir ci-après notre bibliographie, p. 271).

Huysmans, une alternative sans issue est posée par deux notables, Me Le Ponsart et M. Lambois, à une jeune femme enceinte, Sophie Mouveau, que la mort de son compagnon, Jules, le fils de Lambois, laisse démunie, sans le moindre sou.

Les différents personnages de ce récit sont placés devant des choix qu'ils résolvent chacun à sa manière : Jules, le défunt, a pris le parti de ne pas se soucier du sort de Sophie ; Mme Champagne, une voisine de Sophie, choisit de lui venir en aide, bien que sans résultat. De leur côté, les deux notables font le choix d'une application stricte du Code civil (article 746) pour accaparer les biens de Jules qui leur reviennent au titre d'ascendants : une somme importante – cent mille francs, à savoir cinquante mille francs pour chacun [1] – dont ils ne veulent rien perdre. Seule Sophie se trouve placée devant un choix qui n'en est pas un : ou bien elle admet qu'elle a été la maîtresse de Jules, auquel cas elle ne peut faire valoir aucun droit sur la succession de celui-ci, ou bien elle affirme avoir assuré auprès de lui la fonction de bonne, ce qui lui vaut une rétribution de 33 francs et 75 centimes, correspondant à trois semaines de gages : « choisissez entre ces deux situations celle qui vous semblera la plus avantageuse », déclare à la jeune femme le notaire, Me Le Ponsart, qui constate en aparté : « Et cela s'appelle un dilemme ou je ne m'y connais pas [2]. »

Au moment où paraît sa nouvelle, Huysmans entretient des liens d'amitié avec Léon Bloy et Villiers de l'Isle-Adam. Tous trois alimentent une haine virulente à l'égard du Bourgeois. Traditionnellement visée par les artistes et la bohème, cette tête de Turc fait depuis plusieurs décennies l'objet de figurations qu'affectionnent tant les caricaturistes (Grandville, Daumier) que les hommes de lettres. Henri Monnier

---

1. Il est difficile de convertir 100 000 francs de 1884 en monnaie d'aujourd'hui. La somme de 50 000 francs est cependant considérable. Elle représente pour chacun des deux notables une quinzaine d'années du modeste traitement de Huysmans à la même époque (3 600 francs par an). À titre indicatif, cela correspondrait à quinze fois 20 000 euros de 2007, soit au total 300 000 euros pour chacun des deux notables.

2. Le terme qui donne son titre à la nouvelle figure à la fin de la Troisième partie. Il est reproduit dans la partie suivante, alors que M. Ballot, « receveur de rentes », écoute les doléances de Mme Champagne et qu'il apprécie « l'adroit dilemme » manigancé par un notaire de province.

l'a immortalisée sous les traits de Joseph Prudhomme (1852), Gustave Flaubert en la personne du pharmacien Homais, dans *Madame Bovary* (1857). Quelques années plus tard, Villiers lui donne une épaisseur « philosophique » avec *Claire Lenoir* (1867) puis *Tribulat Bonhomet* (1887). Chaque fois, le type est censé représenter, en même temps qu'un spécimen de la classe dirigeante, l'Homme dans son acception la plus large, comme l'indique la racine commune aux noms que portent ses différents avatars : *ecce homo.* Ayant exprimé son admiration pour l'auteur des *Contes cruels* dont il apprécie la « raillerie féroce » et la « poignante ironie », Huysmans entreprend à son tour un exercice de « plaisanterie noire » et de rire désespéré. Avec les personnages de M[e] Le Ponsart et M. Lambois – qui tiennent du poncif et du cœur de bois –, il apporte sa contribution à une cause consacrée quoique toujours vivace. C'est en effet une époque où les cabarets et la presse satirique, réagissant aux crises sociales et aux scandales politiques, se plaisent à brocarder les « bourgeois [1] », possédants et bien pensants. Huysmans imagine une nouvelle tout à la fois *cruelle* et *désobligeante* qu'il accommode à sa manière, au ras des menus faits ordinaires, en refusant les effets inspirés et la verve hyperbolique de Léon Bloy ou de Villiers [2]. Ce dernier écrit son

---

1. On doit définir le mot « bourgeois » selon ses emplois, au cas par cas. Dans son acception pré-socialiste, il recouvre un éventail de *types* parmi lesquels « l'épicier » (au sens propre comme au sens figuré), fermé à l'art, semble le plus répandu. À la fin du XIXe siècle, le terme désigne plus précisément les « notables », honnis des poètes et des artistes, qui tiennent en main le pouvoir politique et celui des affaires. Sans doute peut-on compter au nombre des avatars du bourgeois ce qu'on appelle aujourd'hui un BOF, désignation qui amalgame le « beau-frère » (beauf) et l'ancien commerçant de « Beurre, Œufs, Fromages ». Quoi qu'il en soit, le trait constant est celui de l'étroitesse d'esprit, de la *bêtise* qui, comme l'indique Léon Bloy dans la Préface d'*Exégèses des lieux communs* (1902), ouvre des aperçus fulgurants sur la condition humaine : « le Bourgeois est un écho stupide mais fidèle qui répercute la Parole de Dieu ». Si les bourgeois d'*Un dilemme* ont bien une valeur emblématique, celle-ci est cependant privée de toute portée spirituelle.

2. Huysmans a fait la connaissance de Léon Bloy après que celui-ci a publié dans *Le Chat noir* (14 juin 1884) un compte rendu ébloui d'*À rebours*, sous le titre : « Les funérailles du Sphinx ». Mais les *Histoires désobligeantes* de Bloy sont postérieures d'une dizaine d'années. En revanche, l'amitié de Huysmans et de Villiers de l'Isle-Adam date de leur collaboration à la *Revue des lettres et des arts* (1876). Villiers a

admiration à Léon Bloy, lorsqu'il lit la nouvelle, au moment de son édition en volume :

> Soit dit en passant et à la hâte, le *Dilemme* de Huysmans est une admirable page et je veux lui en écrire. Je crois que c'est son meilleur entre les meilleurs. Tu peux lui dire que cette fois, j'ai vraiment tressailli d'une allégresse pure, sans arrière-pensée et positive. Son Jules tient bien de son père d'avoir omis d'instinct et dans un trait sublime d'atavisme obscur le testament ; – et il vaut mieux pour la martyre d'être claquée dans sa norme d'élue, que d'avoir été trompée en ayant de l'obligation à ces démons. La pauvresse a tapé dans le mille. – D'ailleurs en vivant elle fût devenue vile comme son milieu, ne pouvant réagir, et souillée par l'amour du fils Lambois. C'est l'éternel. – Mais quelle vitalité dans les personnages ! Ils sortent gros et viandards du papier, haut comme ça ! – Puis le coup du feu de veuve, les yeux du notaire, etc., un tas de choses, sont bien du Huysmans. Enfin, c'est très beau [1].

Les intentions satiriques de Huysmans sont réitérées dans ses dédicaces privées :

> *À Lucien Descaves, une lucarne sur le bourgeois.*
> *À Léon Bloy, cette tranche de bourgeois. Grincez !*
> *À Villiers de l'Isle-Adam, Ce petit œil-de-bœuf sur l'âme fraîche [d'un bourgeois* [2].

---

publié dans de nombreuses revues les récits qu'il assemble en 1883 dans *Contes cruels* dont *À rebours* présente à chaud un commentaire particulièrement élogieux (chap. XIV). Alors que Villiers a connu des déboires sur les scènes parisiennes, celles-ci représentent volontiers des adaptations des romans de Zola : *Thérèse Raquin* en 1873, *Renée*, pièce en cinq actes, tirée de *La Curée*, à la demande de Sarah Bernhardt en 1880, ou encore *Nana*, drame en cinq actes représenté à l'Ambigu en janvier 1881. Huysmans se plaît à faire de Me Le Ponsart un écrivain du dimanche : poète à ses heures mais aussi auteur dramatique qui depuis des années travaille à mettre en vers *Le Bourgeois gentilhomme* de Molière.

1. L. Bloy, J.-K. Huysmans, Villiers de l'Isle-Adam, *Lettres. Correspondance à trois*, Thot, 1980, p. 109-110.

2. La nouvelle de Huysmans a dû interpeller directement Villiers qui vit alors avec Marie Brégeras, née Dantine, une femme de condition modeste dont il a un enfant depuis 1881. Ce n'est qu'en 1889, à l'article de la mort, qu'il se résoudra, sur les conseils pressants d'un prêtre et de Huysmans, à rédiger un testament où il reconnaîtra son fils. Quelques jours plus tard, il épousera *in extremis* sa compagne, avant de disparaître, le 18 août.

Ces intentions sont relayées dans les rares commentaires que publie la presse, sous des plumes amicales : « un p'tit chef-d'œuvre où est mise en lumière d'façon épatante l'affreuse muflerie bourgeoise », écrit Paul Alexis dans *Le Cri du peuple* (14 février 1888). Et Lucien Descaves, dans *La Revue moderne* :

> Pas plus qu'il n'avait affiché la prétention de nous peindre LES paysans dans *En rade*, Huysmans n'a entendu nous donner LE bourgeois, en ce *Dilemme*. M. Zola l'a dit : il ne fait pas de tableaux d'ensemble. Mais il faut avouer que cet étonnant Le Ponsart nous ouvre, sur l'âme fraîche de ses semblables, une lucarne qui nous arrête, à côté des « jours » analogues pratiqués par Flaubert, dans *Bouvard et Pécuchet*. Tout le personnage de ce notaire, depuis son portrait, édifié dans le deuxième chapitre, jusqu'aux malpropretés volitionnelles du Café de la Rotonde et de Péters ; jusqu'aux révélations actives de l'inventaire et du coup de balai définitif ; – le personnage est, à proprement parler, un charme. Chaque chapitre offre un état particulier du bonhomme ; l'étude progresse, page à page, apportant sa note, son coup de crayon, sa fibrille et sa ride. La planche est complète au trait final et je vous défie d'y rien trouver à reprendre.
>
> M. Lambois est la réduction de son beau-père. [...]
>
> La passivité animale de Sophie, sans attendrissement facile, sans appel aux larmes, est une bouchée substantielle dans la tranche saignante de ce petit volume [1].

Huysmans a commenté *Un dilemme* sans manifester d'enthousiasme : « J'aurai bientôt fini une assez longue nouvelle, un minuscule roman sur lequel je me suis attelé, depuis que j'ai terminé *À rebours*. C'est une simple histoire, destinée à témoigner une fois de plus de l'inaltérable saleté de la classe bourgeoise », écrit-il à Émile Zola [2]. Et trois ans plus tard, à un ami hollandais, au moment où elle paraît en volume : « Je vous enverrai dans une quinzaine *Un dilemme* qui va paraître chez Stock. C'est une nouvelle un peu grise et terne ; enfin ! » Il ajoute alors, à propos des soirées qu'il doit passer à Paris avec des hommes de lettres : « Qu'est-ce que dira la bourgeoisie affreuse de ces artistes ? le terre à

1. Très élogieux, le compte rendu de Lucien Descaves résume ensuite longuement *Un dilemme*.

2. J.-K. Huysmans, *Lettres inédites à Émile Zola*, éd. P. Lambert, Droz-Giard, 1953, p. 102.

terre des négociants, comme la plupart ? tous ne songent plus qu'au théâtre qui rapporte ! J'aime mieux, ah oui ! les démences de Villiers, et la fureur de Bloy. Ça ne pue pas au moins la soupe [1] ! » En ces diverses considérations, Huysmans semble partagé : convaincu, d'une part, que la satire du bourgeois a donné lieu à des œuvres avec lesquelles il est vain de rivaliser ; éprouvant, d'autre part, le sentiment qu'il reste à sa fureur quelque chose à exprimer, pour peu qu'elle outrepasse un objet singulier et n'épargne personne.

La nouvelle compte cinq tableaux suivis d'un bref dénouement. Au début, M[e] Le Ponsart et M. Lambois se préoccupent de pouvoir accaparer le « petit avoir » dont disposait Jules Lambois. Il revient au notaire de mener son enquête pour savoir si la compagne de Jules dispose d'un testament et si elle est en mesure de provoquer un scandale dans la ville de Beauchamp où ils jouissent tous deux de la meilleure réputation. Après s'être assuré que la jeune femme est désarmée et qu'elle ne dispose d'aucun recours, M[e] Le Ponsart la somme de se satisfaire d'une rémunération de femme de service. Pour se partager le pécule du défunt, les deux notables font fi du concubinage de Jules et de l'enfant que la jeune femme porte en son sein. Le désespoir de Sophie provoque la compassion d'une voisine, Mme Champagne, qui tente de la secourir en s'adressant à un homme de confiance puis à M[e] Le Ponsart en personne. Mais ses tentatives restent vaines, de sorte que Sophie se résigne à signer le récépissé que lui soumet le notaire. Dans le sixième et dernier épisode, les deux notables apprennent le décès de la jeune femme, qui a fait suite à une fausse couche : « Une de perdue… dix de retrouvées », déclarent-ils alors, en guise d'oraison funèbre.

L'aventure que relate *Un dilemme* met en œuvre diverses oppositions, entre Paris et la province, les nantis et les gens modestes, ceux qui maîtrisent les codes et les institutions et ceux qui n'ont nulle prise sur les instruments du pouvoir. La principale opposition traverse cependant les différents groupes sociaux. Elle concerne les relations entre les hommes et les femmes, des relations par lesquelles se dessine une configuration d'une tout autre nature. En effet, si la détresse de Sophie mobilise quelque énergie ou compassion, c'est celle de deux femmes simples, Mme Champagne et

---

1. J.-K. Huysmans, *Lettres inédites à Arij Prins*, éd. L. Gillet, Droz, 1977, p. 99.

Mme Dauriette. Ne pouvant agir qu'en fonction de leur bon sens et de leur bon cœur, elles sont vite congédiées, sans recours possible. Le trio des femmes qu'elles forment avec Sophie est condamné à la défaite, voire à une mise à mort. Seule une prostituée sauve *l'honneur*, si l'on peut dire, en soulageant la bourse du vieux notaire. Se pose donc en face du clan des femmes une communauté masculine qui fait contre elles cause commune : non seulement les deux notables, mais leur ami commissaire de police, le gestionnaire de rentes, M. Ballot, ou encore le concierge et les déménageurs. Une telle collusion pourrait faire de cette nouvelle un pamphlet « féministe » – de manière fort surprenante chez un écrivain justement réputé misogyne – à une époque où les femmes posent leurs revendications en tous domaines, aspirant à un juste partage des droits et des pouvoirs avec le *sexe fort*. Les caractérisations des personnages placent toutefois l'apologue sur un plan plus affectif que militant.

L'auteur opte pour un jeu de massacre généralisé et n'épargne personne, vouant les uns et les autres à une commune disqualification. Si les bourgeois sont cupides et insensibles, jouissant en toute bonne conscience de leur suprématie, les femmes sont pour leur part sottes ou intéressées, désarmées dans l'adversité parce qu'elles restent inertes ou inefficaces. Aucun de ses personnages ne trouve donc grâce auprès de l'auteur et tous les portraits-charges qu'il dresse se valent. Pas la moindre lueur n'éclaire cette sombre histoire, pas même les « fanaux du vieil espoir » qu'invoquait la clausule d'*À rebours*.

Éditions

Un dilemme, in *Revue indépendante*, septembre et octobre 1884.
Un dilemme, Stock, 1887 (2e éd. 1902).
Croquis parisiens, À vau-l'eau, Un dilemme, Stock, 1905.
Un dilemme, in *Œuvres complètes*, Crès et Cie, t. V, 1928.
En rade. Un dilemme. Croquis parisiens, Préface de H. Juin, Union Générale d'Édition, « 10/18 », 1976.
Un dilemme, précédé de *Sac au dos*, suivi de *La Retraite de Monsieur Bougran*, Ombres, « Petite Bibliothèque », 1992.
Un dilemme, présenté par Sylvie Thorel-Cailleteau, in *Romans*, I, Robert Laffont, « Bouquins », 2005.

UN DILEMME

I

Dans la salle à manger meublée d'un poêle en faïence, de chaises cannées à pieds tors, d'un buffet en vieux chêne, fabriqué à Paris, rue du Faubourg Saint-Antoine, et contenant, derrière les vitres de ses panneaux, des réchauds en ruolz, des flûtes à champagne, tout un service de porcelaine blanche, liséré d'or, dont on ne se servait du reste jamais ; sous une photographie de M. Thiers, mal éclairée par une suspension qui rabattait la clarté sur la nappe, Me Le Ponsart et M. Lambois plièrent leur serviette, et désignèrent d'un coup d'œil la bonne qui apportait le café et se turent.

Quand cette fille se fut retirée, après avoir ouvert une cave à liqueur en palissandre, M. Lambois jeta un regard défiant du côté de la porte, puis, sans doute rassuré, prit la parole.

– Voyons, mon cher Le Ponsart, fit-il à son convive, maintenant que nous sommes seuls, causons un peu de ce qui nous occupe ; vous êtes notaire ; au point de vue du droit, quelle est la situation exacte ?

– Celle-ci, répondit le notaire, en coupant avec un canif à manche de nacre qu'il tira de sa poche, le bout d'un cigare : votre fils est mort sans postérité, ni frère, ni sœur, ni descendants d'eux ; le petit avoir qu'il tenait de feu sa mère doit, aux termes de l'article 746 du Code civil, se diviser par moitié entre les ascendants de la ligne paternelle et les ascendants de la ligne maternelle ; autrement dit, si Jules n'a pas écorné son capital, c'est cinquante mille francs qui reviennent à chacun de nous.

– Bien. – Reste à savoir si, par un testament, le pauvre garçon n'a pas légué une partie de son bien à certaine personne.

– C'est un point qu'il est, en effet, nécessaire d'éclaircir.

– Puis, continua M. Lambois, en admettant que Jules possède encore ses cent mille francs, et qu'il soit mort intestat, comment nous débarrasserons-nous de cette créature avec laquelle il s'est mis en ménage ? Et cela, ajouta-t-il, après une minute de réflexion, sans qu'il y ait, de sa part, tentative de chantage, ou visite scandaleuse venant nous compromettre dans cette ville.

– C'est là le hic ; mais j'ai mon plan ; je pense expulser la coquine sans grosse dépense et sans éclat.

– Qu'est-ce que vous entendez par « sans grosse dépense » ?

– Dame, une cinquantaine de francs au plus.

– Sans les meubles ?

– Bien entendu, sans les meubles… Je les ferai emballer et revenir ici par la petite vitesse.

– Parfait, conclut M. Lambois qui rapprocha sa chaise du poêle à la porte chatière duquel il tendit péniblement son pied droit gonflé de goutte.

M^e^ Le Ponsart humait un petit verre. Il retint le cognac, en sifflant entre ses lèvres qu'il plissa de même qu'une rosette.

– Fameux, dit-il, c'est toujours le vieux cognac qui vient de l'oncle ?

– Oui, l'on n'en boit pas de pareil à Paris, fit d'un ton catégorique M. Lambois.

– Certes !

– Mais voyons, reprit le notaire, bien que mon siège soit fait, comme on ne saurait s'entourer de trop de précautions, récapitulons, avant mon départ pour la capitale, les renseignements que nous possédons sur le compte de la donzelle.

Nous disons que ses antécédents sont inconnus, que nous ignorons à la suite de quels incidents votre fils s'est épris d'elle, qu'elle est sans éducation aucune ; – cela ressort clairement de l'écriture et du style de la lettre qu'elle vous a adressée et à laquelle, suivant mon avis, vous avez eu raison de ne pas répondre ; – tout cela est peu de chose, en somme.

– Et c'est tout ; je ne puis que vous répéter ce que je vous ai déjà raconté ; quand le médecin m'a écrit que Jules était très malade, j'ai pris le train, suis arrivé à Paris, ai trouvé la drôlesse installée chez monsieur mon fils et le soignant. Jules m'a assuré que cette fille était employée chez lui, en qualité de bonne. Je n'en ai pas cru un traître mot, mais, pour obéir aux prescriptions du médecin qui m'ordonnait de ne pas contrarier le malade, j'ai consenti à me taire et, comme la fièvre typhoïde s'aggravait malheureusement d'heure en heure, je suis resté là, subissant jusqu'au dénouement la présence de cette fausse bonne. Elle s'est d'ailleurs montrée convenable, je dois lui rendre cette justice ; puis le transfert du corps de mon pauvre Jules a eu lieu sans retard, vous le savez. Absorbé par des achats, par des courses, je n'ai plus eu l'occasion de la voir et je n'avais même plus entendu parler d'elle, lorsqu'est arrivée cette lettre où elle se déclare enceinte et me demande, en grâce, un peu d'argent.

– Préludes du chantage, fit le notaire, après un silence. – Et comment est-elle, en tant que femme ?

– C'est une grande et belle fille, une brune avec des yeux fauves et des dents droites ; elle parle peu, me fait l'effet, avec son air ingénu et réservé, d'une personne experte et dangereuse ; j'ai peur que vous n'ayez affaire à forte partie, Maître Le Ponsart.

– Bah, bah, il faudrait que la poulette ait de fières quenottes pour croquer un vieux renard tel que moi ; puis, j'ai encore à Paris un camarade qui est commissaire de police et qui pourrait, au besoin, m'aider ; allez, si rusée qu'elle puisse être, j'ai plusieurs tours dans mon sac et je me charge de la mater si elle regimbe ; dans trois jours l'expédition sera terminée, je serai de retour et vous réclamerai, comme honoraires de mes bons soins, un nouveau verre de ce vieux cognac.

– Et nous le boirons de bon cœur, celui-là ! s'écria M. Lambois qui oublia momentanément sa goutte.

– Ah ! le petit nigaud, reprit-il, parlant de son fils. Dire qu'il ne m'avait point jusqu'alors donné de tablature [1]. Il travaillait consciencieusement son droit, passait ses examens, vivait même un peu trop en ours et en sauvage, sans amis, sans camarades. Jamais, au grand jamais, il n'avait contracté de dettes et, tout à coup, le voilà qui se laisse engluer par une femme qu'il a pêchée où ? je me le demande.

– C'est dans l'ordre des choses : les enfants trop sages finissent mal, proféra le notaire qui s'était mis debout devant le poêle et, relevant les basques de son habit, se chauffait les jambes.

En effet, continua-t-il, le jour où ils aperçoivent une femme qui leur semble moins effrontée et plus douce que les autres, ils s'imaginent avoir trouvé la pie au nid, et va te faire fiche ! la première venue les dindonne tant qu'il lui plaît, et cela quand même elle serait bête comme une oie et malhabile !

– Vous aurez beau dire, répliqua M. Lambois, Jules n'était cependant pas un garçon à se laisser dominer de la sorte.

– Dame, conclut philosophiquement le notaire, maintenant que nous avons pris de l'âge, nous ne comprenons plus comment les jeunes se laissent si facilement enjôler par les cotillons, mais lorsqu'on se reporte au temps où l'on était plus ingambe, ah ! les jupes nous tournaient aussi la tête. Vous qui parlez, vous n'avez pas toujours laissé votre part aux autres, hein ? mon vieux Lambois.

– Parbleu ! – Jusqu'à notre mariage, nous nous sommes amusés ainsi que tout le monde, mais enfin,

---

1. Donner de la tablature : donner de l'embarras.

ni vous, ni moi, n'avons été assez godiches pour tomber – lâchons le mot – dans le concubinage.

– Évidemment.

Ils se sourirent ; des bouffées de jeunesse leur revenaient, mettant une bulle de salive sur les lèvres goulues de M. Lambois et une étincelle dans l'œil en étain du vieux notaire ; ils avaient bien dîné, bu d'un ancien vin de Riceys, un peu dépouillé, couleur de violette ; dans la tiédeur de la pièce close, leurs crânes s'empourpraient aux places demeurées vides, leurs lèvres se mouillaient, excitées par cette entrée de la femme qui apparaissait maintenant qu'ils pouvaient se désangler, sans témoins, à l'aise. Peu à peu, ils se lancèrent, se répétant pour la vingtième fois leur goût, en fait de femmes.

Elles ne valaient aux sens de M[e] Le Ponsart que boulottes et courtes et très richement mises. M. Lambois les préférait grandes, un peu maigres, sans atours rares ; il était avant tout pour la distinction.

– Eh ! la distinction n'a rien à voir là-dedans, le chic parisien, oui, disait le notaire dont l'œil s'allumait de flammèches ; ce qui importe, avant tout, c'est de ne pas avoir au lit une planche.

Et il allait probablement exposer ses théories sensuelles quand un coucou sonnant bruyamment l'heure, au-dessus de la porte, l'arrêta net. Diable ! fit-il, dix heures ! il est temps que je regagne mes pénates si je veux être levé assez tôt demain pour prendre le premier train. Il endossa son paletot ; l'atmosphère plus fraîche de l'antichambre refroidit l'ardeur de leurs souvenirs. Les deux hommes se serrèrent la main, soucieux, sentant, maintenant que les visions de femmes s'étaient évanouies, leur haine s'accroître contre cette inconnue qu'ils voulaient combattre, pensant qu'elle leur disputerait chaudement une succession à laquelle ce monument de justice qu'ils révéraient à l'égal d'un tabernacle, le Code, leur donnait droit.

II

M[e] Le Ponsart était établi, depuis trente années, notaire à Beauchamp, une petite localité située dans le département de la Marne ; il avait succédé à son père dont la fortune, accrue par certaines opérations d'une inquiétante probité, avait été, dans les lentes soirées de la province, un inépuisable aliment de commérages.

Une fois ses études terminées, M[e] Le Ponsart, avant de retourner au pays, avait passé à Paris quelque temps chez un avoué où il s'était initié aux plus perfides minuties de la procédure.

D'instincts déjà très équilibrés, il était l'homme qui dépensait sans trop lésiner son argent, jusqu'à concurrence de telle somme ; s'il consentait, pendant son stage à Paris, à gaspiller tout en parties fines, s'il ne liardait [1] pas trop durement avec une femme, il exigeait d'elle, en échange, une redevance de plaisirs tarifée suivant un barème amoureux établi à son usage ; l'équité en tout, disait-il, et, comme il payait, pièces en poches, il croyait juste de faire rendre à son argent un taux de joies usuraires, réclamait de sa débitrice un tant pour cent de caresses, prélevait avant tout un escompte soigneusement calculé d'égards.

À ses yeux, il n'y avait que la bonne chère et les filles qui pussent représenter, en valeur, la dépense qu'elles entraînaient ; les autres bonheurs de la vie dupaient, n'équivalaient jamais à l'allégresse que procure la vue de l'argent même inactif, même contemplé au repos, dans une caisse ; aussi usait-il constamment des petits artifices usités dans les provinces où l'économie a la ténacité d'une lèpre ; il se servait de bobèchons, de brûle-tout, afin de consumer ses bougies jusqu'à la dernière parcelle de leurs mèches, faisait, ne pouvant supporter sans étourdissements le charbon de terre et le coke, de ces petits feux de veuves où deux bûches isolées rougeoient à distance, sans chaleur et sans flammes,

1. Voir ci-après, p. 153, note 2.

courait toute la ville pour acquérir un objet à meilleur compte et il éprouvait une satisfaction toute particulière à savoir que les autres payaient plus cher, faute de connaître les bons endroits qu'il se gardait bien, du reste, de leur révéler, et il riait sous cape, très fier de lui, se jugeant très madré, alors que ses camarades se félicitaient devant lui d'aubaines qui n'en étaient point.

De même que la plupart des provinciaux, il ne pouvait aisément dans un magasin tirer son porte-monnaie de sa poche ; il entrait avec l'intention bien arrêtée d'acheter, examinait méticuleusement la marchandise, la jugeait à sa convenance, la savait bon marché et de meilleure qualité que partout ailleurs, mais, au moment de se décider, il demeurait hésitant, se demandant s'il avait bien réellement besoin de cette emplette, si les avantages qu'elle présentait étaient suffisants pour compenser la dépense ; de même encore que la plupart des provinciaux, il n'eût point fait laver son linge à Paris par crainte des blanchisseuses qui le brûlent, dit-on, au chlore ; il expédiait le tout en caisse, par le chemin de fer, à Beauchamp, parce que, comme chacun sait, à la campagne, les blanchisseuses sont loyales et les repasseuses inoffensives.

En somme, ses penchants charnels avaient été les seuls qui fussent assez puissants pour rompre jusqu'à un certain point ses goûts d'épargne ; singulièrement circonspect lorsqu'il s'agissait d'obliger un ami, Me Le Ponsart n'eût pas prêté la plus minime somme à l'aveuglette, mais plutôt que d'avancer cent sous à un camarade qui mourait de faim, il eût, en admettant qu'il ne pût se dérober à ce service, offert de préférence à l'emprunteur un dîner de huit francs, car il prenait au moins sa part du repas et tirait un bénéfice quelconque de sa dépense.

Son premier soin, quand il revint à Beauchamp, après la mort de son père, fut d'épouser une femme riche et laide ; il eut d'elle une fille également laide, mais malingre, qu'il maria toute jeune à M. Lambois qui atteignait alors sa vingt-cinquième année et se trouvait déjà dans une situation commerciale que la ville qualifiait de « conséquente ».

Devenu veuf, Me Le Ponsart avait continué d'exploiter son étude, bien qu'il ressentît souvent le désir de la vendre et de retourner se fixer à Paris où la supercherie de ses adroites prévenances ne se fût pas ainsi perdue dans une atmosphère tout à la fois lanugineuse [1] et tiède.

Et pourtant où eût-il découvert un milieu plus propice et moins hostile ? Il était le personnage le plus considéré de ce Beauchamp qui ne lui marchandait pas son admiration en laquelle entraient, pour dire vrai, du respect et de la peur. Après les éloges qui accompagnaient généralement son nom, cette phrase corrective se glissait d'habitude : « C'est égal, il fait bon d'être de ses amis », et des hochements de tête laissaient supposer que Me Le Ponsart n'était point un homme dont la rancune demeurait inactive.

Son physique seul avertissait, tout en les déconcertant, les moins prévenus ; son teint aqueux, ses pommettes vergées de fils roses, son nez en biseau relevé du bout, ses cheveux blancs enroulés sur la nuque et couvrant l'oreille, ses laborieuses épaules de vigneron, sa familière bedaine de curé gras, attiraient par leur bonhomie, incitaient d'abord à se confier à lui, presqu'à lui taper gaiement sur le ventre, les imprudents que glaçaient aussitôt l'étain de son regard, l'hiver de son œil froid.

Au fond, nul à Beauchamp n'avait pénétré le véritable caractère de ce vieillard qu'on vantait surtout parce qu'il semblait représenter la distinction parisienne en province et qui n'avait néanmoins pas abdiqué son origine, étant resté un pur provincial, malgré son séjour dans la capitale.

Parisien, il l'était au suprême degré pour toute la ville, car ses savons et ses vêtements venaient de Paris et il était abonné à *La Vie parisienne*, dont les élégances tolérées allumaient ses prunelles graves ; mais il corrigeait ces goûts mondains par un abonnement au

1. Lanugineuse : qui est de la nature de la laine ; douce comme du duvet.

Molièriste, une revue où quelques gaziers [1] s'occupaient d'éclairer la vie obscure du « Grand Comique ». Il y collaborait, du reste – la gaieté de Molière étant pour lui compréhensible –, et son amour pour cette indiscutable gloire était tel qu'il mettait *Le Bourgeois gentilhomme* en vers ; ce prodigieux labeur était sur le chantier depuis sept ans ; il s'efforçait de suivre le texte mot à mot, recueillant une immense estime de ce beau travail qu'il interrompait parfois cependant, pour fabriquer des poésies de circonstance qu'il se plaisait à débiter, les jours de naissance ou de fête, dans l'intimité, alors qu'on portait des toasts.

Provincial il l'était aussi au degré suprême : car il était tout à la fois amateur de commérages, gourmand et liardeur [2], remisant ses instincts sensuels qu'il n'eût pu satisfaire sans un honteux fracas, dans une petite ville, il avouait les charmes de la bonne chère et donnait de savoureux dîners, tout en rognant sur l'éclairage et les cigares. Me Le Ponsart est une fine bouche, disaient le percepteur et le maire qui jalousaient ses dîners, tout en les prônant. Dans les premiers temps, ce luxe de la table et cet abonnement à un journal parisien, cher, faillirent outrepasser la dose de parisianisme que Beauchamp était à même de supporter ; le notaire manqua d'acquérir la réputation d'un roquentin [3] et d'un prodigue ; mais bientôt ses concitoyens reconnurent qu'il était un des leurs, animé des mêmes passions qu'eux, des mêmes haines ; le fait est que, tout en gardant le secret professionnel, Me Le Ponsart encourageait les médisances, se délectait au récit des petits cancans ; puis il aimait tant le gain, vantait tant l'épargne, que ses compatriotes s'exaltaient à l'entendre, remués délicieusement jusqu'au fond de leurs moelles par ces théories dont ils raffolaient assez pour les entendre quotidiennement et les juger toujours

1. Gaziers : pour « gazetiers » (ironique) : parce que ces journalistes *éclairent* de leurs lumières l'activité théâtrale et culturelle.
2. Liardeur : qui compte ses sous (de « liard », petite monnaie).
3. Roquentin : militaire à la retraite, vieillard ridicule.

poignantes et toujours neuves. Au reste, ce sujet était pour eux intarissable ; ici, là, partout, l'on ne parlait que de l'argent ; dès que l'on prononçait le nom de quelqu'un, on le faisait aussitôt suivre d'une énumération de ses biens, de ceux qu'il possédait, de ceux qu'il pouvait attendre. Les purs provinciaux citaient même les parents, narraient les anecdotes autant que possible malveillantes, scrutaient l'origine des fortunes, les pesaient à vingt sous près.

– Ah ! c'est une grande intelligence doublée d'une grande discrétion ! disait l'élite bourgeoise de Beauchamp. Et quel homme distingué ! ajoutaient les dames. Quel dommage qu'il ne se prodigue pas davantage ! reprenait le chœur, car M^e^ Le Ponsart, malgré les adulations qui l'entouraient, se laissait désirer, jouant la coquetterie, afin de maintenir intact son prestige ; puis souvent il se rendait à Paris, pour affaires, et, à Beauchamp, la société qui se partageait les frais d'abonnement du *Figaro*, demeurait un peu surprise que cette feuille n'annonçât point l'entrée de cet important personnage dans la métropole, alors que, sous la rubrique : « Déplacements et villégiatures », elle notait spécialement, chaque jour, les départs et les arrivées « dans nos murs » des califes de l'industrie et des hobereaux, au vif contentement du lecteur qui ne pouvait certainement que s'intéresser à ces personnes dont il ignorait, la plupart du temps, jusqu'aux noms.

Cette gloire qui rayonnait autour de M^e^ Le Ponsart avait un peu rejailli sur son gendre et ami, M. Lambois, ancien bonnetier, établi à Reims, et retiré, après fortune faite, à Beauchamp. Veuf de même que son beau-père et n'ayant aucune étude à gérer, M. Lambois occupait son oisiveté dans les cantons où il s'enquérait de la santé des bestiaux et de l'ardeur à naître des céréales ; il assiégeait les députés, le préfet, le sous-préfet, le maire, tous les adjoints, en vue d'une élection au Conseil général où il voulait se porter candidat.

Faisant partie des comités électoraux, empoisonnant la vie de ses députés qu'il harcelait, bourrait de recommandations, chargeait de courses, il pérorait dans les réunions, parlait de notre époque qui se jette vers l'avenir, affirmait que le député, mis sur la sellette, était heureux de se retremper dans le sein de ses commettants [1], prônait l'imposante majesté du peuple réuni dans ses comices, qualifiait d'arme pacifique le bulletin de vote, citait même quelques phrases de M. de Tocqueville, sur la décentralisation, débitait, deux heures durant, sans cracher, ces industrieuses nouveautés dont l'effet est toujours sûr.

Il rêvait à ce mandat de conseiller général, ne pouvant encore briguer le siège de son député qui n'était pas dupe de ses manigances et était bien résolu à ne point se laisser voler sa place ; il y rêvait, non seulement pour lui, dont les convoitises seraient exaucées, mais aussi pour son fils qu'il destinait au sacerdoce des préfectures. Une fois que Jules aurait passé sa thèse, M. Lambois espérait bien, par ses protections, par ses démarches, le faire nommer sous-préfet. Il comptait même agir si fortement sur les députés qu'ils le feraient placer à la tête du département de la Marne : alors, ce serait son enfant à lui, Lambois, ex-bonnetier retiré des affaires, qui régirait ses compatriotes et qui administrerait son département d'origine. Positivement, il eût vu dans l'élévation de son fils à un si haut grade une sorte de noblesse décernée à sa famille dont il vantait pourtant la roture, une sorte d'aristocratie qu'on pourrait opposer à la véritable, qu'il exécrait tout en l'enviant.

Mais tout cet échafaudage de désirs avait croulé ; la mort de son enfant avait obscurci cet avenir de vanité, brouillé cet horizon d'orgueil ; puis, il avait réagi contre ce coup, et ses ambitions familiales s'étaient renversées sur ses ambitions personnelles et s'y étaient fondues. Avec autant d'âpreté, il souhaitait maintenant d'entrer au Conseil général et, soutenu par M^{e} Le Ponsart qui le guidait pas à pas, il s'avançait peu à peu,

1. Commettants : ceux qui confient leurs intérêts à un représentant.

sans encombre, souvent à plat ventre, espérant une élection bénévole, sans concurrent sérieux, sans frais sévères. Tout marchait suivant ses vœux et voilà que se levait la menace d'une gourgandine ameutant la contrée autour d'un petit Lambois, écroué dans la temporaire prison de son gros ventre !

Jules a dû lui communiquer dans ses moments d'expansion mes projets, se disait-il douloureusement, le jour où il reçut la demande d'argent signée de cette femme.

– Ah ! c'est là notre point vulnérable, notre talon d'Achille, soupira le notaire quand il lut cette missive, et tous deux, malgré les principes dont ils faisaient parade, regrettaient les anciennes lettres de cachet qui permettaient d'incarcérer, jadis, pour de semblables motifs, les gens à la Bastille.

III

– C'est un des meilleurs moments de la vie, râlait M[e] Le Ponsart qui avait copieusement déjeuné au Bœuf à la Mode et était maintenant assis dans la rotonde du Palais-Royal, le seul endroit où, de même que tout bon provincial, il s'imaginait que l'on pût boire du vrai café. Il soufflait, engourdi, la tête un peu renversée, sentant une délicieuse lassitude lui couler par tous les membres. Il avait eu de la chance, la journée s'annonçait bien ; dès neuf heures du matin, il s'était rendu chez le notaire qui s'occupait à Paris des affaires de son petit-fils ; nulle trace de testament ; de là, il avait couru au Crédit lyonnais où était placé cet argent dont la perte soupçonnée troublait ses sommes : le dépôt y était encore. Décidément, le plus dur de la besogne lui était épargné ; la femme avec laquelle il allait se mesurer ne possédait, à sa connaissance du moins, aucun atout juridique. – Allons, ça commence sous d'heureux auspices, murmurait-il, poussant à petites bouffées bleues la fumée de son cigare.

Puis il eut ce retour philosophique sur la vie qui succède si souvent à la première torpeur des gens dont l'esprit se met à ruminer, quand l'estomac est joyeux et le ventre plein. C'est égal, ce que les femmes s'entendent à gruger les hommes ! se disait-il, et il se complaisait dans cette pensée sans imprévu. Peu à peu, elle se ramifia, s'embranchant sur chacune des qualités corporelles qui contribuent à investir la femme de son inéluctable puissance. Il songeait au festin de la croupe, au dessert de la bouche, aux entremets des seins, se repaissait de ces détails imaginaires qui finirent par se rapprocher, se fondre en un tout, en la femme même, érotiquement nue, dont l'ensemble lui suscita cette autre réflexion aussi peu inédite que la première dont elle n'était d'ailleurs que l'inutile corollaire : « Les plus malins y sont pris. »

Il en savait quelque chose, M[e] Le Ponsart, dont le tempérament sanguin et la large encolure n'avaient pu s'amoindrir avec l'âge. La vue avait bien baissé, après la soixantaine, mais le corps était demeuré vert et droit ; depuis la mort de sa femme, il souffrait de migraines, de menaces de congestion que le médecin n'hésitait pas à attribuer à cette perpétuelle continence qu'il devait garder à Beauchamp.

La soixante-cinquième année était sonnée et des désirs de paillardise l'assiégeaient encore ; après avoir eu, pendant sa jeunesse et son âge mûr, un robuste appétit qui lui permettait de contenter sa faim, plus par le nombre des plats que par leur succulence, des tendances de gourmet lui étaient venues avec l'âge ; mais, ici encore, la province avait façonné ses goûts à son image ; ses aspirations vers l'élégance étaient celles d'un homme éloigné de Paris, d'un paysan riche, d'un parvenu qui achète du toc, veut du clinquant, s'éblouit devant les velours voyants et les gros ors.

Tout en sirotant sa demi-tasse, il évoquait maintenant, comme à Beauchamp, alors qu'il digérait, assis à son bureau, devant un horizon de cartons verts, ces raffinements particuliers qui le hantaient et qui dérivaient tous de cette *Vie parisienne* qu'il recevait et lisait ainsi qu'un bréviaire, en la méditant. Elle lui ouvrait une perspective de chic qui lui semblait d'autant plus désirable que sa jeunesse à Paris n'avait été ni assez inventive ni assez riche pour l'approcher. Il eût néanmoins hésité à vérifier ces opulences en s'y mêlant, car, malgré ses convoitises, l'avarice native de sa race le détournait de tels achats ; il se bornait à se susciter un idéal qu'il consentait à croire inaccessible, à souhaiter simplement de le frôler, si faire se pouvait, pour le moins cher et dans les conditions les moins humiliantes possible, car le bon sens du vieillard précis, du notaire, refrénait cette poésie de lieux publics, en s'avouant très franchement que l'âge n'était plus où il pouvait espérer de plaire aux femmes. Sans doute, après le carême qu'il observait à Beauchamp, M[e] Le Ponsart se croyait encore en mesure de faire honneur au repas, pour peu qu'il fût précédé de caresses apéritives et disposé sur une nappe blanche dans un service encore jeune, sans fêlures ni rides ; mais il savait, par expérience aussi, qu'il se trouverait forcément en face d'une invitée qui ne mangerait que du bout des lèvres et à laquelle son appétit ne communiquerait nulle fringale.

Ces pensées lui revenaient surtout depuis qu'il était à Paris, seul, à l'abri des regards d'une petite ville, libre de ses actes, le porte-monnaie bien garni, la tête un peu échauffée par du faux Bordeaux.

Il avait lu le dernier numéro de *La Vie parisienne* et tout, depuis les histoires pralinées et les dessins dévêtus des premières pages jusqu'aux boniments des annonces, l'enthousiasmait.

Certes, les articles célébrant sans relâche les victoires de la cavalerie et les défaites des grandes dames l'exaltaient, bien qu'il doutât un peu que le faubourg Saint-Germain polissonnât de la sorte : mais, plus que ces sornettes dont l'invraisemblance le frappait, la réclame, précise, nette, isolée du milieu mensonger d'un conte, était pour lui ductile au rêve. Quoiqu'il fît la part de l'exagération nécessitée par les besoins de la vente, il demeurait cependant surpris et chatouillé par l'imperturbable assurance de l'annonce vantant un produit qui existait, qu'on achetait, un produit qui n'était pas, en somme, une invention de journaliste, un canard imaginé en vue d'un article.

Ainsi, tout en l'amenant à sourire, le lait Mamilla suggérait aussitôt devant ses yeux le délicieux spectacle d'une gorge rebondie à point ; l'incrédulité même qu'il pouvait ressentir, en y réfléchissant, pour les bienfaits si vivement affirmés de cette mixture, aidait à l'emporter dans un plaisant vagabondage, car il lisait distinctement entre les lignes de la réclame la façon non écrite d'employer ce lait, voyait l'opération en train de s'accomplir, la gorge tirée de la chemise, doucement frottée, et la nudité de ces seins forcément plats accélérait encore ses songeries, le menant, par des degrés intermédiaires d'embonpoint, à ces nainais énormes que ses mains chargées aimaient à tenir.

Sa vieille âme gravée de procédure, saturée des joies de l'épargne, se détendait dans ce bain imaginatif où elle trempait, dans ce lavabo de journal où s'étalaient des rayons de parfumerie dont les étiquettes chantaient sur un ton lyrique les discutables hosannas des peaux réparées et revernies, des fronts délivrés de rides, des nez affranchis de tannes !

– Je n'étais décidément pas fait pour vivre en popote, au fond d'une province, soupirait maintenant M^e^ Le Ponsart, ébloui par ce défilé d'élégances qui se succédaient dans sa cervelle, – et il sourit, flatté au fond de constater, une fois de plus, qu'il possédait une âme de poète ; – puis, l'association des idées le conduisit, à propos de femmes, à penser à celle qui était la cause de son voyage. – Je suis curieux de voir la péronnelle, se dit-il ; si j'en crois Lambois, ce serait une appétissante gaillarde, aux yeux fauves, une brune grasse ; eh, eh ! cela prouverait que Jules avait bon goût. Il essaya de se la figurer, créant de la sorte, au détriment de la véritable femme qu'il devait fatalement trouver inférieure à celle qu'il imaginait, une superbe drôlesse dont il détailla les charmes dodus en frissonnant.

Mais cette délectation spirituelle s'émoussa et il reprit son calme. Il consulta sa montre : l'heure n'étant pas encore venue de visiter la femme de son petit-fils, il pria le garçon de lui apporter des journaux ; il les parcourut sans intérêt. – Despotiquement, la femme revenait à la charge, culbutait sa volonté de se plonger dans la politique, restait, seule, implantée dans son cerveau et devant ses yeux.

Il s'estima lui-même ridicule, hocha la tête, regarda le café pour se distraire, puis il chercha en l'air les traces des tuyaux chargés d'amener le gaz dans d'étonnants lustres à pendeloques qui descendaient du plafond culotté comme l'écume d'une vieille pipe, s'amusa à énumérer les cuillers, disposées en éventail, dans une urne de maillechort, sur le comptoir ; pour varier ses plaisirs il contempla, par les vitres, le jardin qui s'étendait presque désert, à cette heure, avec ses quelques statues lépreuses, ses kiosques bigarrés, et ses allées plantées d'arbres, aux troncs biscornus, frottés de vert ; au loin, un petit jet d'eau s'élevait au-dessus d'une soucoupe, pareil à l'aigrette d'un colonel : cela ressemblait à l'un de ces jardins de boîtes à joujoux qui sentent toujours le sapin et la colle, à un jouet défraîchi de jour de l'an, serré, de même que dans une grande boîte à dominos sans couvercle, entre les quatre murs de maisons pareilles.

Ce spectacle le lassa vite ; il revint à l'intérieur du café : lui aussi, était à peu près vide ; deux étrangers fumaient ; trois messieurs disparaissaient derrière des journaux ouverts, ne montrant que des mains sur le papier et sous la table des pantalons d'où sortaient des pieds ; un garçon bâillait sur une chaise, la serviette sur l'épaule, et la dame du café balançait des comptes. Le vague relent de Restauration mélangée de Louis-Philippe que dégageait cet endroit plut à M^e^ Le Ponsart. L'âme de la vieille garde nationale, en bonnet à poils et en culotte blanche, semblait revenir dans cette armoire ronde et vitrée où les étrangers et les provinciaux qui s'y désaltéraient d'habitude ne laissaient aucune émanation d'eux, aucune trace. Il se décida pourtant à partir ; le temps était sec et froid ; ses obsessions se dissipèrent ; le notaire ressortait maintenant chez l'homme, la chicane reprenait le dessus, la digestion s'achevait ; il pressa le pas.

– Je risque peut-être de ne point la rencontrer, murmurait-il, mais mieux valait ne pas la prévenir de ma visite ; ses batteries ne sont sans doute pas encore montées ; j'ai plus de chance de les démolir en les surprenant, à l'improviste.

Il trottait par les rues, vérifiant les plaques émaillées des noms, craignant de se perdre dans ce Paris qu'il ne connaissait plus. Il parvint, tant bien que mal, jusqu'à la rue du Four, examina les numéros, fit halte devant une maison neuve ; les murs du vestibule stuqué comme un nougat, les tapis à baguettes de cuivre, les pommes en verre de la rampe, la largeur de l'escalier lui parurent confortables ; le concierge, installé derrière une grande porte à vantaux, lui sembla présomptueux et sévère, ainsi qu'un ministre de l'Église protestante. Il tourna le bec de cane et son impression changea ; ce pète-sec officiait dans une loge qui empestait l'oignon et le chou.

– Mlle Sophie Mouveau ? dit-il.

Le concierge le toisa, et d'une voix embrumée par le trois-six [1] : – Au quatrième, au fond du corridor, à droite, la troisième porte.

Me Le Ponsart commença l'ascension, tout en déplorant le nombre exagéré des marches. Arrivé au quatrième étage, il s'épongea, s'orienta dans un couloir sombre, chercha à tâtons le long des murs, découvrit la troisième porte dans la serrure de laquelle était fichée une clef, et, ne découvrant ni sonnette ni timbre, il appliqua un petit coup discret sur le bois, avec le manche de son parapluie.

1. Trois-six : alcool à 33 degrés résultant d'un mélange avec deux tiers de poids d'eau.

La porte s'ouvrit. Une forme de femme se dessina dans l'ombre. Me Le Ponsart entrait en pleines ténèbres. Il déclina son nom et ses qualités. Sans dire mot, la femme poussa une seconde porte et le précéda dans une petite chambre à coucher ; là, ce n'était plus la nuit, mais le crépuscule, au milieu du jour. La lumière descendait dans une cour, large comme un tuyau de cheminée, se glissait, en pente, grise et triste, dans la pièce, par une fenêtre mansardée, sans vue.

– Mon Dieu ! et mon ménage qui n'est pas fait ! dit la femme.

Me Le Ponsart eut un geste d'indifférence et commença :

– Madame, ainsi que j'ai eu l'honneur de vous l'annoncer, je suis le grand-père de Jules ; en ma qualité de co-héritier du défunt et en l'absence de M. Lambois dont je suis le mandataire, je vous demanderai la permission d'inventorier tout d'abord les papiers laissés par mon petit-fils.

La femme le considérait d'un air tout à la fois ahuri et plaintif.

– Eh bien ? fit-il.

– Mais, je ne sais pas moi où Jules mettait ses affaires. Il avait un tiroir où il serrait ses lettres ; tenez, là, dans cette table.

Me Le Ponsart acquiesça du chef, ôta ses gants qu'il plaça sur le rebord de son chapeau et prit place devant l'un de ces petits bureaux en acajou couleur d'orangeade d'où l'on tire difficilement une planchette revêtue de basane. Il était déjà habitué à la brune de la pièce et, peu à peu, il distinguait les meubles. Au-dessus du bureau pendait, inclinée sur de la corde verte dont les nœuds passaient derrière les pitons et le cadre, une photographie de M. Thiers, semblable à celle qui parait la salle à manger du père, à Beauchamp – cet homme d'État étant évidemment l'objet d'une vénération spéciale dans cette famille ; – à gauche s'étendait le lit fourragé, avec les oreillers en tapons ; à droite se dressait la cheminée pleine de flacons de pharmacie ; derrière Me Le Ponsart, à l'autre bout de la pièce, s'affaissait un de ces petits canapés-lits tendus de ce reps [1] bleu que le soleil et la poussière rendent terreux et roux.

La femme s'était assise sur ce canapé. Le notaire, gêné de sentir quelqu'un derrière son dos, fit volte-face et pria la femme de ne pas interrompre, à cause de lui, ses opérations domestiques, l'invita à faire absolument comme si elle était chez elle, appuyant un peu sur ces expressions, préparant ainsi ses premiers travaux d'approche. Elle ne parut pas comprendre le sens qu'il prêtait aux mots et demeura, assise, silencieuse, regardant obstinément la cheminée décorée de fioles.

– Diable ! fit M^e^ Le Ponsart, la mâtine est forte ; elle a peur de se compromettre en ouvrant la bouche. Il lui retourna le dos, le ventre devant la table ; il commençait à s'exaspérer de cette entrée en matière ; étant admis le système qu'il présumait adopté par cette femme, il allait falloir mettre les points sur les *i*, marcher de l'avant, à l'aveuglette, attaquer au petit bonheur un ennemi retranché qui l'attendait. Aurait-elle entre les mains un testament ? se disait-il, les tempes soudain mouillées de sueur.

L'extérieur de la femme qu'il avait dévisagée, en se penchant vers elle, l'inquiétait et l'irritait tout à la fois. Impossible de lire sur cette figure une idée quelconque ; elle semblait effarée et muette ; ses yeux fauves vantés par M. Lambois étaient déserts ; aucune signification précise ne pouvait être assignée à leur éclat.

Tout en dépliant des liasses de lettres, M^e^ Le Ponsart réfléchissait. Le peu de bienveillance qu'il avait pu apporter avec la fin d'une heureuse digestion disparaissait. C'était, au demeurant, une souillon que cette fille ! bien bâtie, mais plutôt maigre que grasse, elle était vêtue d'un caraco de flanelle grise, à raies marron, d'un tablier bleu, de bas de filoselle, emmanchés dans des savates aux quartiers rabattus et écrasés par le talon.

1. Reps : étoffe de soie, très forte et façonnée.

L'indulgence instinctive qu'il eût éprouvée pour la femme qu'il s'était imaginée, pour une belle drôlesse, grassouillette et fosselue [1], chaussée de bas de soie et de mules en satin, sentant la venaison et la poudre fine, avait fait place à l'indifférence, même au mépris. Bon Dieu ! que ce pauvre Jules était donc jeune ! se disait-il, en guise de conclusion. Subitement l'idée qu'elle était enceinte lui traversa d'un jet la cervelle.

Il mit ses lunettes qu'en vieux barbon il avait fait disparaître alors qu'il pensait trouver une fille élégante et grasse, et, brusquement, il se tourna.

Les hanches remontaient, en effet, élargies un peu ; sous le tablier, le ventre bombait ; examinée avec plus de soin, la figure lui parut un peu talée ; décidément, elle n'avait pas menti dans sa lettre. La femme le regardait, surprise de cette insistance à la dévisager ; Me Le Ponsart jugea utile de rompre le silence.

– Avez-vous un bail ? lui dit-il.

– Un bail ?

– Oui, Jules a-t-il signé avec le propriétaire un engagement qui lui assure, moyennant certaines conditions, la jouissance de ce logement, pendant trois, six ou neuf ans ?

– Non, monsieur, pas que je sache.

– Allons, tant mieux.

Il lui tourna le dos derechef et, cette fois, commença la besogne.

Il vérifiait rapidement les lettres qu'il ouvrait ; toutes étaient sans importance, ne renfermaient aucune allusion à cette femme dont les antécédents inconnus le poursuivaient ; d'autres liasses ne le renseignèrent pas davantage ; il se contenta de noter l'adresse des gens qui les avaient signées, se réservant de leur écrire, de les consulter, si besoin était, en dernier ressort ; enfin il scruta un paquet de factures acquittées, classé à part ; celui-là, il le mit aussitôt dans sa poche. En somme, aucun papier n'était là qui pût l'éclairer sur les volontés du défunt ; mais qui sait si cette femme

1. Fosselue : « fosseleuse », qui est marquée de fossettes.

n'avait pas enlevé un testament qu'elle se réservait de montrer, au moment propice ? Il était sur des épines, exaspéré contre son petit-fils et contre cette fille ; il résolut de sortir de cette incertitude qui ajournait la mise en œuvre de son plan, et il hésitait néanmoins à poser brutalement la question, appréhendant de laisser voir la partie faible de son attaque, d'avouer sa crainte, redoutant aussi de mettre la femme sur une voie à laquelle elle n'avait peut-être pas sérieusement songé.

– Oh ! ce serait, en tout cas, improbable, murmura-t-il, se répondant à cette dernière objection ; et il se détermina.

– Voyons, ma chère enfant, et ce ton paternel étonna Sophie que glaçait en même temps l'œil taciturne de ce notaire ; voyons, vous êtes bien sûre que notre pauvre ami n'a pas conservé d'autres papiers, car, à ne vous rien celer, je suis surpris de ne pas découvrir un bout de mot, une ligne, qui ait trait à ses amis. Généralement, quand on a du cœur – et mon cher Jules en était abondamment pourvu –, on lègue un petit cadeau, une babiole, un rien, ce couteau par exemple ou cette pelote, enfin un souvenir, aux personnes qui vous aimaient. Comment peut-il se faire qu'ayant eu tout le temps nécessaire pour prendre ses dispositions, Jules soit mort ainsi, égoïstement, pour lâcher le mot, sans penser aux autres ?

Il fixait attentivement la femme ; il vit les larmes qui lui emplirent soudain les yeux.

– Mais vous, vous qui l'avez soigné avec tant de dévouement, il est impossible qu'il vous ait oubliée ! – Et il eut un ton de chaleur presque indigné.

Tant pis, se disait-il, je joue le tout pour le tout. Les pleurs aperçus l'avaient, en effet, brusquement décidé. Elle s'attendrit ; elle va tout avouer, si je la presse, pensa-t-il. Et il renversait sa tactique, posait, contrairement à ce qu'il avait d'abord arrêté, la question nette mais adoucie, maintenant à peu près certain d'ailleurs que la femme ne détenait aucun testament, car il ne songeait même point qu'elle pût pleurer au souvenir de son amant, et il attribuait, sans hésiter, son chagrin au regret de ne pas posséder ce titre.

– Oui, Monsieur, dit-elle, en essuyant ses yeux, quand il a été bien malade, Jules voulait me laisser de quoi m'établir, mais il est mort avant d'avoir écrit.

– La jeunesse est tellement inconsidérée, proféra gravement M^e^ Le Ponsart. – Et il se tut, pendant quelques minutes, dissimulant l'intense jubilation qu'il ressentait. Il avait un poids de cent kilos de moins sur la poitrine ; les atouts affluaient dans ses cartes. Toi, je vais te faire chelem [1] et sans plus tarder, se dit-il.

Il se leva, marcha de long en large, dans la pièce, d'un air préoccupé, regardant en dessous Sophie qui demeurait immobile, roulant son mouchoir entre ses doigts.

– Non, il manquait de raffinement, mon petit-fils, car elle est singulièrement rustique, la brave fille ! – Et il lorgnait ses mains un peu grosses, à l'index poivré par la couture, aux ongles dépolis par le ménage et crénelés par la cuisine. Mal mise, sans aucun chic, la poupée à Jeanneton, pensait-il. Sans même qu'il s'en rendît compte, cette constatation aggravait auprès de lui la cause de la femme. Les cheveux mal peignés qui lui tombaient sur les joues l'incitèrent à se montrer brutal.

– Mademoiselle – et il s'arrêta devant elle, – il faut que je vienne pourtant au fait. M. Lambois, tout en reconnaissant les bons soins que vous avez prodigués à son fils, à titre de bonne, ne peut naturellement admettre que cette situation se perpétue. Je vais donner congé de ce logement aujourd'hui même, car nous sommes le 15 et il est temps ; demain je ferai emporter les meubles ; reste la question pécuniaire qui vous concerne.

M. Lambois a pensé, et cet avis est le mien, qu'étant données les laborieuses qualités dont vous avez fait preuve, Jules ne pouvait avoir une servante aussi dévouée, à moins de quarante-cinq francs par mois,

1. Chelem : réunion, dans la même main, de toutes les levées dans certains jeux de cartes.

prix fort, comme vous ne l'ignorez pas, à Paris – car, nous autres campagnards, ajouta le notaire entre parenthèses, nous avons chez nous des domestiques à un prix beaucoup moindre, mais peu importe. – Donc, nous sommes le 15, c'est quinze jours plus huit d'avance que je vous dois, soit trente-trois francs soixante-quinze centimes, si je sais compter. Veuillez bien me signer le reçu de cette petite somme.

Effarée, la femme se leva.

– Mais, monsieur, je ne suis pas une bonne, vous savez bien comment j'étais avec Jules ; je suis enceinte, j'ai même écrit…

– Pardonnez-moi de vous interrompre, dit M[e] Le Ponsart. Si j'ai bien compris vous étiez la maîtresse de Jules. Alors, c'est une autre paire de manches : vous n'avez droit à rien du tout.

Elle demeura abasourdie par ce coup droit.

– Alors, comme ça, fit-elle, en suffoquant, vous me chassez sans argent, avec un enfant que je vais avoir.

– Du tout, mademoiselle, du tout ; vous déplacez la question ; je ne vous chasse point, en tant que maîtresse : je vous donne vos huit jours, en tant que bonne, ce qui n'est pas la même chose. Voyons, écoutez-moi bien ; vous avez été présentée en qualité de servante par Jules, à son père. Tout le temps que M. Lambois est resté ici, vous avez joué ce rôle. M. Lambois ignore donc ou est du moins censé ignorer les relations que vous entreteniez avec son fils. Étant actuellement souffrant, retenu chez lui par une attaque de goutte, il m'a chargé de venir à Paris, en son lieu et place, afin de régler les affaires laissées pendantes de la succession, et, nécessairement, il a résolu de se priver des services d'une bonne puisque la seule personne qui pouvait les utiliser n'est plus.

Sophie éclata en sanglots.

– Je l'ai pourtant soigné, j'ai passé les nuits, je le referais encore si c'était à refaire, car il m'aimait bien. Ah ! lui, il avait bon cœur ; il se serait plutôt privé de tout, que de me mettre dans la peine. Non, pour sûr, ce n'est pas lui qui aurait chassé une femme qu'il aurait mise enceinte !

– Oh ! cette question-là, nous la laisserons de côté, fit assez vivement le notaire. En admettant, comme vous le prétendez, que vous soyez grosse des œuvres de Jules, ce n'est pas, vous en conviendrez, à un homme de mon âge qu'il appartient de sonder les mystères de votre alcôve ; je me récuse absolument pour cette besogne. Au fait, reprit-il, frappé d'une idée subite, vous êtes grosse de combien de mois ?

– De quatre mois, monsieur.

Me Le Ponsart parut méditer. Quatre mois ! mais Jules était déjà malade et, par conséquent, il devait s'abstenir, par raison de santé, de ces rapprochements que les personnes bien portantes peuvent seules se permettre. Il y aurait donc présomption pour que ce ne fût pas lui…

– Mais il n'était pas au lit il y a quatre mois, s'écria Sophie indignée de ces suppositions ; le médecin n'était pas même venu… puis il m'aimait bien et…

Me Le Ponsart étendit la main.

– Bien, bien, fit-il, cela suffit, et, un peu vexé d'avoir fait fausse route et de n'avoir pu, avec le chiffre des mois, confondre la femme, il ajouta aigrement : – Je me doutais déjà que des excès avaient dû causer la maladie et hâter la mort de Jules, maintenant, j'en ai la certitude ; quand on n'est pas plus fort que n'était le pauvre garçon, c'est véritablement malheureux de tomber sur une personne qui est… voyons, comment dirai-je, trop bien portante, trop brune, fit-il, très satisfait de cette dernière épithète, qu'il estimait à la fois concluante et exacte.

Sophie le regarda, stupéfiée par cette accusation ; elle n'avait même plus le courage de répondre, tant les actes qu'on lui reprochait lui semblaient inouïs ; cette idée qu'on pouvait imputer à son affection la mort de cet homme qu'elle avait soigné, jours et nuits, l'atterra ; elle étrangla, puis ses larmes qui semblaient taries recoulèrent de plus belle.

Pendant ce temps, le notaire se faisait cette réflexion que ces pleurs ne l'embellissaient pas : ce ventre qui sautait dans la saccade des sanglots lui parut même grotesque.

Cette réflexion ne le disposait pas à la clémence ; cependant, comme le désespoir de la malheureuse augmentait, qu'elle pleurait maintenant à chaudes larmes, la tête entre ses mains, il s'amollissait un peu et s'avouait intérieurement qu'il était peut-être cruel de jeter ainsi une femme sur le pavé, en quelques heures.

Il s'irrita, mécontent de lui ; mécontent tout à la fois de l'action qu'il allait commettre et du semblant de pitié qu'il éprouvait.

Involontairement, il cherchait un argument décisif qui lui rendît cette créature plus odieuse, un argument qui enforcît et justifiât sa dureté, qui le débarrassât du soupçon de malaise qu'il sentait poindre.

Il posa deux questions, mais, trichant avec lui-même afin d'aider à se convaincre et d'obliger la femme à répondre dans le sens qu'il espérait, il plaida le faux pour savoir le vrai.

– En résumé, ma chère enfant, fit-il, je n'ignore pas la façon dont mon petit-fils vous a connue. Certes, cela n'ôte rien à vos mérites, mais permettez-moi de vous le dire, il n'a pas été le premier qui ait défloré ces charmants appas – et il salua galamment de la main – de sorte que, comme nous disons, nous autres hommes de loi, là où il n'y a pas eu de préjudice, il ne saurait y avoir de réparation.

Sophie continuait à pleurer doucement : elle ne répondit point.

Bien, pensa Me Le Ponsart, elle ne proteste pas ; donc, j'ai touché juste ; Jules n'a pas été son premier amant – et d'une…

– En second lieu, reprit-il, vous pensiez bien, n'est-ce pas ? que la situation irrégulière dans laquelle vous viviez avec mon petit-fils ne pouvait durer. D'une façon ou d'une autre, elle se serait rompue. Ou Jules aurait été nommé sous-préfet dans une province et il se serait honorablement et richement marié, ou pour une cause que l'avenir eût pu seul nous apprendre, il vous eût quittée ou eût été quitté par vous : dans ces deux cas, votre liaison aurait forcément pris fin.

– Non, monsieur, fit-elle vivement, en levant la tête, non, Jules ne m'aurait pas abandonnée. Il aurait épousé la mère de son enfant ; il me l'a dit, combien de fois !

– Allons donc, mâtine, murmura le notaire, voilà ce que je voulais te faire avouer. Cette fois, ses scrupules se mettaient à couvert ; cette fille, qui n'avait même pas l'excuse de s'être livrée vierge à son petit-fils, nourrissait le projet de se marier !

C'est un comble, se répétait-il ; nous aurions eu ce torchon-là dans notre famille ! Il resta déconcerté ; en une rapide vision, il aperçut Jules amenant cette femme, traversant la localité, tout entière sur ses portes, entrant au milieu de la famille consternée par cette mésalliance ; il aperçut cette femme, sans tenue, ne sachant ni manger, ni s'asseoir, lâchant des coq-à-l'âne, compromettant sa situation par le ridicule de sa vie présente et l'infamie de sa vie passée. – Ah bien, nous l'avons échappé belle !

Sa résolution était, du coup, inébranlable.

– Voulez-vous signer, oui ou non, ce reçu ? dit-il, d'un ton bref.

Elle refusa d'un geste.

– Faites bien attention, je vous ouvre une porte de sortie, vous la refusez ; prenez garde que moi-même je ne la ferme.

Puis, voyant qu'elle persistait à se taire, il ravala sa colère, se croisa les bras et reprit, d'une voix paterne :

– Croyez-moi, ne soyez pas mauvaise tête ; d'abord, cela ne vous avancerait à rien ; réfléchissez : si vous refusez de signer ce reçu, que va-t-il se passer ? vous allez vous trouver sur le pavé, sans sou ni maille, sans le temps de vous retourner pour en avoir ; voyons, dans l'intérêt même de ce petit innocent que vous portez dans vos entrailles, ne vous entêtez pas à rejeter cette offre qui est la seule acceptable, car elle concilie les intérêts des deux parties. Allons, un bon mouvement…

Il lui mit le reçu sous le nez.

Elle le repoussa de la main. – Non, je ne signerai pas, nous verrons ; après tout, je veux élever son enfant qui est le mien…

– Demandez-moi tout de suite de le tenir sur les fonts baptismaux et de payer les mois de nourrice, dit Me Le Ponsart qui goguenarda presque, tant cette prétention lui parut baroque ! Mais, ma chère, la recherche de la paternité est interdite, il n'y a pas besoin d'être un grand clerc pour savoir cela. – Eh bien, nous décidons-nous, car le temps me presse ? Pour la seconde et dernière fois, je vous le répète : ou vous êtes la bonne de Jules, auquel cas vous avez droit à une somme de trente-trois francs soixante-quinze centimes ; ou vous êtes sa maîtresse, auquel cas, vous n'avez droit à rien du tout ; choisissez entre ces deux situations celle qui vous semblera la plus avantageuse.

– Et ça s'appelle un dilemme ou je ne m'y connais pas, fit-il très satisfait, en aparté. Il prit son parapluie et son chapeau.

Sophie s'exaspéra. – C'est bien, je vais voir ce qui me reste à faire, cria-t-elle.

– Rien, belle dame, croyez-moi. En attendant, vous avez jusqu'à demain midi pour réfléchir. Passé ce délai, je pars, enlevant les meubles, et je remets la clef du logement au propriétaire ; la nuit porte conseil ; laissez-moi espérer qu'elle vous profitera, et que demain vous serez revenue à des idées plus sages.

Et, poliment il la salua et l'invita ironiquement, la voyant immobile, comme pétrifiée, à ne point se déranger pour le reconduire, et il ouvrit et referma, en homme bien élevé, tout doucement la porte.

IV

Du haut de son comptoir, Mme Champagne aimait à s'écouter parler. Elle était asthmatique et obèse, blanche et bouffie, trop cuite. Dans ses tissus relâchés, des rides se croisaient en tous sens, zébrant le front, lézardant les yeux, lacérant les joues ; ces rides étaient creusées sur sa face, en noir, de même que si la poussière des âges avait pénétré sous la peau et imprégné d'ineffaçables raies, le derme.

Elle était loquace et baguenaudière, convaincue de son importance, révérée par le quartier qui la réputait influente et juste. Elle était, en effet, la providence des pauvres, rédigeant des placets qu'elle adressait aux grands noms de France qui les accueillaient souvent, sans qu'on sût pourquoi.

En revanche, ses affaires personnelles réussissaient moins ; elle exploitait, rue du Vieux-Colombier, près de la Croix-Rouge, une boutique mal achalandée de papeterie et de journaux, gagnant assez pour ne pas être mise en faillite ; mais elle s'estimait quand même heureuse, car les plus intimes de ses souhaits étaient exaucés, ses penchants au cancanage enfin satisfaits dans ce magasin qui simulait une véritable agence de renseignements, une sorte de petite préfecture de police où, sur des sommiers [1] judiciaires parlés, étaient relatés, à défaut de condamnations et de crimes, les cocuages et les disputes, les emprunts rendus et les dettes inapaisées des ménages.

En tête des pauvresses qu'elle protégeait et recommandait à la charité des grandes dames, figurait Mme Dauriatte, une femme de soixante-huit ans, maigre et voûtée, avec des yeux confits, une bouche vide et rentrée, une mine papelarde. Elle tenait de l'ancienne poseuse de sangsues, mais plus encore de ces mendiantes qui sollicitent la charité sous le porche des églises, et elle les fréquentait, en effet, au mieux

1. Sommiers : gros registres.

avec les prêtres de Saint-Sulpice, vivant d'une dévotion également répartie sur Mme Champagne et sur la Vierge.

Ce jour-là, Mme Dauriatte, assise sur une chaise dans la boutique de la papetière, se lamentait de ses jambes qui refusaient de la porter, de ses pieds envahis par un potager d'oignons, de ses larges pieds cultivés qui nécessitaient le constant usage de bottes munies de poches.

Mme Champagne hochait le chef, en guise de consolante adhésion, quand soudain elle s'écria :
– Tiens, mais c'est Sophie ! Ah bien, vrai, elle en a des yeux !

– Où ça ? demanda Mme Dauriatte en allongeant le cou.

La papetière n'eut pas le temps de répondre ; la porte s'ouvrit dans un choc de timbre, et Sophie Mouveau, les paupières pochées par les larmes, entra et se prit à sangloter devant les deux femmes.

– Voyons, qu'est-ce qu'il y a ? demanda Mme Champagne.

– Faut toujours pas pleurer comme ça ! fit en même temps Mme Dauriatte.

Elles s'empressèrent autour d'elle, la poussèrent sur un siège, la contraignirent à boire du vulnéraire étendu d'eau afin de la réconforter, et elles profitèrent de l'occasion pour s'adjuger un petit verre. – Nous pouvons tout entendre maintenant, déclara Mme Dauriatte qui se passa le revers de la manche sur la bouche.

Et, harcelée par les deux femmes dont les yeux grésillaient de curiosité, Sophie raconta la scène qui avait eu lieu entre elle et le grand-père de Jules.

Il y eut un moment de silence.

– Vieux mufle, va ! s'écria Mme Dauriatte, laissant échapper par cette injure, comme par une soupape, l'indignation qui pressait sa vieille âme.

Mme Champagne, qui était femme de sang-froid, réfléchissait.

– Et il revient quand ? dit-elle à Sophie.

– Demain, avant midi.

Alors la papetière leva un doigt et, ainsi qu'un oracle, proféra cette sentence : – Nous n'avons pas de temps à perdre ; mais, c'est moi qui te le dis, tu n'as rien à craindre. Tu es enceinte, n'est-ce pas ? Eh bien alors la famille te doit une pension alimentaire ; je ne suis pas ferrée sur la justice, mais je sais cela ; le tout est de ne pas se laisser embobiner. Du reste, aussi vrai que je m'appelle Mme Champagne, je vais lui montrer, moi, à ce vieux crocodile, de quel bois je me chauffe ! – Et elle se leva. – Mon chapeau, mon châle, dit-elle à Mme Dauriatte, figée d'admiration. – Elle les mit. – Je vous laisse la boutique en garde jusqu'à tout à l'heure, ma chère ; – quant à toi, ma fille, ne t'abîme pas les yeux à pleurer et suis-moi ; nous allons à côté, chez mon homme d'affaires.

Devant l'assurance si virilement exprimée par Mme Champagne, Sophie renfonça ses larmes. – C'est un homme très bien, vois-tu, que M. Ballot, disait la papetière, en route ; cet homme-là, il ferait suer de l'argent à un mur, puis rien ne l'embarrasse, il sait tout, tu vas voir ; c'est là, montons, non, attends que je souffle.

Elles gravirent péniblement les trois étages, s'arrêtèrent devant une porte décorée d'une plaque de cuivre dans laquelle était incrustée en rouge et en noir cette inscription : « Ballot, receveur de rentes, tournez le bouton, s. v. p. » Mme Champagne haletait, couchée sur la rampe ; – c'est-il donc bête d'être grosse comme cela, soupira-t-elle ; puis, elle rejeta précipitamment des bouffées d'air, se moucha, et, la mine recueillie, de même que si elle fût entrée dans une chapelle, elle ouvrit la porte.

Elles pénétrèrent dans une salle à manger convertie en bureau, dont la fenêtre était obstruée par deux tables en bois peintes en noir, avec des gens courbés dessus, l'un vieux, le crâne garni de duvet de poule ; l'autre, jeune, rachitique et velu ; aucun de ces deux employés ne daigna tourner la tête.

– M. Ballot est-il visible ? demanda Mme Champagne.

– Sais pas, fit le vieillard, sans bouger.

– Il est occupé, jeta le jeune homme par-dessus son épaule.

– Alors, nous attendrons.

Et Mme Champagne s'empara des chaises qu'on ne lui offrait point. Elles s'assirent, sans parler ; Sophie restait, les yeux baissés, incapable de réunir deux idées, mal remise encore du coup assené, le matin, par le notaire ; la papetière regardait la pièce, meublée de casiers gris, de cartons, de liasses attachées avec des sangles ; ça sentait les bottes mal décrottées, le graillon et l'encre sèche ; à certains instants, un bruit de voix s'entendait derrière une porte à tambour vert, en face de la croisée.

– C'est là qu'est son bureau, dit confidentiellement Mme Champagne à sa protégée que cette intéressante révélation ne désoucia point.

Alors la papetière récola dans sa cervelle les pensées qu'elle délibérait d'émettre ; puis, pour tuer le temps, elle considéra les souliers du vieil employé, leurs tiges déchirées, leurs élastiques tortillés comme des vers, leurs talons gauchis ; elle commençait à s'endormir, quand le tambour vert s'écarta devant l'homme d'affaires qui reconduisit un client jusqu'au palier, avec force salutations, revint et, reconnaissant Mme Champagne, la pria d'entrer.

Les deux femmes, debout, dès qu'il avait paru, le suivirent, sur la pointe des pieds, dans son cabinet ; courtoisement, il leur désigna des chaises, se renversa sur son fauteuil d'acajou, en hémicycle, et, jouant nonchalamment avec un énorme coupe-papier en forme de rame, il invita ses clientes à lui faire connaître l'objet de leur visite.

Sophie commença son histoire, mais Mme Champagne parlait en même temps, greffant de ses réflexions personnelles la narration déjà confuse des faits. Fatigué par cet inextricable verbiage, M. Ballot voulut poser les questions, une à une et il supplia

Mme Champagne de se taire et de laisser d'abord s'expliquer la personne directement en cause.

– Et vous désirez maintenant... fit-il après qu'il fut au courant de la situation.

– Mais, nous désirons qu'il lui soit rendu justice, s'écria la papetière qui jugea le moment venu de prendre la parole. La pauvre enfant est enceinte de ce garçon ; lui, il est mort, il ne peut plus rien pour elle, ça c'est clair, mais la famille lui doit, je pense bien, une petite rente, quand ça ne serait que pour payer les mois de nourrice et élever le gosse ! comme c'est des pouacres et des sans-cœur qui lui ont dit qu'ils la mettraient comme ça sur le pavé, demain, je viens savoir ce qu'il y aurait à faire.

– Rien, ma chère dame.

– Comment, rien ! s'exclama la papetière au comble de la stupeur. – Mais alors, le pauvre monde, il ne serait donc plus protégé ! il y aurait donc des gens qui pourraient mettre les autres sur la paille, quand ça leur dirait !

M. Ballot haussa les épaules. – Le logement était au nom du défunt, les meubles aussi, n'est-ce pas ? bon ; – d'autre part, M. Jules a des héritiers, eh bien, ces héritiers ont le droit d'agir, dans l'espèce, ainsi que bon leur semble ! Quant à cet enfant posthume qui vous paraît créer des titres à Mademoiselle, c'est une pure et simple erreur ; rien, absolument rien, vous m'entendez, ne peut les forcer à reconnaître que la paternité de cet enfant appartient à M. Jules.

– Si c'est Dieu possible ! étouffa Mme Champagne.

– C'est ainsi ; le Code est là et il est formel, dit l'homme d'affaires, en souriant.

– Ah bien, il est propre, votre Code ! je me demande ce qu'il y a dedans, moi, si des situations comme celle de Sophie n'y sont pas réglées !

– Mais si, elles sont réglées, ma bonne dame Champagne, et la preuve est qu'il est interdit à Mademoiselle de réclamer quoi que ce soit par les voies légales.

– Viens, viens, ma fille, cria la papetière qui s'exaspérait. Elle se leva. – On voit bien que les lois sont fabriquées par les hommes ; tout pour eux, rien pour nous ; je lui arracherais les yeux, moi, au grand-père de Jules, si je le tenais ; ce serait toujours autant de fait !

Et, poussée à bout par le rire narquois de M. Ballot, Mme Champagne perdit complètement la tête et affirma que si jamais un homme se permettait envers elle des abominations de la sorte, elle se vengerait, coûte que coûte, quitte à passer en cour d'assises ; ajouta, du reste, qu'elle se fichait, comme de Colin-Tampon, de la police, des prisons, des juges, divagua pendant dix bonnes minutes, excitée par M. Ballot qui, ne voyant aucun profit à tirer de cette affaire, s'amusait pour son propre compte, très sympathique au fond à ce notaire de province dont il appréciait, en connaisseur, l'adroit dilemme.

Quant à Sophie, elle demeurait immobile, clouée debout, les yeux fixes. Depuis le matin, cette pensée qu'elle allait rôder, sans argent, sans domicile, jetée comme un chien dehors, s'était émoussée ; à cette souffrance précise et aiguë, avait succédé une désolation vague, presque douce ; elle dormait tout éveillée, incapable de réagir contre cet alanguissement qui la berçait. Elle ne pleurait plus, se résignait, s'abandonnait à Mme Champagne, remettant son sort entre ses mains, se désintéressant même de sa propre personne, s'apitoyant avec la papetière sur le malheur d'une femme qui la touchait de très près, mais qui n'était absolument plus elle.

Ne comprenant pas cet amollissement, cette indifférence hébétée, qui résulte de l'excès même des larmes, Mme Champagne s'agaça.

– Mais remue-toi donc, dit-elle ; joue donc pas ainsi les chiffes ! – usant, dans cette exclamation, son reste de colère ; puis elle se remit un peu, et plus d'aplomb, s'adressa à l'agent d'affaires.

– Alors, Monsieur Ballot, c'est tout ce que vous pouvez nous dire ?

– Hélas ! oui, ma brave dame ; je regrette de ne pouvoir vous assister dans cette épreuve, et il les poussa poliment vers la porte, protestant d'ailleurs de son dévouement, assurant Mme Champagne, en particulier, de sa haute estime.

Elles se retrouvèrent, anéanties, dans la boutique. Ce fut alors au tour de Mme Dauriatte de s'emporter. – Mme Champagne gisait, dans son comptoir, la tête dans les mains, secouée de temps à autre par les vociférations de sa vieille amie dont l'intelligence fut, ce jour-là, plus spécialement incohérente. À propos de Sophie, elle en vint, sans transition raisonnable, à parler d'elle-même, à retracer la vie de feu Dauriatte, son mari, un homme dont elle avait ignoré ou oublié la position sociale, car si elle se rappelait qu'il portait de l'or sur ses habits, elle ne pouvait dire au juste s'il avait été maréchal de France ou tambour-major, vendeur de pâte à rasoir ou suisse.

Cette douche d'histoires endormit la papetière que les émotions avaient brisée ; une cliente qui marchanda des plumes la réveilla.

Elle s'étira et songea au dîner ; l'heure s'avançait ; on convint que Mme Dauriatte irait chercher aux Dix-Huit Marmites, une gargote située rue du Dragon, près de la Croix-Rouge, deux potages et deux parts de gigot, pour trois. – Je vais moudre le café, tandis que vous achèterez des provisions, conclut Mme Champagne, et pendant ce temps Sophie mettra le couvert.

Vingt minutes après, elles étaient installées dans l'arrière-boutique, exclusivement meublée d'une table ronde, d'une fontaine, d'un petit fourneau et de trois chaises.

Sophie ne pouvait avaler ; les morceaux lui bouchaient la gorge.

– Allons, ma belle, disait Mme Dauriatte, qui mangeait ainsi qu'un ogre, il faut vous forcer un peu.

Mais la jeune fille secouait la tête, donnant à Titi, le petit chien-loup de la papetière, la viande qui se figeait dans son assiette.

Et comme Mme Dauriatte insistait :

– Laissez-la, le chagrin nourrit, attesta judicieusement Mme Champagne qui n'ayant, elle aussi, ce soir-là, aucun appétit, s'alimentait du moins avec des verres remplis d'un liquide rouge.

Mme Dauriatte opina du bonnet, mais ne souffla mot, car elle avait des joues telles que des balles ; et des rigoles de jus serpentaient jusqu'à son menton, tant elle se hâtait à torcher les plats.

– Voyons maintenant, fit la papetière qui éteignit sa lampe à esprit de bois et versa l'eau chaude sur le café, – voyons, parlons peu, mais parlons bien : Sophie, comment allez-vous faire demain ?

La jeune fille eut un geste douloureux d'épaules.

– Il faudrait peut-être aller voir le propriétaire, hasarda Mme Champagne, et lui demander un répit de quelques jours.

– Oh ! c'est des bourgeois ! ils s'entendent toujours entre eux contre le pauvre monde ! laissa échapper, dans une confuse lueur de bon sens, Mme Dauriatte.

– Le fait est que le vieux lui a certainement rendu visite, afin de pouvoir emporter demain les meubles, murmura Mme Champagne ; il est même bien capable de lui avoir donné de l'argent pour qu'il vous expulse. – Oh ! les sans-cœur ! – Eh bien, moi, c'est égal, je m'empêcherais, malgré toutes leurs lois, d'être ainsi fichue dehors ; non, vrai, là, ils seraient trop contents !

Elle s'arrêta net, regardant Sophie qui buvait son café, goutte à goutte, avec sa petite cuiller, et elle s'écria :

– Bois pas comme ça, ma fille, ça donne des vents !

Puis elle demeura, pendant une seconde, absorbée, cherchant à relier le fil de ses idées interrompu par ce conseil ; n'y parvenant pas : – Suffit, reprit-elle ; ce que je voulais te dire, en somme, c'est que quand il y en a pour deux, il y en a pour trois ; j'ai pas le sou, ma fille, mais ça ne fait rien ; si l'on te chasse, tu viendras ici et t'auras, en attendant, le vivre et la niche.

Soudain une nouvelle idée lui germa dans la cervelle.

– Tiens mais… comme tu n'es pas très débrouillarde, si demain c'était moi qui parlais à ta place au grand-père de Jules ; peut-être qu'en le raisonnant j'obtiendrais qu'il t'indemnise.

Sophie accepta avec empressement.

– Ah ! madame Champagne, que vous êtes donc bonne, fit-elle, en l'embrassant ; moi, toute seule, je ne m'en serais jamais tirée.

Ce fut dans la sombreur de sa détresse un jet de lumière. Persuadée de la haute intelligence de la papetière, convaincue de sa parfaite éducation, elle n'hésitait pas à croire que sa présence lui serait préventive et propice ; elle se rendait justice à elle-même, s'avouait peu compréhensive, peu adroite. Quand elle avait quitté son pays, un petit village près de Beauvais, elle ne savait rien, n'avait reçu aucune éducation de ses père et mère qui la rouaient simplement de coups. Son histoire était des plus banales. Traquée par le fils d'un riche fermier et lâchée aussitôt après le carnage saignant d'un viol, elle avait été à moitié assommée par son père qui lui reprochait de n'avoir pas su se faire épouser ; elle s'était enfuie et s'était placée, en qualité de bonne d'enfant, à Paris, dans une famille bourgeoise qui la laissait à peu près crever de faim.

Par hasard, Jules la rencontra ; il s'amouracha de cette belle fille fraîche, qui témoignait, à défaut d'éducation, d'un caractère aimant et d'un certain tact. Habituée aux rebuffades, elle s'éprit à son tour de ce jeune homme timide et un peu gauche qui la dorlotait au lieu de la commander ; joyeusement, elle accepta la proposition de vivre avec lui. Leur ménage n'avait cessé d'être heureux ; elle, attentive à plaire à son amant, se dégrossissait, abandonnait peu à peu la quiétude de ses pataquès, savait à propos se taire ; lui, qui détestait les bals, les cafés, les filles délurées devant lesquelles il perdait toute contenance, était satisfait de rester dans sa chambre près d'une femme dont la douceur un peu moutonnière l'enhardissait, en le mettant à l'aise ; puis le jour était venu où elle s'était sentie enceinte, et l'enfant avait été bravement accepté par Jules, flatté à son âge de contracter déjà de sérieuses charges.

Tout à coup, sans qu'on sût comment, le jeune homme était tombé gravement malade. Alors le gai train-train de la vie commune avait cessé. En sus des inquiétudes, des tourments que lui inspirait cette maladie, la probable arrivée du père de Jules l'épouvantait. Elle s'était ingéniée à retarder sinon à parer cette menace ; comme son amant envoyait toujours son linge sale, en caisse, chez son père, elle avait dû porter les chaussettes et les chemises d'homme pour les salir avant de les expédier à la campagne ; ce subterfuge avait d'abord réussi, mais bientôt M. Lambois, surpris de ne plus recevoir de lettres régulières de son fils, s'était plaint ; le malade avait réuni ses forces pour gribouiller quelques lignes dont la divagante incertitude changeait en alarme l'étonnement du père ; d'autre part, le médecin, jugeant son client perdu, avait cru nécessaire de prévenir la famille et M. Lambois était aussitôt arrivé.

Elle s'était renfermée dans la cuisine, se bornant à un rôle effacé de bonne, préparant les tisanes, ne desserrant pas les lèvres, affectant, malgré les sanglots qui lui montaient dans la gorge, l'indifférence d'une domestique contemporaine devant le moribond qu'elle mangeait de caresses, dès que le père retournait à son hôtel.

Mais, si bonasse, si simple qu'elle fût, elle comprenait bien, tout en ignorant les aveux et les recommandations du médecin au père, que celui-ci n'était point dupe de son manège. Au reste, mille détails trahissaient le concubinage dans ce logement : le matelas enlevé du lit et installé sur le parquet de la salle à manger, le logis dénué de chambre de bonne, l'unique cuvette, les deux brosses à dents dans le même verre, le seul pot de pommade, en permanence sur la toilette. Elle avait eu la précaution d'enlever ses robes de l'armoire à glace ; elle n'avait d'abord pas songé aux autres indices, tant cette subite arrivée du père lui troublait la tête ; peu à peu, elle s'aperçut de ces oublis, s'efforça, dans sa maladresse, de cacher les objets compromettants, ne s'imaginant pas qu'elle eût dissipé, par ce soin même, les derniers doutes de M. Lambois.

Lui, avait été on ne peut plus digne. Il acceptait les soins de Sophie, se faisait, économiquement, préparer son dîner par elle, et il daignait même la complimenter de certains plats.

Jamais il n'avait lancé une allusion au rôle joué par cette femme ; après la mort de son fils seulement, il permit d'entendre qu'il connaissait la vérité, car il remit à Sophie une photographie d'elle qu'il avait trouvée dans l'un des tiroirs entrebâillés du bureau, en lui disant : – Mademoiselle, je vous restitue ce portrait dont la place ne saurait plus être désormais dans ce meuble. – Et, dans le tracas d'un enterrement, d'un transport de corps en province, il l'avait en quelque sorte oubliée, ne lui envoyant ni argent, ni nouvelles.

Depuis ce jour, elle avait vécu dans un état voisin de l'hébétude, pleurant toutes les larmes de ses yeux sur son pauvre Jules, malade de fatigue et tourmentée par sa grossesse, vivant avec quelques sous par jour, espérant encore que le père de son amant lui viendrait en aide. Puis, à bout de ressources, elle lui avait écrit une lettre, vivant, l'oreille au guet, dans l'espoir d'une réponse qui n'arriva pas et à laquelle suppléa la visite du terrible vieillard qui la chassait.

Enfin, la chance lui souriait tout de même maintenant un peu ; Mme Champagne qu'elle avait connue en achetant des journaux et de l'encre et en se livrant chez elle à une causette quotidienne, le matin, lorsqu'elle se rendait au marché, consentait à la secourir. Outre qu'elle avait une langue alerte et bien pendue et une grande habitude du monde, songeait Sophie, c'était une femme établie, une commerçante qui avait été réellement mariée. Ce n'était plus une pauvre fille comme elle-même, qu'on pouvait rabrouer parce qu'elle était sans situation honorable, sans défense, que le notaire allait avoir à combattre ; sautant d'un extrême à l'autre, du morne accablement au vif espoir, Sophie était certaine que sa misère était sur le point de prendre fin, et Mme Dauriatte, par platitude, exprima tout haut ce que la jeune fille pensait tout bas.

– Votre affaire est dans le sac, ma petite, parce que, voyez-vous, entre gens qui ont des positions convenables, on s'entend toujours ; elle ajouta qu'on s'était sans doute exagéré les menaces de ce notaire qui, en raison même de ses richesses qu'elle se figura tout à coup, sans qu'on sût pourquoi, incalculables, ne pouvait pas être un mauvais homme ; et, de bonne foi, maintenant, par suite de cette fortune notariale qu'elle évoquait, Mme Dauriatte fut prise d'une immense considération pour ce vieillard qu'elle avait jusqu'alors si durement honni.

De son côté, Mme Champagne ne laissait point que d'éprouver un certain orgueil à l'idée qu'elle parlerait à ce monsieur respectable, qu'elle discuterait en femme du monde avec lui ; puis, cette mission l'investissait à ses propres yeux d'une grande importance. Quel sujet de conversation pendant des mois ! quel prestige dans le quartier qui louerait son bon cœur, vanterait son ingéniosité diplomatique, clabauderait à perte de vue sur son comme il faut ! Elle se perdait dans ce rêve, souriait béatement, apprêtant déjà sur sa bouche, pour le lendemain, d'heureux effets de cul de poule.

– Il n'est pas décoré ? dit-elle tout à coup à Sophie. La jeune fille ne se rappela pas avoir vu du rouge sur l'habit de cet homme. La papetière en fut fâchée, car l'entrevue eût été plus auguste, mais elle se consola, en se répétant que, jamais dans sa vie, pareille occasion ne s'était présentée de montrer ainsi ses talents et de déployer ses grâces.

À la tristesse du premier moment avait succédé dans la boutique une expansion de joie. – Allons, un petit verre, ma belle, proposa Mme Champagne à Sophie. – Et vous, ma chère ? dit-elle à Mme Dauriatte. Celle-ci ne se fit pas prier ; elle tendit sa tasse, ne la retirant point, espérant peut-être qu'on la remplirait jusqu'au bord ; mais la papetière lui versa la valeur d'un dé à coudre, et elles trinquèrent toutes les trois, se souhaitant ensemble longue santé et heureuse chance.

Quand l'heure vint de clore les volets, Sophie réconfortée, presque tranquille après tant de sursauts, ne doutait plus du succès de l'entreprise, supputait déjà le chiffre de la somme qu'elle obtiendrait et, d'avance, la divisait en plusieurs parts : tant pour la sage-femme, tant pour la nourrice, tant pour elle-même, en attendant qu'elle se procurât une place.

– Tu feras bien de mettre aussi un peu de côté pour les cas imprévus, recommanda sagement Mme Champagne, et elles rirent, pensant que la vie avait du bon ; Titi, le chien, que cette joie électrisait, jappa, sauta ainsi qu'un cabri sur la table, accrut encore l'hilarité, en balayant avec le plumeau de sa queue la face réjouie des trois femmes.

– Une idée ! s'exclama subitement Mme Dauriatte.

Elle se leva, chercha un vieux jeu de cartes et commença une réussite. – Tu vas voir, ma fille, que demain t'auras de la veine ; coupe, non, de la main gauche, parce que tu n'es pas mariée. – Et elle tira trois cartes à la fois, examinait si deux d'entre elles appartenaient à la même série et, dans ce cas, gardait et rangeait sur la table celle qui était la plus rapprochée de son pouce.

– T'es la dame de trèfle, vois-tu, car t'es brune, et la dame de pique est bien brune aussi, mais elle ne peut être qu'une veuve ou qu'une méchante femme ; ce qui ne serait pas vrai pour toi.

Elle épuisa de la sorte, trois fois le jeu de trente-deux cartes, en rejetant une partie, dans sa jupe, à chaque coup ; il restait sur la table dix-sept cartes, l'indispensable nombre impair ; et elle comptait maintenant avec ses doigts, allant, de droite à gauche, à partir de son héroïne, la dame de trèfle une, deux, trois, quatre, cinq, s'arrêtant sur cette dernière carte. Un neuf de trèfle ! s'écria-t-elle triomphalement, c'est de l'argent. Une, deux, trois, quatre, cinq, qui sera donné par ce Roi, un homme sérieux. Un, deux, trois, quatre, cinq…

– Six ! levez la chemise ; sept, huit, neuf, tapez comme un bœuf ! ajouta Mme Champagne.

Mais tout entière à sa réussite, Mme Dauriatte ne daigna point relever cette puérile interruption.

– Cinq ! reprit-elle, un neuf de carreau, c'est des papiers, à côté de ce Roi de trèfle, qui est un homme de loi. Ça y est ! Tu peux dormir en paix sur tes deux oreilles, ton sort est bon.

– Et demain, il fera jour, jeta Mme Champagne qui rafla toutes les cartes d'un tour de main ; allons coucher, car il faudra être prête de bonne heure ! Elle serra la main de Mme Dauriatte qui promit de la remplacer aussitôt qu'on ouvrirait la boutique, et, embrassant Sophie sur les deux joues, elle lui recommanda de nettoyer son ménage, de s'habiller, de se mettre sous les armes, dès le matin. Elle-même, émue comme à la veille d'une partie de fête, songea qu'elle s'ornerait de tous ses bijoux, qu'elle revêtirait sa robe d'apparat, afin d'être à la hauteur des circonstances et d'en imposer à ce notaire qui ne pourrait certainement qu'être flatté de trouver une telle compagnie disposée à le recevoir.

V

À son âge ! – Avoir été la dupe d'une fille racolée chez Peters ! M^e^ Le Ponsart regrettait sa méprise, cette poussée incompréhensible, ce mouvement irraisonné qui l'avait, en quelque sorte, forcé à offrir des consommations à cette femme et à l'accompagner jusque chez elle.

Il n'avait pourtant eu la tête égayée par aucun vin ; cette drôlesse était venue se placer à sa table, avait causé avec lui de choses et autres, non sans qu'il l'eût loyalement prévenue qu'elle perdait son temps ; puis des messieurs étaient entrés qui l'avaient saluée et auxquels elle avait tendu la main et parlé bas. De ce fait sans importance était peut-être issue, souterrainement, l'instinctive résolution de la posséder ; peut-être y avait-il eu là une question de préséance, un entêtement d'homme arrivé le premier et tenant à conserver sa place, un certain dépit de se trouver en concurrence avec des gens plus jeunes, un certain amour-propre de vieux barbon sollicitant de la fille, à prix même supérieur, une quasi-préférence ; – mais non, rien de tout cela n'était vrai ; il y avait eu une impulsion irrésistible, un agissement indépendant de sa volonté, car il n'était féru d'aucun désir charnel et le physique même de cette femme ne répondait à aucun de ses souhaits ; d'autre part, le temps était sec et froid, et M^e^ Le Ponsart ne pouvait invoquer à l'appui de sa lâcheté l'influence de ces chaleurs lourdes ou de ces ciels mous et pluvieux qui énervent l'homme et le livrent presque sans défense aux femmes en chasse. Tout bien considéré, cette aventure demeurait incompréhensible.

En voiture, le long du chemin, il se disait qu'il était ridicule, que cette rencontre était niaise, fertile en carottes et en déboires ; et il se sentait sans force pour quitter cette fille qu'il suivait machinalement, mu par ce bizarre sortilège que connaissent les gens attardés, le soir, et qu'aucune psychologie n'explique.

Il s'était même retourné l'épingle dans la plaie, se répétant : « Si l'on me voyait ! j'ai l'air d'un vieux polisson ! » – murmurant, tandis qu'il payait le cocher et que la femme sonnait à sa porte : « Voilà l'ennui qui commence ; elle va me proposer de me tenir par la main pour que je ne me casse pas le cou dans l'obscurité sur les marches et, une fois dans la chambre, la mendicité commencera ! Bon Dieu ! faut-il que je sois bête ! » – Et il était quand même monté et tout s'était passé ainsi qu'il l'avait prévu.

Il avait cependant éprouvé un certain dédommagement des tristesses conçues d'avance. Le logis était meublé avec un luxe dont le mauvais goût lui échappait. La cheminée enveloppée de rideaux en faux brocart, les chenets à boules fleurdelysées, la pendule et les appliques en jeune cuivre, munies de bougies roses que la chaleur avait courbées, les divans recouverts de guipures au crochet, le mobilier en thuya et palissandre, le lit debout dans la chambre à coucher, les consoles parées de marmousets [1] en faux saxe, de verreries de foire, de statuettes de Grévin, lui semblèrent déceler une apéritive élégance et un langoureux confort. Il regarda complaisamment la pendule arrêtée pendant que la femme se débarrassait de son chapeau.

Elle se tourna vers lui et parla d'affaires.

Le notaire tressaillit, lâchant, un à un, des louis que la praticienne lui extirpait tranquillement par d'insinuants et d'impérieux appels, se consolant un peu de sa faiblesse de vieillard assis tardivement chez une fille, par la vue du corsage qu'il jugeait rigide et tiède et des bas de soie rouges qui lui paraissaient crépiter, aux lueurs des bougies, sur des mollets pleins et des cuisses fermes.

Afin d'accélérer la vendange de sa bourse, la femme se campa sur ses genoux.

– Je suis lourde, hein ?

Bien que ses jambes pliassent, il affirma poliment le contraire, s'efforçant de se persuader, du reste, pour s'égayer, que cette pesanteur ne pouvait être attribuée qu'aux solides et copieuses charnures qu'il épiait, mais plus que cette perspective de pouvoir les brasser, tout à l'heure, à l'aise, le calcul de ses déboursés, la constatation raisonnée de sa sottise et l'inexplicable impossibilité de s'y soustraire, le dominaient et finissaient par le glacer.

Avec cela, la femme devenait insatiable ; sous la problématique assurance d'idéales caresses, elle insistait de nouveau pour qu'il ajoutât un louis à ceux qu'il avait déjà cédés. La niaiserie même de ses propos, de ses noms d'amitié de « mon gros loulou », de « mon chéri », de « mon petit homme », achevait de consterner le vieillard engourdi, dont la lucidité doutait de la véracité de cette promesse qui accompagnait les

1. Marmousets : figurines grotesques.

réquisitions : « Voyons, laisse-toi faire, je serai bien gentille, tu verras que tu seras content. »

De guerre lasse, convaincu que les imminents plaisirs qu'elle annonçait seraient des plus médiocres, il souhaitait ardemment qu'ils fussent consommés pour prendre la fuite.

Ce désir acheva de vaincre sa résistance et il se laissa complètement dépouiller.

Alors, elle l'invita à enlever son pardessus, à se mettre à l'aise. Elle-même se déshabillait, enlevant ceux de ses vêtements qu'elle eût pu froisser. Il s'approcha, mais hélas ! cet embonpoint qui l'avait un peu désaffligé était à la fois factice et blet ! – Elle aggrava cette dernière désillusion par tout ce qu'une femme peut apporter de mauvaise grâce au lit, prétendant se désintéresser de ses préférences, lui repoussant la tête, grognant : – Non, laisse, tu me fatigues ; puis, alors qu'il s'agissait de lui, répondant avec une moue méprisante et sèche : « Qu'il s'était trompé s'il l'avait prise pour une femme à ça. »

Il poussa un soupir d'allègement en gagnant la porte. Ah ! pour avoir été volé, il avait été bien volé ! – Et le sang lui empourprait la face, alors qu'il se rappelait les détails grincheux de cette scène.

Puis, cet argent si malencontreusement extorqué l'étouffait. Il arrivait à se représenter les choses utiles qu'il aurait pu se procurer avec la même somme.

Il méditait cette réflexion stérile des gens grugés : qu'on se prive d'acheter un objet plaisant ou commode par économie, alors qu'on n'hésite pas à dépenser le prix qu'eût coûté cet objet, dans un intérêt infructueux et bête.

– Ah ! toi… je te conseille de filer doux, conclut-il, songeant à la maîtresse de son petit-fils, confondant dans une même réprobation les deux femmes.

Il sourit pourtant, car il était certain de juguler Sophie Mouveau, d'exercer impunément des représailles, de se venger sur elle des déboires infligés par la cupidité de son sexe. Le propriétaire, enchanté de rentrer en possession immédiate de son logement, s'était, – après avoir, du reste, en sa qualité de père de famille, exprimé quelques idées sans imprévu sur les dangers du libertinage et la profonde corruption du siècle, – montré tout disposé à seconder le notaire dans ses entreprises, et le concierge s'était respectueusement incliné, alors que M^e^ Le Ponsart lui avait exhibé l'ordre de laisser déménager les meubles, d'aider au besoin à l'expulsion de la femme et de garder la clef ; deux pièces de cent sous, glissées dans la main, avaient même amolli sa mine et détendu la rigidité luthérienne de son port. Trente-trois francs soixante-quinze et dix francs font quarante-trois francs soixante-quinze, pensait le notaire ; c'est bien le chiffre que j'ai annoncé à mon vieux Lambois, une cinquantaine de francs au plus.

Toutes ses précautions étaient prises : les déménageurs devaient se trouver à midi précis devant la porte, descendre le mobilier, l'expédier par chemin de fer, dans la voiture même, posée, sans roues, à plat sur un camion de marchandises, jusqu'à Beauchamp.

Une seule question demeurait encore pendante : Sophie paraissait à M^e^ Le Ponsart singulièrement retorse. Ce silence où elle se confinait le plus possible, ce système ininterrompu de pleurs interloquaient le notaire qui attribuait à la finesse le profond désarroi et la sottise accablée de cette fille. Il était absolument persuadé que cette larmoyante stupeur cachait une embuscade et la crainte qu'elle ne vînt scandaliser Beauchamp par sa présence ne le quittait plus. Après mûre délibération, il s'était déterminé à recourir aux bons offices de son ancien ami, le commissaire de police, s'était abouché, grâce à lui, avec son collègue du VIe arrondissement, et avait obtenu qu'on menaçât tout au moins la femme des rigueurs de la justice, si elle ne consentait pas à rester tranquille.

– Allons, il est temps d'achever la petite partie commencée et d'emballer rondement la donzelle, se dit M^e^ Le Ponsart, en consultant sa montre. Et il s'achemina vers la rue du Four, se consolant de ses ennuis, par la pensée qu'il prendrait le train, le soir, et rentrerait enfin dans ses pantoufles.

Le concierge baisa presque ses propres pieds, tant il se courba, dès qu'il l'aperçut. M[e] Le Ponsart monta, s'arrêta dans le couloir, et, naturellement, sans y songer, il substitua au coup poli, discret, dont il avait, la veille, toqué la porte, un coup impérieux et bref.

Il demeura surpris quand il eut pénétré, à la suite de Sophie, dans la chambre, de rencontrer une grosse dame.

Cette dame se souleva, esquissa une révérence et se rassit. Qu'est-ce que c'est que cela ? se dit-il, en regardant cette bedonnante personne, serrée à voler en éclats dans une robe d'un outremer atroce, sur le corsage de laquelle tombaient les trois étages d'un menton en beurre.

En voyant les perles de corail rose qui coulaient des lobes cramoisis des oreilles et une croix de Jeannette qui pantelait sous le va-et-vient d'une océanique gorge, il pensa que cette vieille dame était une harengère, vêtue de ses habits de fête.

Très méprisant, il détourna les yeux et les reporta sur la jeune fille ; alors il fronça le sourcil. Elle était, elle aussi, en grande toilette, parée de tous les bijoux que Jules lui avait donnés, et, ainsi pomponnée, les seins bien lignés par le corsage, les hanches bien suivies par la jupe de cachemire, elle était charmante. Malheureusement pour elle, cette beauté et ce costume qui eussent sans doute attendri le vieillard, la veille, l'irritèrent par le souvenir qu'ils évoquaient d'une soirée maudite. La malchance s'en mêlait ; la tenue débraillée de Sophie, qui l'avait répugné, lors de sa première visite, était la seule qui eût pu l'adoucir aujourd'hui.

De même que, pour la première fois, ses cheveux emmêlés sur le front l'avaient induit à être brutal, de même aussi sa chevelure soigneusement peignée l'incitait à être cruel.

D'un ton dur, il lui demanda si elle était décidée à signer le reçu.

– Mon Dieu ! Monsieur, dit la grosse dame qui intervint, permettez-moi de faire appel à votre bon cœur ; comme vous voyez, la pauvre enfant est toute ébaubie de ce qui lui arrive… elle ne sait pas…, moi, je l'ai assurée que vous ne la laisseriez pas, comme ça, dans la peine. Sophie, que je lui ai dit, Monsieur Ponsart est un homme qui a reçu de l'éducation ; avec ces gens-là qui ont de la justice, tu n'as rien à craindre. Hein ? dis, c'est-il vrai que je t'ai dit cela ?

– Pardon, Madame, fit le notaire, mais je serais heureux de savoir à qui j'ai l'honneur de parler.

La grosse dame se leva et s'inclina.

– Je suis Mme Champagne, c'est moi qui tiens la maison de papeterie au numéro 4. M. Champagne, mon mari…

M[e] Le Ponsart lui coupa la parole d'un geste et du ton le plus sec :

– Vous êtes sans doute parente de Mademoiselle ?

– Non, monsieur, mais c'est tout comme : je suis, comme qui dirait, sa mère.

– Alors, madame, vous n'avez rien à voir dans la question qui nous occupe, permettez-moi de vous le dire ; c'est donc à Mademoiselle seule que je continuerai d'avoir affaire. – Il tira sa montre. – Dans cinq minutes, les déménageurs seront ici, et je ne sortirai de ce logement, je vous en préviens, que la clef en poche. En conséquence, je ne puis, mademoiselle, que vous inviter à préparer un paquet des objets qui vous appartiennent et à me faire décidément connaître si, oui ou non, vous acceptez les propositions que je vous ai soumises.

– Oh ! monsieur ! c'est-il Dieu possible ! soupira Mme Champagne atterrée.

M[e] Le Ponsart la fixa de son œil d'étain et elle perdit son peu d'assurance. Du reste, cette femme, d'habitude si loquace et si hardie, semblait, ce matin-là, privée de ses moyens, dénuée d'audace.

Et en effet, l'un de ces irréparables malheurs qu'on croirait s'abattre de préférence, aux moments douloureux, sur les gens pauvres, lui était survenu, dès le lever.

Mme Champagne possédait, en haut de la bouche, sur le devant, deux fausses dents qu'elle enlevait, chaque soir, et déposait dans un verre d'eau. Ce matin-là, elle avait commis l'imprudence de tirer ce bout de râtelier de l'eau et de le placer sur le marbre de sa table de nuit où Titi, le chien, l'avait happé, s'imaginant sans doute que c'était un os.

La papetière s'était presque évanouie, en lui voyant ainsi broyer le vulcanite, le faux ivoire, les attaches, tout l'appareil. Depuis ce moment, elle pinçait les lèvres de peur de laisser voir les brèches de sa mâchoire, parlait en crachotant de côté, était anéantie par cette idée fixe qu'elle n'avait pas l'argent nécessaire pour combler ses trous. Cette absorbante préoccupation à laquelle se joignait la peur de montrer au notaire les créneaux pratiqués dans ses gencives paralysait ses facultés, la rendait idiote.

La sécheresse de ce vieillard, son verbe impérieux, le mépris dans lequel il ne cessait de la tenir malgré ses frais de toilette achevèrent de la glacer, d'autant qu'elle n'avait même pas douté, un seul instant, d'un accueil sympathique, d'une discussion amiable, d'un assaut de courtoisies réciproques.

– Vous m'avez compris, n'est-ce pas ? ajouta M[e] Le Ponsart, s'adressant à Sophie interdite.

Elle éclata en sanglots et Mme Champagne, bouleversée, oublia sa bouche, se précipita vers la jeune fille qu'elle embrassa, en la consolant avec des larmes.

Cette explosion crispa le notaire ; mais il eut soudain un sourire de triomphe : des pas de rouliers ébranlaient enfin les marches, au dehors. Un coup de poing s'abattit sur la porte qui roula ainsi qu'un tambour.

Le notaire ouvrit ; des déménageurs déjà ivres emplirent les pièces.

– Tiens, dit l'un, v'la la bourgeoise qui tourne de l'œil.

– Bien, vrai, je ne sais pas si elle est pleine, fit un autre, en lui regardant le ventre, et il s'avança, l'œil gai, pour prendre dans ses bras Sophie qui s'affaissait sur une chaise.

Mme Champagne écarta d'un geste ces pandours [1].

– De l'eau ! de l'eau ! cria-t-elle, affolée, tournant sur elle-même.

– Ne vous occupez pas de cela et dépêchons, dit Me Le Ponsart aux hommes ; – je me charge de Mademoiselle ; et pas de comédie, n'est-ce pas ? fit-il, marchant, exaspéré, sur la papetière dont il pétrit nerveusement le bras ; – allons, triez ses affaires et vite, ou moi j'emballe, au hasard, le tout, sans plus tarder.

Et il décrocha, lui-même, des jupons et des camisoles pendus à une patère et les jeta dans un coin, tandis que Mme Champagne finissait de frotter, en pleurant, les tempes de la jeune fille.

Celle-ci revint à elle et alors, pendant que les hommes emportaient les meubles, sous l'œil vigilant du notaire qui surveillait maintenant la descente, Mme Champagne, comprenant que la partie était perdue, tenta de sauver la dernière carte.

– Monsieur, dit-elle, rejoignant Me Le Ponsart sur le palier, un mot, s'il vous plaît.

– Soit.

– Monsieur, puisque vous êtes sans pitié pour Sophie qui s'est tuée à soigner votre petit-fils, dit-elle d'une voix suppliante et basse, laissez-moi au moins faire appel à votre esprit de justice. Si vous voulez, ainsi que vous le dites, considérer Sophie comme une bonne, pensez alors qu'elle n'a pas touché de gages tant qu'elle a été chez M. Jules, et payez-lui les mois qu'elle a passés chez lui, afin qu'elle puisse accoucher chez une sage-femme et mettre l'enfant en nourrice.

Le notaire eut un haut-le-corps ; puis un rire narquois lui rida la bouche.

– Madame, fit-il, avec un salut cérémonieux, je suis au désespoir de ne pouvoir accueillir la requête que

---

1. Pandours : soldats hongrois ou croates, particulièrement cruels.

vous m'adressez ; et cela, mon Dieu, par une raison bien simple : c'est que vous ne ferez croire à personne qu'une bonne soit restée dans une maison où son maître ne la payait pas. Mademoiselle a donc, selon moi, par ce fait seul qu'elle n'a pas quitté sa place, incontestablement touché, chaque mois, son dû ; j'ajouterai qu'on ne demande pas de reçu à une bonne, et que, par conséquent, de l'absence de ces reçus, l'on ne saurait inférer que Mademoiselle demeure créancière de la succession de M. Jules. J'en reviens donc, et pour la dernière fois, madame, car je suis las à la fin de répéter toujours la même chose, à inviter Mlle Sophie à liquider sa situation, en signant, par dérogation cependant à la règle que j'ai posée, le présent reçu. En échange, je lui paierai la somme à laquelle je veux bien admettre qu'elle ait droit.

– Mais c'est une infamie, monsieur, une lâcheté, un vol, s'écria Mme Champagne, jetée hors d'elle.

Me Le Ponsart pirouetta et lui tourna le dos, sans même daigner répondre à ces violences.

– Quant à vous, fichez-moi la paix, dit-il, sur le palier, aux déménageurs qui tentaient de lui carotter un nouveau litre ; et il rentra dans le logis, l'œil froncé, les mains derrière le dos.

Une sourde colère l'agitait ; l'intrusion de la papetière dans une question où elle n'avait, suivant lui, aucun motif de s'immiscer, avait enforci ses résolutions sur lesquelles appuyaient encore la hâte d'en finir, l'envie de quitter ce Paris qui lui était, depuis la veille, odieux, le désir de regagner au plus vite son chez soi, par un train de nuit. Puis, il s'entêtait à ne pas dépasser ce chiffre de cinquante francs qu'il avait fixé comme maximum à M. Lambois ; il se faisait un point d'honneur de justifier ses prévisions, de montrer, une fois de plus, combien il était un homme précis quand il s'agissait d'affaires ; cette économie lui semblait aussi une juste compensation de ses prodigalités de l'autre soir ; aux femmes, après tout, à s'arranger entre elles ! Enfin la rapacité des déménageurs l'avait outré ; chacun voulait tirer à boulets rouges sur sa bourse ; eh bien, personne ne l'atteindrait et personne n'aurait rien ! Ces motifs qui s'entassaient dans son esprit et se consolidaient les uns les autres, rendaient vaines les supplications et les rages de Mme Champagne qui, aussitôt que M[e] Le Ponsart revint dans la pièce, perdit toute mesure et ne risquant plus de gâter une cause déjà jugée, passa aux menaces.

– Oui, monsieur, oui, dit-elle, en sifflant des dents, j'irai, moi-même, dans votre pays, quand je devrais faire la route à pied, et je chambarderai tout, vous m'entendez bien ! – Je vous porterai l'enfant, je dirai partout ce qui en est ; je dirai que vous n'avez même pas eu le cœur de le faire venir au monde, cet enfant-là...

– Ta, ta, ta, interrompit le notaire qui ouvrit son portefeuille, le cas était prévu. Voici une assignation du commissaire de police qui invite Mademoiselle à comparoir devant lui ; un mot de plus, j'use de ce papier, et je vous promets que Mademoiselle restera, si elle veut bouger de Paris, tranquille ; quant à vous, ma chère dame, je vais être obligé de vous faire assigner également par ce magistrat qui vous mettra à la raison, je vous le jure, si vous continuez de divaguer de la sorte. Au reste, venez à Beauchamp, si le cœur vous en dit ; je me charge de vous faire coffrer et vite...

– Oh ! la crapule ! a-t-il du vice ! murmura Mme Champagne qui aperçut, épouvantée, des enfilades de cachots sombres, les rats, le pain noir et la cruche de Latude [1], tout un lamentable décor de mélodrame.

Satisfait de son petit coup de théâtre, M[e] Le Ponsart descendit dans la cour où l'on chargeait les derniers

---

1. Jean Henri Latude (1725-1805) : aventurier français, héros de nombreux romans populaires et de mélodrames. Accusé d'intrigues contre Mme de Pompadour, il fut emprisonné pendant trente-cinq ans à Vincennes, à la Bastille et à Bicêtre. Il tenta diverses évasions qui toutes échouèrent.

meubles ; puis, lorsque tout fut bien en ordre, il invita le concierge à le suivre et remonta les quatre étages.

– Ah, ah ! nous nous décidons enfin, dit-il, voyant Mme Champagne qui trempait une plume dans un encrier et la tendait à Sophie.

Et tandis que les mains tremblantes des deux femmes s'unissaient pour dessiner un vague paragraphe, au bas du papier, Me Le Ponsart fit signe au concierge de ficeler les frusques éparses de la femme, et lui-même prit et serra ce récépissé dans lequel Sophie déclarait avoir servi comme bonne chez M. Jules Lambois, affirmait avoir reçu le montant intégral de ses gages, attestait ne plus avoir droit à aucune somme.

– Après cela, tu auras de la peine à nous faire chanter, se dit-il, et il déposa sur la cheminée la somme dont il tenait, depuis la veille, la monnaie prête.

– Et maintenant, mesdames, je suis à vos ordres. Et vous, si vous voulez ranger ces paquets dans la cour… reprit-il, s'adressant au concierge.

– Non, monsieur, non, ça ne vous portera pas bonheur, gémit, en secouant la tête, Mme Champagne qui soutint Sophie par le bras et l'emmena, toute défaillante. Tu as bien tout ce qui t'appartient ? et elle souleva le couvercle d'un panier que la jeune fille avait, elle-même, empli.

L'autre approuva de la tête et, lentement, elles descendirent.

– Ouf ! quel tintouin ! s'exclama Me Le Ponsart demeuré seul maître de la place. Il alluma un cigare qu'il s'était refusé, par galanterie, de fumer, pour ne pas incommoder ces dames et il jeta un coup d'œil sur les murs nus ; puis, par habitude de propreté, il poussa du bout de sa bottine, dans l'âtre, des rognures de chiffons et de papiers qui traînaient sur le plancher ; un billet, plié en quatre, attira cependant son attention ; il le ramassa, et le parcourut ; c'était une ordonnance de pharmacie : De l'eau distillée de laurier-cerise et de la teinture de noix vomique. Il chercha, pendant une seconde, se rappela vaguement, en sa qualité d'homme marié et de père de famille, que cette potion aidait à combattre les vomissements de la grossesse.

Diable ! se dit-il, mais cette fille peut avoir besoin de cette ordonnance ! – Il ouvrit la fenêtre qui donnait sur la cour, attendit que les deux femmes, descendues de l'escalier, parussent, toussa fortement et lorsqu'elles levèrent le nez, il jeta ce petit papier qui voleta et s'abattit à leurs pieds.

– Je ne veux rien avoir à me reprocher, conclut-il, en tirant sur son cigare. Il inspecta le local, une dernière fois, s'assura qu'il était décidément vide, ferma soigneusement la porte et partit, à son tour, restituant la clef au concierge.

VI

Huit jours après le retour de M^e^ Le Ponsart à Beauchamp, M. Lambois se promenait dans son salon, en consultant d'un air inquiet la pendule.

– Enfin ! dit-il, entendant un coup de sonnette, et il se précipita dans le vestibule où, plus placide que jamais, le notaire accrochait son paletot à une tête de cerf.

– Ah ça, voyons, qu'est-ce qu'il y a ? dit-il, en suivant M. Lambois dans le salon où une table de whist était prête.

– Il y a que j'ai reçu une lettre de Paris, relative à cette fille !

– Ce n'est que cela, fit M^e^ Le Ponsart dont la bouche se plissa, dédaigneuse ; je croyais qu'il s'agissait de faits plus graves.

Cette assurance allégea visiblement M. Lambois.

– Lisons cette lettre avant que ces messieurs n'arrivent, reprit le notaire, en regardant de côté les quatre chaises symétriquement rangées devant la table.

Il chaussa ses lunettes, s'assit près d'un flambeau de jeu et il tenta de déchiffrer un griffonnage écrit avec une encre aquatique, très claire, sur un papier très glacé, qui buvait par places.

Monsieur,

J'ose prendre la liberté d'écrire à votre bon cœur, en vous suppliant de vouloir bien prendre part à ma situation. Depuis que Monsieur Ponsart est venu et a emporté les meubles, Sophie qui n'avait plus un endroit pour reposer sa tête a été recueillie chez moi, comme l'enfant de la maison ; et elle en était digne, Monsieur, par son bon cœur, bien que Monsieur Ponsart ne lui ait pas rendu la justice qu'elle croyait, mais tout le monde ne peut pas être louis d'or et plaire à tout le monde…

– Quel style ! s'exclama le notaire. Mais sautons cet inutile verbiage et arrivons au fait. Ah ! nous y voilà !

Sophie a eu une fausse couche bien malheureuse ; elle était dans l'arrière-boutique où que je prépare mes petites affaires pour que la boutique où l'on entre soit toujours propre, quand elle a été prise de douleurs ; Mme Dauriatte…

– Qui est-ce, Mme Dauriatte ? demanda Monsieur Lambois.

Le notaire fit signe qu'il ignorait jusqu'au nom de cette dame et poursuivit :

Mme Dauriatte n'a pas cru d'abord qu'il y allait avoir une fausse couche ; elle pensait que le coup d'avoir été chassée par Monsieur Ponsart lui avait tourné les sangs et elle est allée chez l'herboriste chercher du sureau pour l'échauder et faire respirer à Sophie la fumée, qui enlèverait l'eau qu'elle devait avoir dans la tête. Mais les douleurs étaient dans le ventre et elle souffrait tant qu'elle criait à étrangler ; alors, j'ai été prise de peur et j'ai couru à la rue des Canettes chez une sage-femme que j'ai ramenée et qui a dit que c'était une fausse couche. Elle a demandé si elle avait tombé ou si elle avait bu de l'absinthe ou de l'armoise ; je lui ai dit que non, mais qu'elle avait eu une grosse peine…

– Au fait ! passons ce fatras, dit M. Lambois impatienté ; nous n'en sortirons pas avant l'arrivée des amis et il est inutile de les mettre au courant de cette sotte affaire.

Me Le Ponsart sauta toute une page et reprit :

Elle est morte, comme cela, et l'enfant ne vaut pas mieux ; alors comme j'avais mis ma croix de cou et mes boucles d'oreilles en gage, j'ai payé la pharmacie et la sage-femme, mais je n'ai plus d'argent et Mme Dauriatte non plus, car elle n'en a jamais.

Aussi, je vous supplie à deux genoux, mon bon Monsieur, de ne pas m'abandonner, je vous prie qu'elle ne soit pas dans la fosse commune comme un pauvre chien. Monsieur Jules qui l'aimait tant pleurerait à la savoir si malheureuse ; je vous prie, envoyez-moi l'argent pour l'enterrer.

En comptant sur votre générosité…

– Bon et *et cœtera*, dit le notaire – et c'est signé : *Veuve Champagne.*

M. Lambois et Me Le Ponsart se regardèrent ; puis, sans dire mot, le notaire haussa les épaules, s'approcha de la cheminée, activa les flammes, plaça la lettre de Mme Champagne au bout des pincettes et, tranquillement, la regarda brûler.

– Classée, comme n'étant susceptible d'aucune suite, dit-il, en se redressant et en remettant les pincettes en place.

– C'est trois sous de timbre qu'elle a bien inutilement dépensés, remarqua M. Lambois que la placidité de son beau-père achevait de rassurer.

– Enfin, reprit Me Le Ponsart, cette mort clôt le débat. Et d'un ton indulgent, il ajouta :

– En bonne conscience, nous ne pouvons plus lui en vouloir à la pauvre fille, malgré tout le tintouin qu'elle nous a donné.

– Non, certes, aucun de nous ne voudrait la mort du pécheur.

Et, après un temps de silence, M. Lambois insinua :

– Cependant il faut avouer que notre bienveillance pour son souvenir est peut-être entachée d'égoïsme, car enfin, si nous n'avons plus rien à craindre de cette fille, qui sait si, au cas où elle eût vécu, elle n'aurait pas de nouveau jeté le grappin sur un fils de famille ou semé la zizanie dans un ménage.

– Oh ! à coup sûr, répondit M[e] Le Ponsart, la mort de cette femme n'est pas bien regrettable ; mais, vous savez, pour le malheur des honnêtes gens, après celle-là, une autre ; une de perdue…

– Dix de retrouvées, ajouta M. Lambois, et il compléta cette oraison funèbre par un hochement attristé de tête.

LA RETRAITE DE MONSIEUR BOUGRAN

NOTICE

Huysmans a rédigé *La Retraite de Monsieur Bougran* en 1888. Publiée longtemps après sa disparition, en 1964, par Maurice Garçon, cette nouvelle porte un titre choisi par celui-ci, et non par l'auteur.

Elle a été commandée par Harry Quilter, un avocat britannique amateur d'art et de littérature. Ayant fondé *The Universal Review*, une publication par laquelle il souhaite toucher un public international, il s'est adressé à des écrivains réputés en leur commandant notamment « une historiette de quelques pages ». De Huysmans, il attend moins un récit de coloration naturaliste qu'une galanterie « parisienne », un texte qui illustrerait sa réputation de critique d'art et d'esthète un tantinet pervers, dans la manière qu'on prête à des Esseintes, le héros décadent d'*À rebours* (1884). Les pages qu'il reçoit n'ayant pas satisfait son attente, il les renvoie à leur auteur avec un commentaire qui ne manque pas d'outrecuidance :

> Cher Monsieur,
>
> Je ne pense pas que vous puissiez désirer que cette nouvelle paraisse dans une revue aussi importante que la nôtre. Elle est si courte et n'a d'intérêt que pour ceux qui sont initiés à la vie bureaucratique de Paris ; elle aurait peu de signification et d'attraction en Angleterre.
>
> Ce qu'il nous faut c'est un petit morceau de votre meilleur travail qui intrigue. Quelque chose qui fasse sensation lorsque je l'insérerai dans la revue. Comme vous dites n'avoir aucune difficulté à placer cette œuvre spéciale dans un autre

journal, je vous demande la permission de vous la renvoyer et de vous dire qu'aussitôt, à votre convenance, vous pourrez m'en adresser une autre, de moitié plus longue environ et offrant un fort intérêt féminin dans la trame de l'histoire, je vous serai extrêmement obligé.

Notre revue, aussi loin que je puisse voir, est destinée à réussir et je suis parfaitement sûr que, plus tard, vous me remercierez de vous avoir demandé de m'écrire une autre nouvelle en échange de celle que je vous renvoie.

En grande hâte.

Bien sincèrement à vous [1].

Rebuté par ce refus, engagé dans plusieurs projets, Huysmans ne cherche pas à publier son récit dans l'une des nombreuses revues auxquelles il collabore et qui l'auraient volontiers accepté. Sans doute juge-t-il qu'après *À vau-l'eau*, il ne renouvelle pas suffisamment sa manière. Il lui paraît surtout délicat de faire paraître en France une évocation cruelle du milieu bureaucratique dans lequel il lui reste encore des années à passer. Il classe le manuscrit dans ses dossiers et l'oublie. Une vingtaine d'années plus tard, en 1907, sentant sa fin proche, il demande à son secrétaire, Jean de Caldain, de trier ses papiers et de détruire ceux qu'il juge inutiles. Parmi eux, quatorze feuillets que le secrétaire déchire en quatre mais dont il prend soin de conserver puis de coller les morceaux. Après diverses péripéties, le texte est parvenu au public, donnant à apprécier l'un des meilleurs récits brefs de Huysmans.

Au moment où il le rédige, il est âgé d'un peu plus de quarante ans. Encore loin de la retraite qu'il prendra dix ans plus tard, en 1898, il a déjà derrière lui une longue carrière de fonctionnaire, puisqu'il est entré au ministère de l'Intérieur et des Cultes en 1866, comme employé (de troisième puis de deuxième classe) et deviendra, en 1884, commis de troisième puis de deuxième classe. Nommé sous-chef de bureau le 1er janvier 1887, il est affecté au troisième bureau du Personnel et Secrétariat, puis au bureau de la Sûreté générale où il est chargé de la police judiciaire et des étrangers. Promu à l'ancienneté, il est parvenu à une position de responsabilité relative dans la hiérarchie, ce qui lui vaut des appointements honorables, 4 500 francs par an. S'il n'occupe

1. Lettre reproduite par M. Garçon dans sa Préface à *La Retraite de Monsieur Bougran*, J.-J. Pauvert, 1964, p. 13-14.

pas l'échelon subalterne de son personnage, M. Bougran, commis aux écritures, voué à la rédaction du courrier administratif, il connaît d'expérience la situation de l'employé soumis au règlement et à ses supérieurs. Comme lui, il subit une routine qu'il maudit d'autant plus qu'elle le tient en laisse en lui assurant la sécurité. Surtout, il exerce comme lui une fonction de rédacteur : « Je persiste à vous écrire de mon bureau entre deux tartines gélatineuses [...]. C'est rien folichon ! Comme c'est drôle, tout de même quand on songe que c'est moi qui manie cette langue sévère de l'Administration. Est-ce que j'ai une tête à ça, voyons ? » (à Théodore Hannon, 22 août 1877) ; « Vlan ! vlà qu'on m'apporte une nuée de travail à mon bureau d'où je vous griffonne ces quelques lignes. En voilà des rédactions intéressantes à faire. Être solennellement imbécile, ça paraît être le *nec plus ultra* du style ! Brrrou ! » (*ibid.*, 23 août 1877).

Sa carrière de fonctionnaire est toujours demeurée sans éclat, même s'il accomplit les tâches qu'on lui confie avec « rapidité », s'il entretient avec ses collègues des rapports « convenables », pour reprendre les termes d'un rapport confidentiel rédigé par l'un de ses supérieurs qui précise, dans la rubrique « Aptitude spéciale » du questionnaire destiné au service central : « Plus particulièrement développée dans les lettres que dans celui des affaires administratives » (juillet 1880). Treize ans plus tard, la proposition du directeur de la Sûreté générale pour le titre de chevalier de la Légion d'honneur met davantage en évidence les nombreuses publications de l'écrivain que son travail proprement administratif : « M. Huysmans est un vieux serviteur qui compte vingt-sept ans de services au ministère de l'Intérieur. Sous-chef du bureau politique de la Direction de la Sûreté générale depuis le 1er janvier 1887, il remplit ces fonctions avec une réelle distinction. » Fait suite à cette appréciation pour le moins modérée, la longue liste des « principales publications » de Huysmans [1].

La haute administration française recrute un personnel peu qualifié dont les meilleurs éléments sont promus après de nombreuses années passées dans l'exercice de tâches ingrates. Elle distingue alors les simples commis aux écritures et les rédacteurs, promus sous-chefs, à qui sont confiées

1. Le dossier administratif de J.-K. Huysmans a été reproduit par D. Grojnowski, *Le Sujet d'« À rebours »*, Septentrion, « Objet », 1996 (« Une vie de fonctionnaire », p. 137-142).

des missions responsables. À la suite d'une véritable révolution, ces deux catégories seront recrutées séparément, dans les dernières années du XIXe siècle. La règle générale, au moment où Huysmans écrit sa nouvelle, est de rester simple « expéditionnaire » à vie, c'est-à-dire astreint à des travaux d'exécution insignifiants et répétitifs (comme c'est le cas pour Monsieur Bougran) ou de bénéficier d'un avancement progressif (comme ce le fut pour Huysmans) : système qui, dans tous les cas, dégrade les intelligences et décourage les initiatives. Du fait de l'intime connaissance de la profession qu'il évoque, l'écrivain Huysmans dresse en quelques pages un tableau informé et savoureux de *La Vie quotidienne dans les ministères au XIXe siècle* [1].

Quel que soit son intérêt documentaire, le récit se donne également à lire comme une *fable*, ce que signale d'emblée le nom du chef de bureau, M. Devin, ou, par la suite, la longue description des « corsets orthopédiques » qu'on inflige aux plantes et aux arbres fruitiers du jardin du Luxembourg, décrits comme « le plus parfait symbole » de l'administration. En raison de sa révolte contre le Règlement de la fonction publique, contre les atteintes de l'âge et le cours irréversible du temps, M. Bougran, désireux de perpétuer jusqu'à son dernier souffle son activité, manifeste une résistance véritablement héroïque. Il manifeste, par son ingéniosité et son entêtement, autant que par l'absurdité de son entreprise, une grandeur (« Bougre »/« Grand ») [2] dont des êtres réputés « ordinaires » peuvent faire preuve dans des circonstances exceptionnelles [3]. Huysmans campe un personnage dont les avatars sont dans son œuvre innombrables, un *type* devenu le héraut des causes perdues d'avance.

---

1. On se reportera à l'ouvrage de G. Thuillier portant ce titre, et tout particulièrement au chapitre III (« Le travail des bureaux ») de la Première partie (« La vie des bureaux ») et au chapitre V (« Les bureaux ») de la Deuxième partie (« La carrière »), Hachette, 1976.

2. Bougran : « Toile forte et gommée, employée dans les doublures des vêtements » (Littré).

3. J.-M. Seillan montre comment s'opposent la platitude du personnage et l'audace de son entreprise qui tente d'annihiler le temps de l'Histoire pour instaurer celui du mythe. Ne pouvant accepter la fin d'un ordre hiérarchique immuable, il se révolte, si bien que le critique est en droit d'estimer qu'il y a « du Prométhée en Monsieur Bougran » (« Monsieur Bougran ou la rébellion involontaire », *Bulletin de la Société Joris-Karl Huysmans*, 1992, n° 85).

Voué aux exercices de rédaction administrative, M. Bougran entretient avec la langue des relations privilégiées de praticien et de connaisseur. Il déplore l'ignorance des jeunes recrues qui utilisent en rustres le « délicat clavier des fins de lettres », perdent « le sens des formules », dédaignent « le jeu habile du compte-gouttes ». Lorsqu'il reconstitue son bureau à son domicile, après avoir été mis contre son gré à la retraite, il y place ses dossiers et les ouvrages qui régissent le bon usage de l'expression, à commencer par le *Dictionnaire d'administration.* Dans la dernière partie du récit (IV), le narrateur s'extasie de nouveau sur les soins qu'exigent les « phraséologies » de la langue administrative. Et c'est en rédigeant le rejet de son propre pourvoi devant le Conseil d'État que M. Bougran est victime d'une attaque. Après avoir consacré son existence à l'écriture, il meurt sur sa table de travail, la plume à la main, face à la feuille de papier sur laquelle il rédige.

Quelques années après la mort de Flaubert (1880), frappé lui aussi d'une congestion cérébrale, alors qu'il poursuit la rédaction de son dernier roman, *Bouvard et Pécuchet*, le dénouement de *La Retraite de Monsieur Bougran* a valeur de référence, bouffonne et macabre. D'autant qu'à la fin de leurs aventures, les deux personnages de Flaubert (portés à la connaissance du public un an après sa disparition) décident de se faire copistes. Ils se confectionnent un bureau à double pupitre, achètent des registres et les ustensiles nécessaires à leur activité [1]. L'assimilation du greffier à l'écrivain, du scribouillard au scribe, qui consacrent les uns et les autres leur existence à la chose écrite, a été bien des fois illustrée, depuis que l'Employé appartient au répertoire des *Physiologies* contemporaines [2]. Une nouvelle de Maurice Barthélemy, « Les deux greffiers », parue dans *La Gazette des tribunaux* (14 avril 1841), raconte comment deux employés de bureau prolongent leur « laborieuse activité » après leur retraite. Plusieurs heures par jour, ils s'enferment dans une pièce pour se placer tour à tour sous la dictée l'un

1. On se rappelle la fin de *Bouvard et Pécuchet* : « Copier comme autrefois./Confection du bureau à double pupitre […]. Achat des registres et d'ustensiles, sandaraques, grattoirs, etc./Ils s'y mettent. »

2. H. de Balzac, *Physiologie de l'employé* (1841) : « un employé doit être un homme qui écrit, assis dans un bureau. Le bureau est la coque de l'employé ». À la fin de sa monographie, Balzac évoque l'employé homme de lettres et l'employé retraité.

de l'autre, afin de « reprendre fictivement cette amicale besogne qui, pendant trente-huit ans, avait fait l'occupation et peut-être aussi, à leur insu, le bonheur de leur vie [1] ». Adepte comme Flaubert du « grotesque triste », Huysmans transpose sur le mode d'une activité vaine de commis aux écritures, les affres de l'écrivain qui, lui aussi, passe son temps à trouver le mot *juste*, la formule qui fait mouche.

Manuscrit

Bibliothèque de l'Arsenal, cote : Fonds Lambert, ms. 15 676.
Sous la cote ms. 83 du même fonds, on trouvera une copie de la nouvelle, dactylographiée par Mme Colin, la secrétaire de Maurice Garçon.

Éditions

La Retraite de Monsieur Bougran, préface de Maurice Garçon, Jean-Jacques Pauvert, 1964.
La Retraite de Monsieur Bougran, in *Un dilemme*, Petite bibliothèque Ombres, Toulouse, 1993.
La Retraite de Monsieur Bougran, présentation par Sylvie Thorel-Cailleteau, in *Romans*, I, Robert Laffont, « Bouquins », 2006.

1. La nouvelle « Les deux greffiers » a paru une deuxième fois dans *L'Audience* (7 février 1858). Elle a été signalée à René Dumesnil par Mme Alphonse Daudet. On en trouvera le texte dans les *Œuvres* de Flaubert, Gallimard, « Bibliothèque de la Pléiade », 1952, t. II, p. 991-996.

LA RETRAITE DE MONSIEUR BOUGRAN

I

M. Bougran regardait accablé les fleurs inexactes du tapis.

– Oui, poursuivit, d'un ton paterne, le chef de bureau M. Devin, oui, mon cher collaborateur, je vous ai très énergiquement défendu, j'ai tâché de faire revenir le bureau du personnel sur sa décision, mes efforts ont échoué ; vous êtes, à partir du mois prochain, mis à la retraite pour infirmités résultant de l'exercice de vos fonctions.

– Mais je n'ai pas d'infirmités, je suis valide !

– Sans doute, mais je n'apprendrai rien à un homme qui possède aussi bien que vous la législation sur cette matière ; la loi du 9 juin 1853 sur les pensions civiles permet, vous le savez… cette interprétation ; le décret du 9 novembre de la même année, qui porte règlement d'administration publique pour l'exécution de ladite loi, dispose dans l'un de ses articles…

– L'article 30, soupira M. Bougran.

– … J'allais le dire… que les employés de l'État pourront être mis à la retraite, avant l'âge, pour cause d'invalidité morale, inappréciable aux hommes de l'art.

M. Bougran n'écoutait plus. D'un œil de bête assommée il scrutait ce cabinet de chef de bureau où il pénétrait d'habitude sur la pointe des pieds, comme dans une chapelle, avec respect. Cette pièce sèche et froide, mais familière, lui semblait devenue soudain maussade et bouffie, hostile, avec son papier d'un vert mat à raies veloutées, ses bibliothèques vitrées peintes en chêne et pleines de bulletins des lois, de « recueils des actes administratifs », conservés dans ces reliures spéciales aux ministères, des reliures en veau jaspé, avec plats en papier couleur bois et tranches jaunes, sa cheminée ornée d'une pendule-borne [1], de deux flambeaux Empire, son canapé de crin, son tapis à roses en formes de choux, sa table en acajou encombrée de paperasses et de livres et sur laquelle posait un macaron hérissé d'amandes pour sonner les gens, ses fauteuils aux ressorts chagrins, son siège de bureau à la canne creusée aux bras, par l'usage, en demi-lune.

Ennuyé de cette scène, M. Devin se leva et se posa, le dos contre la cheminée, dont il éventa, avec les basques de son habit, les cendres.

M. Bougran revint à lui et, d'une voix éteinte, demanda :

– Mon successeur est-il désigné, afin que je puisse le mettre au courant, avant mon départ ?

– Pas que je sache ; je vous serai donc obligé de continuer jusqu'à nouvel ordre votre service.

Et, pour hâter le départ, M. Devin quitta la cheminée, s'avança doucement vers son employé qui recula vers la porte ; là, M. Devin l'assura de ses profonds regrets, de sa parfaite estime.

M. Bougran rentra dans sa pièce et s'affaissa, anéanti, sur une chaise. Puis il eut l'impression d'un homme qu'on étrangle ; il mit son chapeau et sortit pour respirer un peu d'air. Il marchait dans les rues, et, sans même savoir où il était, il finit par échouer sur un banc, dans un square.

Ainsi, c'était vrai ; il était mis à la retraite à cinquante ans ! lui qui s'était dévoué jusqu'à sacrifier ses dimanches, ses jours de fête pour que le travail dont il

1. Pendule-borne : pendule dont le dessus est en forme de borne (celle-ci marque une distance ou la limite d'un territoire).

était chargé ne se ralentît point. Et voilà la reconnaissance qu'on avait de son zèle ! Il eut un moment de colère, rêva d'intenter un recours devant le Conseil d'État, puis, dégrisé, se dit : je perdrai ma cause et cela me coûtera cher. Lentement, posément, il repassa dans sa tête les articles de cette loi ; il scrutait les routes de cette prose, tâtait ses passerelles jetées entre chaque article ; au premier abord ces voies semblaient sans danger, bien éclairées et droites, puis, peu à peu, elles se ramifiaient, aboutissaient à des tournants obscurs, et de noires impasses où l'on se cassait subitement les reins.

Oui, le législateur de 1853 a partout ouvert dans un texte indulgent des chausse-trapes ; il a tout prévu, conclut-il ; le cas de la suppression d'emploi qui est un des plus usités pour se débarrasser des gens ; on supprime l'emploi du titulaire, puis on rétablit l'emploi quelques jours après, sous un autre nom, et le tour est joué. Il y a encore les infirmités physiques contractées dans l'exercice des fonctions et vérifiées par la complaisance pressée des médecins ; il y a, enfin – le mode le plus simple, en somme – la soi-disant invalidité morale, pour laquelle il n'est besoin de recourir à aucun praticien, puisqu'un simple rapport, signé par votre directeur et approuvé par la Direction du Personnel, suffit.

– C'est le système le plus humiliant. Être déclaré gâteux ! c'est un peu fort, gémissait M. Bougran.

Puis il réfléchissait. Le Ministre avait sans doute un favori à placer, car les employés ayant réellement droit à leur retraite se faisaient rares. Depuis des années, l'on avait pratiqué de larges coupes dans les bureaux, renouvelant tout un vieux personnel dont il était l'un des derniers débris. Et M. Bougran hochait la tête.

– De mon temps, disait-il, nous étions consciencieux et remplis de zèle : maintenant tous ces petits jeunes gens, recrutés on ne sait où, n'ont plus la foi. Ils ne creusent aucune affaire, n'étudient à fond aucun texte. Ils ne songent qu'à s'échapper du bureau, bâclent leur travail, n'ont aucun souci de cette langue administrative que les anciens maniaient avec tant d'aisance ; tous écrivent comme s'ils écrivaient leurs propres lettres ! Les chefs mêmes, racolés pour la plupart au-dehors, laissés pour compte par des séries de ministres tombés du pouvoir, n'ont plus cette tenue, tout à la fois amicale et hautaine, qui les distinguait autrefois des gens du commun ; et, oubliant sa propre mésaventure, en une respectueuse vision, il évoqua l'un de ses anciens chefs, M. Desrots des Bois, serré dans sa redingote, la boutonnière couverte, comme par le disque d'arrêt des trains, par un énorme rond rouge, le crâne chauve ceint d'un duvet de poule, aux tempes, descendant droit, sans regarder personne, un portefeuille sous le bras, chez le directeur.

Toutes les têtes s'inclinaient sur son passage. Les employés pouvaient croire que l'importance de cet homme rejaillissait sur eux et ils se découvraient, pour eux-mêmes, plus d'estime.

Dans ce temps-là, tout était à l'avenant, les nuances, maintenant disparues, existaient. Dans les lettres administratives, l'on écrivait en parlant des pétitionnaires : « Monsieur », pour une personne tenant dans la société un rang honorable, « le sieur » pour un homme de moindre marque, « le nommé » pour les artisans et les forçats. Et quelle ingéniosité pour varier le vocabulaire, pour ne pas répéter les mêmes mots ; on désignait tour à tour le pétitionnaire : « le postulant », « le suppliant », « l'impétrant », « le requérant ». Le préfet devenait, à un autre membre de phrase, « ce haut fonctionnaire » ; la personne dont le nom motivait la lettre se changeait en « cet individu », en « le prénommé », en « le susnommé » ; parlant d'elle-même l'administration se qualifiait tantôt de « centrale » et tantôt de « supérieure », usait sans mesure des synonymes, ajoutait, pour annoncer l'envoi d'une pièce, des « ci-joints », des « ci-inclus », des « sous ce pli ». Partout s'épandaient les protocoles ; les salutations de fins de lettres variaient à l'infini, se dosaient à de justes poids, parcouraient une gamme qui exigeait, des pianistes de bureau, un doigté rare. Ici, s'adressant au sommet des hiérarchies, c'était l'assurance « de la haute considération », puis la considération baissait de plusieurs crans, devenait, pour les gens n'ayant pas rang de ministre, « la plus distinguée, la très distinguée, la distinguée, la parfaite », pour aboutir à la considération sans épithète, à celle qui se niait elle-même, car elle représentait simplement le comble du mépris.

Quel employé savait maintenant manipuler ce délicat clavier des fins de lettres, choisir ces révérences très difficiles à tirer souvent, alors qu'il s'agissait de répondre à des gens dont la situation n'avait pas été prévue par les dogmes imparfaitement imposés des protocoles ! Hélas ! les expéditionnaires avaient perdu le sens des formules, ignoraient le jeu habile du compte-gouttes ! – et ! qu'importait au fond – puisque tout se délitait, tout s'effondrait depuis des ans. Le temps des abominations démocratiques était venu et le titre d'Excellence que les ministres échangeaient autrefois entre eux avait disparu. L'on s'écrivait d'un ministère à l'autre, de pair à compagnon, comme des négociants et des bourgeois. Les faveurs mêmes, ces rubans en soie verte ou bleue ou tricolore, qui attachaient les lettres alors qu'elles se composaient de plus de deux feuilles, étaient remplacées par de la ficelle rose, à cinq sous la pelote !

Quelle platitude et quelle déchéance ! Je me sentais bien mal à l'aise dans ces milieux sans dignité authentique et sans tenue, mais… mais… de là, à vouloir les quitter… et, soupirant, M. Bougran revint à sa propre situation, à lui-même.

Mentalement, il supputait la retraite proportionnelle à laquelle il aurait droit : dix-huit cents francs au plus ; avec les petites rentes qu'il tenait de son père, c'était tout juste de quoi vivre. Il est vrai, se dit-il, que ma vieille bonne Eulalie et moi, nous vivons de rien.

Mais, bien plus que la question des ressources personnelles, la question du temps à tuer l'inquiéta. Comment rompre, du jour au lendemain, avec cette habitude d'un bureau vous enfermant dans une pièce toujours la même, pendant d'identiques heures, avec cette coutume d'une conversation échangée, chaque matin, entre collègues. Sans doute, ces entretiens étaient peu variés ; ils roulaient tous sur le plus ou moins d'avancement qu'on pouvait attendre à la fin de l'année, supputaient de probables retraites, escomptaient même de possibles morts, supposaient d'illusoires gratifications, ne déviaient de ces sujets passionnants que pour s'étendre en d'interminables réflexions sur les événements relatés par le journal. Mais ce manque même d'imprévu était en si parfait accord avec la monotonie des visages, la platitude des plaisanteries, l'uniformité même des pièces !

Puis n'y avait-il pas d'intéressantes discussions dans le bureau du Chef ou du Sous-Chef, sur la marche à imprimer à telle affaire ; par quoi remplacer désormais ces joutes juridiques, ces apparents litiges, ces gais accords, ces heureuses noises ; comment se distraire d'un métier qui vous prenait aux moelles, vous possédait, tout entier, à fond ?

Et M. Bougran secouait désespérément la tête, se disant : je suis seul, célibataire, sans parents, sans amis, sans camarades ; je n'ai aucune aptitude pour entreprendre des besognes autres que celles qui, pendant vingt ans, me tinrent. Je suis trop vieux pour recommencer une nouvelle vie. Cette constatation le terrifia.

– Voyons, reprit-il, en se levant, il faut pourtant que je retourne à mon bureau ! – ses jambes vacillaient. Je ne me sens pas bien, si j'allais me coucher. Il se força à marcher, résolu à mourir, s'il le fallait, sur la brèche. Il rejoignit le Ministère et rentra dans sa pièce.

Là, il faillit s'évanouir et pour tout de bon. Il regardait, ahuri, les larmes aux yeux, cette coque qui l'avait, pendant tant d'années, couvert ; – quand, doucement, ses Collègues, à la queue leu leu, entrèrent.

Ils avaient guetté la rentrée et les condoléances variaient avec les têtes. Le commis d'ordre, un grand sécot, à tête de marabout, peluchée de quelques poils incolores sur l'occiput, lui secoua vivement les mains, sans dire mot ; il se comportait envers lui comme envers la famille d'un défunt, à la sortie de l'église, devant le corps, après l'absoute. Les expéditionnaires hochaient la tête, témoignaient de leur douleur officielle, en s'inclinant.

Les rédacteurs, ses Collègues, plus intimes avec lui, esquissèrent quelques propos de réconfort.

– Voyons, il faut se faire une raison – et puis, mon cher, songez qu'en somme, vous n'avez ni femme, ni enfants, que vous pourriez être mis à la retraite dans des conditions infiniment plus dures, en ayant, comme moi, par exemple, une fille à marier. Estimez-vous donc aussi heureux qu'on peut être en pareil cas.

– Il convient aussi d'envisager dans toute affaire le côté agréable qu'elle peut présenter, fit un autre. Vous allez être libre de vous promener, vous pourrez manger au soleil vos petites rentes.

– Et aller vivre à la campagne où vous serez comme un coq en pâte, ajouta un troisième.

M. Bougran fit doucement observer qu'il était originaire de Paris, qu'il ne connaissait personne en province, qu'il ne se sentait pas le courage de s'exiler, sous prétexte d'économies à réaliser, dans un trou ; tous n'en persistèrent pas moins à lui démontrer qu'en fin de compte, il n'était pas bien à plaindre.

Et comme aucun d'eux n'était menacé par son âge d'un semblable sort, ils exhibaient une résignation de bon aloi, s'indignaient presque de la tristesse de M. Bougran.

L'exemple de la réelle sympathie et du véridique regret, ce fut Baptiste, le garçon de bureau, qui le servit ; l'air onctueux et consterné, il s'offrit à porter lui-même chez M. Bougran les petites affaires, telles que vieux paletot, plumes, crayons, etc., que celui-ci possédait à son bureau, laissa entendre que ce serait ainsi la dernière occasion que M. Bougran aurait de lui donner un bon pourboire.

– Allons, messieurs, fit le chef qui entra dans la pièce. Le directeur demande le portefeuille pour cinq heures.

Tous se dispersèrent ; et, hennissant comme un vieux cheval, M. Bougran se mit au travail, ne connaissant plus que la consigne, se dépêchant à rattraper le temps qu'il avait, dans ses douloureuses rêveries sur un banc, perdu.

II

Les premiers jours furent lamentables. Réveillé, à la même heure que jadis, il se disait « à quoi bon se lever », traînait contrairement à ses habitudes dans son lit, prenait froid, bâillait, finissait par s'habiller. Mais à quoi s'occuper, Seigneur ! Après de mûres délibérations, il se décidait à aller se promener, à errer dans le jardin du Luxembourg qui n'était pas éloigné de la rue de Vaugirard où il habitait.

Mais ces pelouses soigneusement peignées, sans tache de terre ni d'eau, comme repeintes et vernies, chaque matin, dès l'aube ; ces fleurs remontées comme à neuf sur les fils de fer de leurs tiges ; ces arbres gros comme des cannes, toute cette fausse campagne, plantée de statues imbéciles, ne l'égayait guère. Il allait se réfugier, au fond du jardin, dans l'ancienne pépinière sur laquelle maintenant tombaient les solennelles ombres des constructions de l'École de pharmacie et du lycée Louis-le-Grand. La verdure n'y était ni moins apprêtée, ni moins étique. Les gazons y étalaient leurs cheveux coupés ras et verts, les petits arbres y balançaient les plumeaux ennuyés de leurs têtes [1], mais la torture infligée, dans certaines plates-bandes, aux arbres fruitiers l'arrêtait. Ces arbres n'avaient plus forme d'arbres. On les écartelait le long de tringles, on les faisait ramper le long de fils de fer sur le sol ; on leur déviait les membres dès leur naissance et l'on obtenait ainsi des végétations acrobates et des troncs désarticulés, comme en caoutchouc. Ils couraient, serpentaient ainsi que des couleuvres, s'évasaient en forme de corbeilles, simulaient des ruches

1. Voir variante *a*, ci-après, p. 227.

d'abeilles, des pyramides, des éventails, des vases à fleurs, des toupets de clown. C'était une vraie cave des tortures végétales que ce jardin où, à l'aide de chevalets, de brodequins d'osier ou de fonte, d'appareils en paille, de corsets orthopédiques, des jardiniers herniaires tentaient, non de redresser des tailles déviées comme chez les bandagistes de la race humaine, mais au contraire de les contourner et de les disloquer et de les tordre, suivant un probable idéal japonais de monstres !

Mais quand il avait bien admiré cette façon d'assassiner les arbres, sous le prétexte de leur extirper de meilleurs fruits, il traînait, désœuvré, sans même s'être aperçu que cette chirurgie potagère présentait le plus parfait symbole avec l'administration telle qu'il l'avait pratiquée pendant des ans. Dans les bureaux, comme dans le jardin du Luxembourg, l'on s'ingéniait à démantibuler des choses simples ; l'on prenait un texte de droit administratif dont le sens était limpide, net, et aussitôt, à l'aide de circulaires troubles, à l'aide de précédents sans analogie, et de jurisprudences remontant au temps des Messidors et des Ventôses, l'on faisait de ce texte un embrouillamini, une littérature de Magot, aux phrases grimaçantes, rendant les arrêts les plus opposés à ceux que l'on pouvait prévoir.

Puis, il remontait, allait sur la terrasse du Luxembourg où les arbres semblent moins jeunes, moins fraîchement époussetés, plus vrais. Et il passait entre les chaises, regardant les gamins faire des pâtés avec du sable et de petits seaux, tandis que leurs mères causaient, coude à coude, échangeant d'actives réflexions sur la façon d'apprêter le veau et d'accommoder, pour le déjeuner du matin, les restes.

Et il rentrait, harassé, chez lui, remontait, bâillait, se faisait rabrouer par sa servante Eulalie, qui se plaignait qu'il devînt « bassin [1] », qu'il se crût le droit de venir « trôler [2] » dans sa cuisine.

---

1. Bassin : qui agace son entourage par des propos oiseux (cf. « bassiner quelqu'un »).

2. Trôler : rôder, traîner, se promener çà et là.

Bientôt l'insomnie s'en mêla ; arraché à ses habitudes, transporté dans une atmosphère d'oisiveté lourde, le corps fonctionnait mal ; l'appétit était perdu ; les nuits jadis si bonnes sous les couvertures s'agitèrent et s'assombrirent, alors que, dans le silence noir, tombaient, au loin, les heures.

Il s'avisa de lire, dans la journée, quand il plut, et alors, fatigué de ses insomnies, il s'endormit ; et la nuit qui suivait ces somnolences devenait plus longue, plus éveillée, encore. Il dut, quand le temps se gâta, se promener quand même, pour se lasser les membres, et il échoua dans les musées, – mais aucun tableau ne l'intéressait ; il ne connaissait aucune toile, aucun maître, ambulait lentement, les mains derrière le dos, devant les cadres, s'occupant des gardiens, assoupis sur les banquettes, supputant la retraite qu'eux aussi, en leur qualité d'employés de l'État, ils auraient un jour.

Il se promena, las de couleurs et de statues blanches, dans les passages de Paris, mais il en fut rapidement chassé ; on l'observait ; les mots de mouchard, de roussin, de vieux poirot, s'entendirent. Honteux il fuyait sous l'averse et retournait se cantonner dans son chez lui.

Et plus poignant que jamais, le souvenir de son bureau l'obséda. Vu de loin, le Ministère lui apparaissait tel qu'un lieu de délices. Il ne se rappelait plus les iniquités subies, son sous-chèfat dérobé par un inconnu entré à la suite d'un Ministre, l'ennui d'un travail mécanique, forcé ; tout l'envers de cette existence de cul-de-jatte s'était évanoui ; la vision demeurait, seule, d'une vie bien assise, douillette, tiède, égayée par des propos de Collègues, par de pauvres plaisanteries, par de minables farces.

Décidément, il faut aviser, se dit mélancoliquement M. Bougran. Il songea, pendant quelques heures, à chercher une nouvelle place qui l'occuperait et lui ferait même gagner un peu d'argent ; mais, même en admettant qu'on consentît à prendre dans un magasin un homme de son âge, alors il devrait trimer, du matin au soir et il n'aurait que des appointements ridicules puisqu'il était incapable de rendre de sérieux services, dans un métier dont il ignorait les secrets et les ressources.

Et puis ce serait déchoir ! – Comme beaucoup d'employés du gouvernement, M. Bougran se croyait, en effet, d'une caste supérieure et méprisait les employés des commerces et des banques. Il admettait même des hiérarchies parmi ses congénères, jugeait l'employé d'un Ministère supérieur à l'employé d'une Préfecture, de même que celui-ci était, à ses yeux, d'un rang plus élevé que le commis employé dans une Mairie.

Alors, que devenir ? que faire ? et cette éternelle interrogation restait sans réponse.

De guerre lasse, il retourna à son bureau, sous le prétexte de revoir ses collègues, mais il fut reçu par eux comme sont reçus les gens qui ne font plus partie d'un groupe – froidement. L'on s'inquiéta d'une façon indifférente de sa santé ; d'aucuns feignirent de l'envier, vantèrent la liberté dont il jouissait, les promenades qu'il devait aimer à faire.

M. Bougran souriait, le cœur gros. Un dernier coup lui fut inconsciemment porté. Il eut la faiblesse de se laisser entraîner dans son ancienne pièce ; il vit l'employé qui le remplaçait, un tout jeune homme ! Une colère le prit contre ce successeur parce qu'il avait changé l'aspect de cette pièce qu'il aimait, déplacé le bureau, poussé les chaises dans un autre coin, mis les cartons dans d'autres cases ; l'encrier était à gauche maintenant et le plumier à droite !

Il s'en fut navré. – En route, soudain, une idée germa qui grandit en lui. – Ah ! fit-il, je suis sauvé peut-être, et sa joie fut telle qu'il mangea, en rentrant, de bon appétit, ce soir-là, dormit comme une taupe, se réveilla, guilleret, dès l'aube.

III

Ce projet qui l'avait ragaillardi était facile à réaliser. D'abord M. Bougran courut chez les marchands de papiers de tentures, acquit quelques rouleaux d'un infâme papier couleur de chicorée au lait qu'il fit apposer sur les murs de la plus petite de ses pièces ; puis, il acheta un bureau en sapin peint en noir, surmonté de casiers, une petite table sur laquelle il posa une cuvette ébréchée et un savon à la guimauve dans un vieux verre, un fauteuil canné, en hémicycle, deux chaises. Il fit mettre contre les murailles des casiers de bois blanc qu'il remplit de cartons verts à poignées de cuivre, piqua avec une épingle un calendrier le long de la cheminée dont il fit enlever la glace et sur la tablette de laquelle il entassa des boîtes à fiches, jeta un paillasson, une corbeille sous son bureau et, se reculant un peu, s'écria ravi : « M'y voilà, j'y suis ! »

Sur son bureau, il rangea, dans un ordre méthodique, toute la série de ses porte-plume et de ses crayons, porte-plume en forme de massue, en liège, porte-plume à cuirasses de cuivre emmanchés dans un bâton de palissandre, sentant bon quand on le mâche, crayons noirs, bleus, rouges, pour les annotations et les renvois. Puis il disposa, comme jadis, un encrier en porcelaine, cerclé d'éponges, à la droite de son sous-main, une sébille remplie de sciure de bois à sa gauche ; en face, une grimace contenant sous son couvercle de velours vert, hérissé d'épingles, des pains à cacheter et de la ficelle rose. Des dossiers de papier jaunâtre un peu partout ; au-dessus des casiers, les livres nécessaires : le *Dictionnaire d'administration* de Bloch, le *Code* et les *Lois usuelles*, le Béquet, le Blanche ; il se trouvait, sans avoir bougé de place, revenu devant son ancien bureau, dans son ancienne pièce.

Il s'assit, radieux, et dès lors revécut les jours d'antan. Il sortait, le matin, comme jadis, et d'un pas actif, ainsi qu'un homme qui veut arriver à l'heure, il filait le long du boulevard Saint-Germain, s'arrêtait à moitié chemin de son ancien bureau, revenait sur ses pas, rentrait chez lui, tirant dans l'escalier sa montre pour vérifier l'heure, et il enlevait la rondelle de carton qui couvrait son encrier, retirait ses manchettes, y substituait des manchettes en gros papier bulle, le papier qui sert à couvrir les dossiers, changeait son habit propre contre la vieille redingote qu'il portait au Ministère, et au travail !

Il s'inventait des questions à traiter, s'adressait des pétitions, répondait, faisait ce qu'on appelle « l'enregistrement », en écrivant sur un gros livre la date des arrivées et des départs. Et, la séance de bureau close, il flânait comme autrefois une heure dans les rues avant que de rentrer pour dîner.

Il eut la chance, les premiers temps, de s'inventer une question analogue à celles qu'il aimait à traiter jadis, mais plus embrouillée, plus chimérique, plus follement niaise. Il peina durement, chercha dans les arrêts du Conseil d'État et de la Cour de cassation ces arrêts qu'on y trouve, au choix, pour défendre ou soutenir telle ou telle cause. Heureux de patauger dans les chinoiseries juridiques, de tenter d'assortir à sa thèse les ridicules jurisprudences qu'on manie dans tous les sens, il suait sur son papier, recommençant plusieurs fois ses minutes ou ses brouillons, les corrigeant dans la marge laissée blanche sur le papier, comme le faisait son Chef, jadis, n'arrivant pas, malgré tout, à se satisfaire, mâchant son porte-plume, se tapant sur le front, étouffant, ouvrant la croisée pour humer de l'air.

Il vécut, pendant un mois, de la sorte ; puis un malaise d'âme le prit. Il travaillait jusqu'à cinq heures, mais il se sentait harassé, mécontent de lui-même, distrait de pensées, incapable de s'abstraire, de ne plus songer qu'à ses dossiers. Au fond, il *sentait maintenant* la comédie qu'il se jouait ; il avait bien restitué le milieu de l'ancien bureau, la pièce même. Il la laissait, au besoin, fermée pour qu'elle exhalât cette odeur de poussière et d'encre sèche qui émane des chambres des Ministères, – mais le bruit, la conversation, les allées et venues de ses collègues manquaient. Pas une âme à qui parler. Ce bureau solitaire n'était pas, en somme, un vrai bureau. Il avait beau avoir repris toutes ses habitudes, ce n'était plus cela. – Ah ! il aurait donné beaucoup pour pouvoir sonner et voir le garçon de bureau entrer et faire, pendant quelques minutes, la causette.

Et puis… et puis… d'autres trous se creusaient dans le sol factice de cette vie molle ; le matin, alors qu'il dépouillait le courrier qu'il s'envoyait la veille, il savait ce que contenaient les enveloppes ; il reconnaissait son écriture, le format de l'enveloppe dans laquelle il avait enfermé telle ou telle affaire, et cela lui enlevait toute illusion ! Il eût au moins fallu qu'une autre personne fît les suscriptions [1] et usât d'enveloppes qu'il ne connaîtrait point !

Le découragement le prit ; il s'ennuya tellement qu'il se donna un congé de quelques jours et erra par les rues.

– Monsieur a mauvaise mine, disait Eulalie en regardant son maître. Et, les mains dans les poches de son tablier, elle ajoutait : je comprends vraiment pas qu'on se donne tant de mal à travailler, quand ça ne rapporte aucun argent !

Il soupirait et, quand elle sortait, se contemplait dans la glace. C'était pourtant vrai qu'il avait mauvaise mine et comme il était vieilli ! Ses yeux d'un bleu étonné, dolent, ses yeux toujours écarquillés, grands ouverts, se ridaient et les pinceaux de ses sourcils devenaient blancs. Son crâne se dénudait, ses favoris étaient tout gris, sa bouche même soigneusement rasée rentrait sous le menton en vedette ; enfin son petit corps boulot dégonflait, les épaules arquaient, ses vêtements semblaient élargis et plus vieux. Il se voyait ruiné, caduc, écrasé par cet âge de cinquante ans qu'il supportait si allégrement, tant qu'il travaillait dans un vrai bureau.

---

1. Suscriptions : adresses écrites sur le pli extérieur d'une lettre.

– Monsieur devrait se purger, reprenait Eulalie quand elle le voyait. Monsieur s'ennuie, pourquoi donc qu'il irait pas à la pêche ; il nous rapporterait une friture de Seine, ça le distrairait.

M. Bougran secouait doucement la tête, et sortait.

Un jour que le hasard d'une promenade l'avait conduit, sans même qu'il s'en fût aperçu, au Jardin des Plantes, son regard fut tout à coup attiré par un mouvement de bras passant près de sa face. Il s'arrêta, se récupéra, vit l'un de ses anciens garçons de bureau qui le saluait.

Il eut un éclair ; presqu'un cri de joie.

– Huriot, dit-il. L'autre se retourna, enleva sa casquette, mit une pipe qu'il tenait à la main au port d'armes.

– Eh bien, mon ami, voyons, que devenez-vous ?

– Mais rien, monsieur Bougran, je bricole, par-ci, par-là, pour gagner quelques sous en plus de ma retraite ; mais, sauf votre respect, je foutimasse [1], car je suis bien plus bon à grand-chose, depuis que mes jambes, elles ne vont plus !

– Écoutez, Huriot, avez-vous encore une de vos tenues de garçon de bureau du Ministère ?

– Mais, monsieur, oui, j'en ai une vieille que j'use chez moi pour épargner mes vêtements quand je sors.

– Ah !

M. Bougran était plongé dans une méditation délicieuse. Le prendre à son service, en habit de bureau, chez lui. Tous les quarts d'heure, il entrerait comme autrefois dans sa pièce en apportant des papiers. Et puis, il pourrait faire le départ, écrire l'adresse sur les enveloppes. Ce serait peut-être le bureau enfin !

– Mon garçon, voici, écoutez-moi bien, reprit M. Bougran. Je vous donne cinquante francs par mois pour venir chez moi, absolument, vous entendez, absolument comme au bureau. Vous aurez en moins les escaliers à monter et à descendre ; mais vous allez

1. Foutimasse : au XVIe siècle, ce verbe signifiait « couvrir de menus ornements ». Ici : s'occuper de petits riens.

raser votre barbe et porter comme jadis des favoris et remettre votre costume. Cela vous va-t-il ?

– Si ça me va ! – et, en hésitant, il cligna de l'œil ; vous allez donc monter un établissement, quelque chose comme une banque, M. Bougran ?

– Non, c'est autre chose que je vous expliquerai quand le moment sera venu ; en attendant voici mon adresse. Arrangez-vous comme vous pourrez, mais venez chez moi, demain, commencer votre travail.

Et il le quitta et galopa, tout rajeuni, jusque chez lui.

– Bien, voilà comme Monsieur devrait être, tous les jours, dit Eulalie qui l'observait et se demandait quel événement avait pu surgir dans cette vie plate.

Il avait besoin de se débonder, d'exhaler sa joie, de parler. Il raconta à la bonne sa rencontre, puis il demeura inquiet et coi devant le regard sévère de cette femme.

– Alors qu'il viendrait, ce monsieur, pour rien faire, comme ça manger votre argent ! dit-elle, d'un ton sec.

– Mais non, mais non, Eulalie, il aura sa tâche, et puis c'est un brave homme, un vieux serviteur bien au courant de son service.

– La belle avance ! tiens pour cinquante francs il serait là à se tourner les pouces, alors que moi qui fais le ménage, qui fais la cuisine, moi qui vous soigne, je ne touche que quarante francs par mois. – C'est trop fort, à la fin des fins ! – non, monsieur Bougran, ça ne peut pas s'arranger comme cela ; prenez ce vieux bureau d'homme et faites-vous frotter vos rhumatismes avec de la flanelle et de ce baume qui pue la peinture, moi, je m'en vais ; c'est pas à mon âge qu'on supporte des traitements pareils !

M. Bougran la regardait atterré.

– Voyons, ma bonne Eulalie, il ne faut pas vous fâcher ainsi, voyons, je vais si vous le voulez augmenter un petit peu vos gages…

– Mes gages ! oh ce n'est pas pour ces cinquante francs que vous m'offrez maintenant par mois, que je me déciderais à rester ; c'est à cause de la manière dont vous agissez avec moi que je veux partir !

M. Bougran se fit la réflexion qu'il ne lui avait pas du tout offert des gages de cinquante francs, son intention étant simplement de l'augmenter de cinq francs par mois ; mais devant la figure irritée de la vieille qui déclarait que, malgré tout, elle allait partir, il courba la tête et fit des excuses, essayant de l'amadouer par des gracieusetés et d'obtenir d'elle qu'elle ne fît pas, comme elle l'en menaçait, ses malles.

– Et où que vous le mettrez, pas dans ma cuisine toujours ? demanda Eulalie qui, ayant acquis ce qu'elle voulait, consentit à se détendre.

– Non, dans l'antichambre ; vous n'aurez ni à vous en occuper, ni à le voir ; vous voyez bien, ma fille, qu'il n'y avait pas de quoi vous emporter comme vous l'avez fait !

– Je m'emporte comme je veux et je ne l'envoie pas dire, cria-t-elle, remontant sur ses ergots, décidée à rester, mais à mater ces semblants de reproches.

Harassé, M. Bougran n'osa plus la regarder quand elle sortit, d'un air insolent et fier, de la pièce.

IV

– Le courrier n'est pas bien fort, ce matin !

– Non, Huriot, nous nous relâchons ; j'ai eu une grosse affaire à traiter, hier, et comme je suis seul, j'ai dû délaisser les questions moins importantes et le service en souffre !

– Nous mollissons, comme disait ce pauvre M. de Pinaudel. Monsieur l'a connu ?

– Oui, mon garçon. Ah ! c'était un homme bien capable. Il n'avait pas son pareil pour rédiger une lettre délicate. Encore un honnête serviteur, qu'on a mis, comme moi, à la retraite, avant l'âge !

– Aussi, faut voir leur administration maintenant, des petits jeunes gens qui songent à leur plaisir, qui n'ont que la tête à ça. Ah ! monsieur Bougran, les bureaux baissent !

M. Bougran eut un soupir. Puis, d'un signe, il congédia le garçon et se remit au travail.

Ah ! cette langue administrative qu'il fallait soigner ! Ces « exciper de », ces « En réponse à la lettre que vous avez bien voulu m'adresser, j'ai l'honneur de vous faire connaître que », ces « Conformément à l'avis exprimé dans votre dépêche relative à... ». Ces phraséologies coutumières : « l'esprit sinon le texte de la loi », « sans méconnaître l'importance des considérations que vous invoquez à l'appui de cette thèse... ». Enfin ces formules destinées au Ministère de la Justice où l'on parlait de « l'avis émané de sa Chancellerie », toutes ces phrases évasives et atténuées, les « j'inclinerais à croire », les « il ne vous échappera pas », les « j'attacherais du prix à », tout ce vocabulaire de tournures remontant au temps de Colbert, donnait un terrible tintouin à M. Bougran.

La tête entre ses poings, il relisait les premières phrases dont il achevait le brouillon. Il était actuellement occupé aux exercices de haute école, plongé dans le pourvoi [1] au Conseil d'État.

Et il ânonnait l'inévitable formule du commencement :

> Monsieur le Président,
> La Section du Contentieux m'a transmis, à fins d'avis, un recours formé devant le Conseil d'État par M. un tel, à l'effet de faire annuler pour excès de pouvoirs ma décision en date du...

Et la seconde phrase :

> Avant d'aborder la discussion des arguments que le pétitionnaire fait valoir à l'appui de sa cause, je rappellerai sommairement les faits qui motivent le présent recours.

---

1. Pourvoi : demande qu'on porte au Conseil d'État ou à la Cour de cassation pour faire annuler une décision non conforme au droit.

C'est ici que cela devenait difficile. – Il faudrait envelopper cela, ne pas trop s'avancer, murmurait M. Bougran. La réclamation de M. un tel est en droit fondée. Il s'agit de sortir habilement de ce litige, de ruser, de négliger certains points. En somme, j'ai, aux termes de la loi, quarante jours pour répondre, je vais y songer, cuire cela dans ma tête, ne pas défendre le Ministère à l'aveuglette…

– Voici encore du courrier qui arrive, dit Huriot en apportant deux lettres.

– Encore ! – ah la journée est dure ! comment, il est déjà quatre heures. – C'est étonnant tout de même, se dit-il, en humant une prise d'air quand le garçon fut sorti, comme ce Huriot pue et l'ail et le vin ! – Tout comme au bureau, ajouta-t-il, satisfait. Et de la poussière partout, jamais il ne balaye – toujours comme au bureau. – Est-ce assez nature !

Ce qui était bien nature aussi, mais dont il ne s'apercevait guère, c'était l'antagonisme croissant d'Eulalie et d'Huriot. Encore qu'elle eût obtenu ses cinquante francs par mois, la bonne ne pouvait s'habituer à ce pochard qui était cependant serviable et doux et dormait, dans l'antichambre, sur une chaise, en attendant que l'employé le sonnât.

– Feignant, disait-elle, en remuant ses casseroles et ses cuivres ; quand on pense que ce vieux bureau [1] ronfle toute la journée, sans rien faire !

Et pour témoigner son mécontentement à son maître, elle rata volontairement des sauces, n'ouvrit plus la bouche, ferma violemment les portes.

Timide, M. Bougran baissait le nez, se fermait les oreilles pour ne pas entendre les abominables engueulades qui s'échangeaient entre ses deux domestiques, sur le seuil de la cuisine ; des bribes lui parvenaient cependant où, unis dans une opinion commune, Eulalie et Huriot le traitaient ensemble : de fou, de braque, de vieille bête.

---

1. Bureau : employé de bureau.

Il en conçut une tristesse qui influa sur son travail. Il ne pouvait plus maintenant s'asseoir en lui-même. Alors qu'il lui eût fallu, pour rédiger ce pourvoi, réunir toute l'attention dont il était capable, il éprouvait une évagation [1] d'esprit absolue ; ses pensées se reportaient à ces scènes de ménage, à l'humeur massacrante d'Eulalie, et comme il tentait de la désarmer par l'implorante douceur de son regard moutonnier, elle se rebiffait davantage, sûre de le vaincre en frappant fort. Et lui, désespéré, restait, seul, chez lui, le soir, mâchant un exécrable dîner, n'osant se plaindre.

Ces tracas accélérèrent les infirmités de la vieillesse qui pesait maintenant sur lui ; il avait le sang à la tête, étouffait après ses repas, dormait avec des sursauts atroces.

Il eut bientôt du mal à descendre les escaliers et à sortir pour *aller à son bureau* ; mais il se roidissait, partait quand même le matin, marchait une demi-heure avant que de rentrer chez lui.

Sa pauvre tête vacillait ; quand même, il s'usait sur ce pourvoi commencé et dont il ne parvenait plus à se dépêtrer. Tenacement, alors qu'il se sentait l'esprit plus libre, il piochait encore cette question fictive qu'il s'était posée.

Il la résolut enfin, mais il eut une contention [2] de cerveau telle que son crâne chavira, dans une secousse. Il poussa un cri. Ni Huriot, ni la bonne ne se dérangèrent. Vers le soir, ils le trouvèrent tombé sur la table, la bouche bredouillante, les yeux vides. Ils amenèrent un médecin qui constata l'apoplexie et déclara que le malade était perdu.

M. Bougran mourut dans la nuit, pendant que le garçon et que la bonne s'insultaient et cherchaient réciproquement à s'éloigner pour fouiller les meubles.

---

1. Évagation : disposition qui empêche l'esprit de se fixer (cf. « divagation »).

2. Contention : forte tension nerveuse.

Sur le bureau, dans la pièce maintenant déserte, s'étalait la feuille de papier sur laquelle M. Bougran avait, en hâte, se sentant mourir, griffonné les dernières lignes de son pourvoi :

Pour ces motifs, je ne puis, Monsieur le Président, qu'émettre un avis défavorable sur la suite à donner au recours formé par M. un tel.

VARIANTE DE *LA RETRAITE DE MONSIEUR BOUGRAN*

a. Passage biffé sur le manuscrit de la Bibliothèque de l'Arsenal (fonds Lambert, ms. 15 676) : « le seul intérêt que pouvait présenter cette culture maladive d'arbres, c'était la férocité des traitements et l'inutilité des cures ; la science retrouvée des tortures y sévissait, dans certaines plates-bandes, l'on y martyrisait les poiriers de préférence ».

ANNEXES

Dans sa présentation de *Sac au dos*, Sylvie Thorel-Cailleteau reproduit deux pièces, « Le chant du départ » et « La léproserie », rédigées par Huysmans avant qu'il mette en œuvre sa nouvelle [1]. On en retrouve de nombreux éléments dans « Châlons », qui devait figurer parmi les poèmes en prose de *Croquis parisiens* mais qui en fut finalement écarté. Nous reproduisons ces trois pièces en ajoutant des développements – en italique et entre crochets – que Huysmans a barrés d'un trait sur le manuscrit.

I. *Sac au dos* : TEXTES PRÉPARATOIRES

LE CHANT DU DÉPART

À M. Henri Nicard [2].

Quelques jours après la déclaration de la guerre à la Prusse, la mobile reçut l'ordre de partir pour le camp de Châlons. Rendez-vous fut pris pour sept heures du soir, à la caserne de Lourcine. On fit l'appel, on battit le tambour, la

1. J.-K. Huysmans, *Romans*, I, Robert Laffont, « Bouquins », p. 224-229.

2. Nous n'avons pu identifier ce nom. Il peut s'agir d'un garde mobile que l'auteur a rencontré à la caserne.

colonne s'ébranla et s'engouffra pêle-mêle sous le porche de la caserne. À peine avions-nous franchi la porte qu'une immense clameur nous accueillit : Vive les mobiles, à bas Bismarck, à Berlin ! à Berlin ! et une bande d'ouvriers et de voyous se rua dans nos rangs et s'y mêla, hurlant à tue-tête *La Marseillaise* ; soldats, femmes, enfants, parents curieux, tout cela grouillait et piaillait. On traversa tout Paris à la débandade, chantant, courant, se bousculant les uns les autres. Le désordre était au comble quand on atteignit la gare d'Aubervilliers. On sonna le clairon, on essaya de rallier les compagnies, on parqua dans la cour aux marchandises les quatre ou cinq cents hommes présents et l'on attendit que le chef de gare donnât le signal du départ. Des groupes s'étaient formés dans la cour. La plupart de ceux qui les composaient étaient ivres. D'autres même, gavés de charcuterie, bondés d'alcool, s'étaient étendus à terre, et là, inertes, immobiles, ils se vautraient dans la boue comme des porcs dans une étable. Ici, on discutait les chances de la guerre, on chantait *Le Rhin allemand*, *Le Chant du départ*, là on s'embrassait, on pleurait, on riait, on trinquait, on séchait des rouges bords. Les officiers ahuris cherchaient leurs hommes, on les hélait, de-ci, de-là, on les tutoyait, on courait, on tombait, on se relevait, on s'empiffrait de rondelles de cervelas, on lapait du vin bleu, on se fessait bellement les tripes, et quelques-uns commençaient déjà à échanger des coups de poing, quand le clairon sonna, le colonel parut et toutes les trognes se levèrent immédiatement sur lui. En avant ! marche ! les uns traînant les autres, on se précipita dans les wagons, on s'écrasa [*se cognant*] avec les sacs et les bidons. J'avais heureusement pu gagner un coin et je m'installai tant bien que mal. Les trente-cinq ou quarante mobiles qui peuplaient le wagon s'étaient presque tous chauffé l'armet à blanc ; ils appartenaient tous à l'intéressante classe du prolétaire. Ils en étaient au reste la fine fleur et l'aristocratie. Tous en portaient les armoiries peintes sur la face. Ils écartelaient de gueule sur champ de sable et ce n'était pas avec du vermillon et du noir d'ivoire qu'ils s'étaient blasonné le mufle, mais bien avec le pur sang du campêche et le hâle de la poussière.

Trois surtout détachaient de l'ombre des profils étonnants. Ces fantoches remuaient doucement la tête et roulaient des yeux blancs. Ils se parlaient à eux-mêmes, se souriaient mignardement et entrecoupaient chaque mot d'un hoquet plaintif. L'un d'eux, dont l'estomac avait sans doute une capacité moindre que celle de ses amis, écorcha le renard d'une abominable façon, tandis que les deux autres ricanaient niaisement et se disaient des mots tendres. Ils en étaient arrivés au degré où l'on se verse mutuellement des confidences, ils se racontaient leurs amours, ouvraient des mâchoires démesurées, s'ébouriffaient les cheveux, clignaient des paupières, et tout à coup, tombant l'un sur l'autre, ils se mirent à pleurer de grosses larmes tandis que le fuséen ronflait comme un volant de machine. J'essayai de dormir, mais j'étais si mal assis, ce wagon de troisième était si dur, que je n'y pouvais parvenir. Enfin, je commençais à perdre la conscience de moi-même quand un grand drôle, un enragé biberon, brama, de sa plus fausse voix, le chant de la canaille. Il était debout, l'œil papillotant, la bouche limoneuse, chancelant à chaque saut du wagon, étendant le bras droit, se frappant la poitrine de la main gauche et répétant avec conviction le refrain de la chanson : c'est la canaille ! eh bien j'en suis ! ! Dix soldats reprirent le refrain, à pleins poumons, et… s'amusèrent à faire sauter par-dessus les petites cloisons en planche qui séparaient le wagon, en tranches égales. Je n'avais qu'un parti à prendre, allumer une pipe et attendre le jour. J'ouvris un carreau, nous étions arrêtés, un train passait lentement devant nous, rempli de soldats de la ligne et de l'artillerie, l'on entrevoyait par moments, à la lueur des lanternes, les canons qui allongeaient leurs grands cous de bronze et les chevaux qui hennissaient et piaffaient. Nous restâmes ainsi affalés, en rase campagne, à trois heures du matin, pendant quatre heures environ ; enfin la machine souffla, le train se remit en marche, et trois heures après nous arrivions en gare, à Châlons [1].

LA LÉPROSERIE

On descend, on marche, on chante, on arrive au camp. Rien n'était prêt, aucune cantine n'avait été établie, [*aucune gamelle,*] aucune couverture, aucune botte de paille n'avaient été apportées. Les uns jettent leur sac et s'en vont au pro-

1. Manuscrit conservé à la bibliothèque de l'Arsenal, cote Fonds Lambert, ms. 1, reproduit dans *Romans*, I, *op. cit.*, p. 224-225.

chain village, à la recherche d'une auberge, les autres moins affamés ou plus indolents font comme moi, se glissent sous une tente et se couchent sur la terre humide. Le lendemain matin, réveillé à l'aube par le froid, je sors de la tente transi, grelottant, et je cours pour me réchauffer un peu. Chemin courant, je rencontre un ami, un peintre, qui sautait à pieds joints pour se dégourdir les jambes ; je fais comme lui et tout en nous esbattant nous convenons d'aller déjeuner à Mourmelon. Nous partons, et après une heure de marche nous atteignons la ville. Aucun restaurant, aucune auberge n'étaient ouverts. Nous grommelions quand nous apparut, comme autrefois aux rois mages l'Étoile biblique, un monsieur très laid qui chassait avec un seau d'eau les ordures de devant sa porte. C'était un coiffeur. Nous lui demandons s'il peut nous vendre un peu de vin et de pain. Il nous offre de nous faire déjeuner. Tandis que nous hurlons d'aise et exécutons pendant ce temps une folle pavane devant la porte, notre hôte se démène, descend à la cave, remonte, tripote et fait sauter, dans ses mains graisseuses et ridées de petits cheveux, deux côtelettes aux teintes de bitume. Nous restons tout pantois devant cette viande poissée et racornie, mais le moment était mal venu de faire les difficiles ; nous nous attablons bravement, raclons et mâchons notre côtelette, avalons une tranche de brie crayeux, buvons une lampée de vinasse, payons la somme de 5 fr. 50 c. pour le déjeuner et sortons pour visiter la ville. Le Mourmelon est un trou odieux, regorgeant de maisons suspectes et de cafés chantants, bon pour les soldats et les officiers, mais absolument inhabitable pour tous ceux qui n'ont pas l'habitude de vivre dans les cafés et dans les tavernes. En un quart d'heure nous avons vu la ville. Nous en sortons, allons faire une longue promenade dans les bois environnants et rentrons à onze heures du soir pour nous coucher.

Le lendemain, Anselme et moi ressentions d'atroces douleurs d'entrailles. Nous avions positivement été empoisonnés. Après maintes et maintes démarches, on nous signe un bulletin d'hôpital. Nous arrivons, non sans peine ; un monsieur vêtu d'une houppelande cachou nous hèle d'un bout de la cour à l'autre : que faites-vous là ! rentrez ! nous nous avançons vers cet aimable personnage qui, mâchant furieusement le bout de corne de sa pipe, s'enfonce les mains dans les poches, hérisse sa barbe, et clame d'une voix de gaboulet : Allez vous coucher, là, au 3e dortoir, section des vénériens. Il n'y a pas de place ailleurs. Les lits étaient propres, nous nous y étendons avec un plaisir indescriptible ; immédiatement on nous remplace nos habits par un bonnet de coton, une robe verdâtre, une culotte grise et des savates immenses, crevassées et gauchies. Nous étions vingt dans la salle ; quatorze étaient atteints de la lèpre [*d'amour*], les autres étaient blessés ou atteints de fièvres ou de dysenterie. J'avais à ma droite l'ami Anselme et à ma gauche un [*affreux*] drôle de la rue Maubuée, qui exerçait en temps de paix l'état d'amant de cœur. Les autres étaient pour la plupart de ces ouvriers têtus et riboteurs, cyniques et crapuleux. Quel changement de vie ! avant-hier j'étais chez moi, avec mes amis, discutant d'art et de littérature, aujourd'hui j'étais dans une léproserie, seul, malade, [*loin des miens,*] en compagnie de plusieurs coquins de la pire espèce. Je finis par m'endormir et je ne me réveillai que le matin vers six heures. Je me frottais les yeux quand la porte s'ouvrit avec fracas et le monsieur à la houppelande cachou parut. C'était le major. Il secouait de grotesque façon ses yeux roux et agitait de gauche à droite son petit nez loupeux. Numéro 1, grogna-t-il, avec un accent du Midi, montre ta jambe, ta sale jambe ; eh ! elle va mal cette jambe ! cette plaie coule comme une fontaine – lotion d'eau blanchâtre, emplâtre, demi-ration, bonne tisane de réglisse. Numéro 2, montre ta gorge, ta sale gorge. Elle va mal la gorge de cet homme. C'est pour le mieux, on lui coupera demain les amygdales. – Mais, docteur… Eh ! je ne te demande rien, si tu dis un mot, je te [*fourre*] mets à la diète. Mais… enfin… Vous mettrez cet homme à la diète. Écrivez : diète, gargarisme, bonne tisane de réglisse.

Il passa ainsi la visite de dix-huit malades, prescrivant à tous, blessés et vénériens, fiévreux et dysentériques, « sa bonne tisane de réglisse ».

Il arriva devant moi, m'arracha les couvertures, me bourra le ventre de coups de poing, m'ordonna l'inévitable tisane et s'en alla, traînant des pieds et en reniflant.

Je restai vingt-cinq jours dans cet hôpital. J'allais de mal en pis, l'ennui me tuait, quand un matin le major entra précipitamment : les Prussiens vont arriver, hurla-t-il, on évacue l'ambulance. Que dans cinq minutes tout le monde soit prêt. Chacun s'élance de son lit, court chercher ses vêtements de soldat, boucle son sac. En un clin d'œil, tout est prêt pour le départ. Nous attendons toute la journée ; enfin, le soir, arrive une longue file de mulets conduits par des soldats du train. Nous grimpons à deux sur les cacolets et la caravane se met en marche, Anselme et moi étions hissés sur le même animal, seulement comme il était [*bien*] plus lourd que moi, le système bascula, je montai en l'air et lui descendit jusque sous la panse de la bête, qui tirée par-devant, poussée par-derrière, gigota et rua furieusement. Nous courions dans un tourbillon de poussière, aveuglés, ahuris, secoués, cahotés, nous cramponnant à la barre de l'appareil, fermant les yeux, criant, riant, geignant. Nous arrivâmes à la gare de Châlons [*plus morts que vifs*] plus qu'à moitié désopilés. On nous empila dans des wagons comme des harengs dans une caque, et nous quittâmes la ville pour aller où… personne ne l'a jamais bien su.

[*L'automne commençait à poindre, les arbres avaient quitté leur belle robe verte pour en revêtir une aux teintes de santal et d'orpin rouge, les feuilles tendaient les allées des bois comme d'un tapis de Smyrne aux nuances amorties et le vent |bourdonnait dans les arbres|* [1] *sonnait à plein cor ses |psalmodies,| navrantes fanfares. J'avais ouvert les fenêtres du wagon et je regardais les prés et les maisons fuir derrière nous |à tire d'ailes|. La nuit descendit du ciel et nous volâmes sur les rails dans une profonde obscurité. Chacun s'accommoda du mieux qu'il put et s'endormit de ce sommeil plus fatigant qu'une veille, fuma ou s'endormit. |Il faisait nuit noire depuis trois heures et les malades étaient sortis du wagon et couraient sur les rails tout le long du train quand…| Pour ma part j'avais perdu tout sentiment de mes misères quand je fus réveillé par un brusque arrêt du train. Nous étions dans une gare. Je me frotte les yeux. Anselme bâille et s'étire et nous descendons.*]

Où étions-nous ? je ne l'ai jamais su. Nous étions dans une ville car près de la gare montait une grande rue, pointillée de becs de gaz et, dans le lointain, s'estompait dans la nuit le clocher d'une vaste église. Un buffet était ouvert. L'intendance nous avait absolument oubliés, et la faim commençait à nous faire souffrir. Nous allâmes droit au buffet, mais d'autres nous avaient devancés. On se bousculait et l'on se battait, les uns s'emparaient de bouteilles, les autres de viandes froides, celui-ci de cigares, celui-là de pains. Le tavernier furieux, affolé, défendait sa boutique à coups de poing. La mêlée s'engagea ; les premiers rangs de mobiles poussés par nous se ruèrent sur le comptoir, le renversèrent, tombèrent sur le patron et ses garçons qui les reçurent à

---

1. Ce passage, barré dans le manuscrit, comprend lui-même des termes biffés, ici encadrés par des barres verticales.

coups de brocs et de pain. Les horions pleuvaient dru comme grêle, une partie des assaillants disputaient les victuailles aux nouveaux arrivants. Deux d'entre eux frappaient avec des jambons comme avec des masses d'armes et chaque coup jetait un homme à terre. On parvint à les désarmer et on les jeta à travers les vitres de la porte dans un préau qui longeait la gare. C'était un étourdissant vacarme de cris, de jurons, de bris de verre, de chocs de plats, de chutes de bouteilles ; le plancher était rouge de plus de vin que de sang et le tavernier, ses garçons et des employés de la gare se sauvaient de la bagarre et bramaient lamentablement, éclopés et moulus de coups.

L'officier qui nous conduisait, ahuri, effaré, était là, inerte, la bouche béante, les bras pendants. Jamais il n'avait vu de semblables soldats. Il reprit connaissance pourtant et voulut nous faire remonter en wagon. Il ne put rallier que dix hommes. On venait de découvrir dans l'arrière-boutique des meules de fromage et on les roulait sur le pavé comme des cerceaux. Le train partit dans la station et l'ordre se rétablit à peu près.

Anselme avait une bouteille et moi un pain. En attendant qu'un nouveau train passât, nous nous assîmes sur un banc et nous bûmes un coup.

En face de nous, séparée par une palissade et la largeur d'une rue, étincelait dans la nuit la boutique d'un boucher.

À des crocs en fer, un grand bœuf était pendu par les pieds. La tête avait violemment été arrachée du tronc, et des bouts de nerfs palpitaient encore, convulsés comme des tronçons de vers. L'estomac, tout grand ouvert, bâillait atrocement, dégorgeant de sa large fosse des pendeloques d'entrailles rouges. Comme en une serre chaude, une végétation merveilleuse s'épanouissait dans ce grand corps. Des lianes de veines jaillissaient de tous côtés, des ramures échevelées couraient le long du torse, des floraisons de viscères éployaient leurs violâtres corolles et de gros bouquets de graisse jaillissaient tout blancs du [*sanglant amas*] rouge fouillis sanguinolent des chairs pantelantes.

Dans la nuit, sous la lumière crue du gaz, l'effet était superbe et Anselme tirait déjà son album et son crayon quand le train revint sur ses pas. Force nous fut de remonter [*dans le train. Jamais je n'oublierai cette nuit. Je ne sais quelles folies ne firent pas les étranges malades. Ils couraient le long du train sur les marchepieds, chantant, criant. Quatre d'entre eux se hissèrent sur un wagon et exécutèrent en plein vent, au risque de se rompre le cou, une pavane |bizarre| désordonnée.*]

[*Le reste de la nuit se déroula sans encombre.*] À cinq heures du matin, nous touchions la gare du Nord à Paris. La moitié des malades se ruait contre les portes, les enfonçait, [*se sauvait à*] rentrait dans Paris, l'autre moitié conduite de force dans un autre train partait pour le Nord. À Arras, on voulut faire l'appel et prendre les noms des absents. On n'y put parvenir. Tout le monde répondait : présent ! en même temps. L'officier y dut renoncer. [*Cet officier est paraît-il enfermé à Charenton pour le moment. J'ai ouï dire que ce malheureux homme…*] [1].

CHÂLONS

En l'an de grâce mil huit cent soixante-dix, l'on m'affubla d'une casaque bleue, d'un pantalon gris lin traversé d'une bande rouge et d'un képi, d'une profondeur insolite, adorné d'une visière d'aveugle et d'une cocarde en fer-blanc.

C'est dans ce galant costume que je fus envoyé au camp de Châlons. Trois jours après que j'y étais conduit, je tombai malade et fus envoyé d'urgence à l'hôpital.

La salle où je couchai contenait vingt lits. J'avais à ma droite un grand drôle, sec comme un échalas, grêlé comme un dé à coudre, clairon de la mobile pendant la guerre, habitant de la rue des Filles-Dieu, pendant la paix ; à ma gauche, une espèce d'hercule, chevelu et bouffi, aux jambes courtes et trapues, aux bras massifs comme des piliers romans.

Je suis éveillé, le lendemain, à six heures, par un grand fracas de portes et par des éclats de voix. Je me mets sur mon séant, je me frotte les yeux et j'aperçois un monsieur, vêtu d'une houppelande de cachou, qui s'avançait majestueusement, suivi d'un cortège d'infirmiers. C'était le major.

À peine entré, il fronce ses sourcils, hérisse sa barbe, agite de droite à gauche son petit nez loupeux et clame d'une voix de galoubet :

1. Manuscrit conservé à la bibliothèque de l'Arsenal, cote Fonds Lambert, ms. 1.

Numéro 1, montre ta jambe, ta sale jambe. Eh ! elle va mal cette jambe ; cette plaie coule comme une fontaine, lotion d'eau blanche, emplâtre, demi-ration, bonne tisane de réglisse. – Numéro 2, montre ta gorge, ta sale gorge – elle va très mal, la gorge de cet homme, on lui coupera demain les amygdales – mais… Eh ! je ne te demande rien à toi, si tu dis un mot, je te [*fourre*] mets à la diète – mais enfin… vous mettrez cet homme à la diète. Écrivez, vous, l'homme, diète, gargarisme, bonne tisane de réglisse.

Il passa ainsi la revue des malades, prescrivant à tous, lépreux et blessés, fiévreux et dysentériques, sa bonne tisane de réglisse.

Il arriva devant moi, me bourra le ventre de coups de poing, m'ordonna l'inévitable tisane et s'en alla, reniflant et traînant les pieds.

La vie était difficile avec les compagnons qui m'étaient échus. Ils appartenaient, presque tous, à l'intéressante classe du prolétaire. Ils en étaient au reste la fine fleur et l'aristocratie, la plupart en portaient même les armoiries peintes sur la face, ils écartelaient de gueule sur champ de sable et ce n'était pas avec du vermillon et du noir d'ivoire qu'ils s'étaient blasonné le mufle, mais bien avec le pur sang du campêche et le hâle de la poussière.

Tous les soirs, ils se faisaient apporter du dehors, par des camarades et par les infirmiers, des litres de vin et de la charcuterie. Vers minuit, alors que le major qui couchait dans un autre corps de bâtiment éteignait sa chandelle et dormait, ils s'asseyaient, en rond, par terre, dans un coin du dortoir, débouchaient les bouteilles, s'empiffraient des rondelles de cervelas, bâfraient des miches de pain, dégouzillaient des lampées de vin, en un mot, se festaient bellement les tripes, en devisant d'amours productifs et autres choses intéressantes.

Cette heureuse existence dura jusqu'à la nuit où l'un d'eux se chauffa l'armet jusqu'au rouge cerise et grimpant, en chemise, sur son lit, brama, de sa plus fausse voix, le chant de la Canaille. Il était debout, vacillant, la bouche limoneuse, l'œil trouble, entrecoupant chaque mot d'un hoquet plaintif, se frappant la poitrine de sa main droite et répétant avec conviction le refrain de l'immonde chanson : c'est la canaille ! eh bien j'en suis !

Le major entra brusquement, le fit empoigner et jeter au cachot. À partir de ce jour, ou plutôt de cette nuit, des rondes furent organisées et ne pouvant plus s'ivrogner, ils passèrent leur temps à échanger entre eux d'obscènes plaisanteries, d'ordurières injures.

Je restai vingt jours dans cette ambulance. J'allais de mal en pis, l'ennui me tuait, quand un matin, le major se précipita dans la salle tout effaré. Les Prussiens arrivent, cria-t-il, on évacue l'ambulance, que dans cinq minutes, tout le monde soit prêt ! chacun s'élance de son lit, court chercher ses vêtements de soldat, boucle son sac. En un clin d'œil nous sommes préparés à partir. Nous attendons en vain, toute la journée, enfin, le soir, arrive une longue file de mulets, conduits par des soldats du train. Nous grimpons à deux sur les cacolets et la caravane se met en marche. Un grand gaillard, un gravatier […] [1].

---

1. Manuscrit conservé à la bibliothèque de l'Arsenal, cote Fonds Lambert, ms. 20, 17, reproduit dans *Romans*, I, *op. cit.*, p. 228-229.

2. *Sac au dos*
PREMIÈRE VERSION
(1878)

La chaussée de la rue de Lourcine houlait, les bibines étaient pleines ; pressés les uns contre les autres, des ouvriers en sarrau, des ouvrières en haillons, des soldats sanglés et guêtrés scandaient avec le cliquetis des verres *La Marseillaise* qu'ils s'époumonaient à chanter faux. Coiffés de képis d'une profondeur incroyable, ornés de visières d'aveugles et de cocardes en fer-blanc, affublés d'une jaquette d'un bleu-noir, d'un pantalon bleu de lin, traversé d'une bande rouge, les mobiles [1] de la Seine hurlaient à la lune avant que d'aller faire la conquête de la Prusse. C'était un hourvari assourdissant ; les verres tintaient, les brocs vides faisaient sonner le zinc de leurs flancs, les cruches pleines clapotaient, les bidons s'entrechoquaient avec un tumulte de fer-blanc qu'on secoue, les cris éclataient de toutes parts, coupés çà et là par le grincement des fenêtres que le vent battait. Soudain, un roulement de tambour couvrit toutes ces clameurs. La mobile sortait en masse de la caserne ; alors ce fut une noce, une godaille, un grouillement indescriptible. Ceux des soldats qui buvaient dans la boutique s'élancèrent dehors, suivis de leurs parents et de leurs amis, qui se disputaient l'honneur de porter leur sac ; les rangs étaient rompus, c'était un pêle-mêle de militaires et de bourgeois ; les mères pleuraient, les pères s'efforçaient d'être calmes, les enfants qui ne comprenaient pas que leur grand frère allait se faire tuer pour la plus grande gloire d'un empereur, sautaient de joie dans

---

1. Nous n'éclairons ici que les mots ou expressions absents de la seconde version de *Sac au dos* ; pour tous les autres termes, le lecteur se reportera aux notes de celle-ci (voir ci-avant, p. 43 *sq.*).

tout ce tintamarre, et braillaient, de toute leur voix aiguë, des chansons patriotiques !

On traversa tout Paris, à la débandade, à la lueur des éclairs qui flagellaient de blancs zigzags les nuages en tumulte. La chaleur était écrasante, le sac était lourd, on buvait à chaque coin de rue. On arriva enfin à la gare d'Aubervilliers. Il y eut un moment de silence, coupé çà et là par le bruit d'un sanglot, puis quand on nous eut bien empilés comme des bestiaux, dans des wagons à marchandises, le tohu-bohu reprit de plus belle : « Bonsoir, Jules ! À bientôt. Sois raisonnable. Tu as tout ce qu'il te faut ! » On se serra la main une dernière fois, le train siffla, nous avions quitté la gare.

Nous étions bien une pelletée de cinquante hommes dans la boîte qui nous roulait. La plupart étaient ivres et beuglaient, d'autres pleuraient, d'autres enfin, accroupis dans un coin, regardaient silencieux et mornes le plancher qui trépidait dans la poussière. Tout à coup le train fait halte. Je descends. Nuit complète, il est minuit vingt-cinq minutes. De tous côtés s'étendent des champs, et au loin, éclairés par les rayons blancs des éclairs, une maisonnette, un arbre, dessinent leur silhouette sur le ciel gonflé d'orage. L'on n'entend que le grondement de la machine qui éructe des gerbes d'étincelles, et, dans la nuit, le rail placé devant elle brille comme un mince filet d'eau. Cet arrêt dura bien deux heures. Les disques flamboyaient, rouges, le mécanicien attendait qu'ils tournassent. Ils redevinrent blancs ; nous remontâmes dans les wagons, mais un homme qui arrivait en courant dit quelques mots au chauffeur qui recula de suite jusqu'à une voie de garage, où nous reprîmes notre immobilité. Nous ne savions ni les uns ni les autres où nous étions. Je redescends de voiture, et, assis, sur un talus, j'écorche avec les dents un morceau de pain de munition, et je bois un coup de vin. J'étais en train de passer ma gourde à un camarade qui se mourait de soif, quand un renâclement farouche gronda au loin ; deux fanaux semblables à d'énormes yeux coururent sur le rail que nous avions quitté, la terre trembla, un épouvantable vacarme de ferrailles en branle retentit, et un immense train d'artillerie passa à toute vapeur, charriant des chevaux, des hommes, des canons dont le col de bronze luisait dans le scintillement des lumières. Le disque se referma, et cinq minutes après, nous reprîmes notre marche lente, interrompue par des haltes de plus en plus longues. Le jour se leva enfin, et, penché à la portière du wagon, fatigué par toutes les secousses de la nuit, je regarde la campagne qui nous environne : une enfilade de plaines crayeuses, et fermant l'horizon une bande d'un vert pâle, comme celui des turquoises lavées d'eau. Un pays plat, triste, grêle, la Champagne pouilleuse ! – Peu à peu, le soleil se leva ; nous roulions toujours ; nous finîmes bien par arriver enfin ! Partis le soir à huit heures, nous étions rendus le lendemain à trois heures de l'après-midi à Châlons. Le débarquement s'opéra avec le même ordre que le départ. Rien n'était prêt à notre arrivée : ni cantine, ni paille, ni manteaux pour nous couvrir, ni armes pour nous armer, rien, absolument rien. Trois jours durant, nous vécûmes au hasard de Mourmelon, exploités à outrance par les habitants, couchant dans les tentes, n'importe comment, sans paille et sans couverture. Tout cela n'était pas fait pour nous engager à prendre goût au métier. Six ou sept jours après que j'avais été jeté dans ce camp, l'eau que j'avais bue me rendit tellement malade que je dus entrer d'urgence à l'hôpital. Je boucle mon sac, et, sous la garde bénévole d'un caporal, me voilà parti, clopin-clopant, traînant la jambe et suant sous mon harnais. L'hôpital regorgeait de monde, on me renvoie. Je vais alors à l'une des ambulances les plus voisines ; un lit restait vide ; je suis admis. Je dépose enfin mon sac, et en attendant que le médecin m'interdise de bouger, je vais me promener dans le petit jardin qui relie le corps des bâtiments. Soudain surgit d'une cahute un homme à la barbe de chiendent et aux yeux glauques, qui plante ses mains dans les poches d'une longue robe couleur de cachou, et me crie du plus loin qu'il m'aperçoit : « Eh ! l'homme, qu'est-ce que vous f… là ? » Je m'approche, je lui explique le motif qui m'amène. Il secoue ses bras et hurle : « Rentrez ! vous n'aurez le droit de vous promener dans le jardin que lorsqu'on vous aura donné un costume. » Je rentre dans la salle ; un infirmier arrive et m'apporte une robe, une culotte, des savates, un bonnet. Je me déshabille et je me regarde dans ma petite glace : quelle figure et quel accoutrement, bon Dieu ! Teint carnavalesquement pâle, cheveux en brosse, barbe en pointe, grande robe gris de souris, culotte d'un roux pisseux qui flotte avec une joyeuse ampleur sur mes maigres tibias, savates immenses et sans talons, bonnet de coton gigantesque. Je ne puis m'empêcher de rire. Je tourne la tête de côté, je vois mon voisin de lit qui crayonne mon portrait sur un calepin. Nous devenons de suite amis, nous connaissons l'un et l'autre tel et tel peintre, nous entamons des discussions d'esthétique, nous oublions nos infortunes. Le soir arrive, on me sert un plat de bouilli, perlé de noir par quelques lentilles, on me verse à plein verre un coco généreux. Je ne puis parvenir à me griser, je dors.

Le lendemain matin, je suis réveillé vers six heures par un grand fracas de porte et par des éclats de voix. Je me mets sur mon séant, je me frotte les yeux, et j'aperçois le monsieur de la veille, toujours vêtu de sa houppelande couleur de cachou, qui s'avance, majestueux, suivi d'un cortège d'infirmiers. C'était le major.

À peine entré, il roule de droite à gauche et de gauche à droite ses yeux d'un vert morue, enfonce ses mains dans ses poches, et braille :

– Numéro 1, montre ta jambe, ta sale jambe. Eh ! elle va mal, cette jambe, cette plaie coule comme une fontaine ; lotion d'eau blanche, charpie, demi-ration, bonne tisane de réglisse.

– Numéro 2, montre ta gorge, ta sale gorge. Elle va de plus en plus mal, cette gorge ; on lui coupera demain les amygdales.

– Mais, docteur…

– Eh ! je ne te demande rien, à toi ; si tu dis un mot, je te flanque à la diète.

– Mais enfin…

– Vous fouterez [*sic*] cet homme à la diète. Écrivez : diète, gargarisme, bonne tisane de réglisse.

Il passa ainsi la revue des malades, prescrivant à tous, lépreux et blessés, fiévreux et dysentériques, sa bonne tisane de réglisse.

Il arriva devant moi, me dévisagea, m'arracha les couvertures, me bourra le ventre de coups de poing, m'ordonna de l'eau albuminée, l'inévitable tisane, et sortit, reniflant et traînant des pieds.

La vie était difficile avec les gens qui nous entouraient. Nous étions vingt et un dans la chambrée. À ma gauche couchait mon ami le peintre, à ma droite un grand diable de clairon, grêlé comme un dé à coudre, sec comme un échalas, jaune comme un verre de bile. Son bec effilé, ses petits yeux, enfantins et vieillots, son crâne presque chauve, sa barbe rare et plantée en broussailles, rappelaient assez bien la tête d'un oiseau qui se déplume. Il avait d'ailleurs les instincts de certains d'entre eux : la paillardise des moineaux, l'ivrognerie des grives. Il cumulait deux professions : celle de rapetasseur de savates le jour, celle de rapetasseur de filles la nuit. C'était, malgré tout, un être cocasse et jovial, un joyeux drille qui gambadait sur la tête, sur les mains, qui vous racontait le plus naïvement du monde la façon dont il se ventrouillait dans la fange, le soir, ou qui entamait d'une voix grêle des chansons sentimentales :

Je n'ai gardé dans mon malheur-heur
Que l'amitié d'une hirondelle (bis).

Je conquis l'amitié de ce drôle en lui donnant vingt sous pour se procurer une bouteille de vin, et bien nous en prit de n'être pas mal avec lui, car le reste de la chambrée, composé en grande partie d'abominables gredins, était fort disposé à nous chercher noise.

Un soir entre autres, le 15 août, le peintre n'étant pas de bonne humeur, menaça de souffleter deux hommes qui lui avaient pris une serviette. Ce fut un charivari formidable dans le dortoir. Nous étions deux contre dix-neuf, nous avions la chance de recevoir une vigoureuse raclée, quand le clairon intervint, prit à part les plus intraitables, leur dit qu'ils avaient tort, que nous n'étions ni des méchants garçons ni des poseurs, que toutes les fois qu'il avait eu faim et qu'il n'avait pas eu un sou pour faire acheter du pain en dehors de l'hôpital, nous lui en avions donné ; bref, la serviette fut rendue, tout le monde se serra la main, et pour fêter la réconciliation, il fut entendu que trois d'entre eux tâcheraient de se faufiler hors de l'ambulance et rapporteraient de la viande et du vin.

La lumière avait disparu à la fenêtre du major, le pharmacien éteignit enfin la sienne, nous rampons en dehors du fourré, examinons les alentours, faisons signe aux trois hommes qui se glissent le long des murs, ne rencontrent pas de sentinelles sur leur route, se font la courte échelle, et sautent dans la campagne. Une heure après, ils étaient de retour, chargés de victuailles ; ils nous les passent, rentrent avec nous dans le dortoir ; nous supprimons les deux veilleuses, allumons des bouts de bougie par terre, et autour de mon lit, en chemise, nous formons le cercle. Nous avions absorbé trois ou quatre litres et dépecé la bonne moitié d'un gigotin, quand un énorme bruit de pas se fait entendre ; je souffle les bouts de bougie à coups de savate, chacun se sauve sous les lits. La porte s'ouvre, le major paraît, pousse un formidable juron, trébuche dans l'obscurité, sort et revient avec un falot et l'inévitable cortège des infirmiers. Je profite du moment de répit pour faire disparaître les reliefs du repas, le major traverse rapidement le dortoir et s'arrête devant Pardon qui fait semblant de se réveiller, et grommelle des injures contre le médecin qu'il prétend n'avoir pas reconnu. Celui-ci n'écoute pas ses excuses et lui inflige la diète pour toute la journée du lendemain. Nous nous tordons de rire dans nos draps, des fanfares éclatent à l'autre bout du dortoir, nous sommes tous mis à la diète, et le major s'en va, de plus en plus furieux, maudissant les mobiles de la Seine, mâchonnant dans sa barbe les épithètes peu flatteuses de canailles et de coquins.

Une fois parti, nous nous esclaffons à qui mieux mieux ; des roulements, des fusées de rire grondent et pétillent ; le clairon fait la roue dans le dortoir, un de ses amis lui fait vis-à-vis ; un troisième saute sur sa couche comme sur un tremplin, et bondit et rebondit, les bras flottants, la chemise envolée ; son voisin entame un cancan triomphal ; la scène devient épique. Le major rentre, fait empoigner les danseurs, et nous annonce qu'il va rédiger un rapport et l'envoyer à qui de droit.

Le calme est enfin rétabli ; le lendemain, nous faisons acheter des mangeailles par les infirmiers. Les jours se passent sans autres incidents. Nous commencions à mourir d'ennui dans cet hôpital, quand, à cinq heures, un jour, le médecin, – ce sinistre imbécile qui refusa de se lever, une nuit, pour assister un malheureux mobile qui se mourait de la fièvre typhoïde, sous le prétexte qu'il n'y pouvait rien, – se précipite dans la salle, nous ordonne de boucler nos sacs, et nous apprend que les Prussiens marchent sur Châlons.

Une morne stupeur règne dans la chambrée. Jusque-là, nous ne nous doutions pas des événements qui se passaient ; nous avions appris la trop célèbre victoire de Sarrebrück, nous ne nous attendions pas aux terribles revers qui nous accablaient. Le médecin fait la visite de tous les hommes, renvoie dans leurs corps les moins malades, et ordonne aux autres de se tenir prêts à partir d'un moment à l'autre.

Pardon et moi, nous étions au nombre de ces derniers. La journée se passe, la nuit se passe ; nous nous étendons tout habillés sur les lits. Enfin, vers neuf heures, le lendemain matin, apparaît une longue file de cacolets conduits par des soldats du train. Nous grimpons à deux sur l'appareil ; Pardon et moi nous étions hissés sur le même animal ; seulement comme il était plus lourd, le système bascula : je montai en l'air tandis qu'il descendait en bas, jusque sous la panse de la bête, qui, tirée par-devant, poussée par-derrière, gigota et rua furieusement. Nous courions dans un tourbillon de poussière, aveuglés, ahuris, secoués, cahotés, nous cramponnant à la barre du cacolet, fermant les yeux, criant, riant, geignant. Nous arrivâmes à Châlons, plus morts que vifs. L'on nous empila dans des wagons, et nous quittâmes la ville pour aller où ?... Personne ne le savait.

Il faisait nuit ; nous volions sur les rails. Les malades étaient sortis des wagons et couraient sur les marchepieds tout le long du train. La machine siffle, ralentit son vol et s'arrête devant une gare. Nous mourions de faim. L'intendance n'avait oublié qu'une chose : nous donner un pain pour la route. Quelle était cette gare ? Je ne l'ai jamais su. Toujours est-il qu'un buffet était ouvert, j'y cours, mais d'autres m'avaient devancé. On se battait alors que j'y arrivai. Les uns s'emparaient de bouteilles, les autres de viandes, ceux-ci de pain, ceux-là de cigares. Affolé, furieux, le tavernier défendait sa boutique à coups de broc. Le premier rang des mobiles, poussé par les nouveaux arrivants, se rua sur le comptoir, qui chavira et s'abattit, entraînant dans sa chute le patron et les garçons du restaurant. Vaincue par le nombre, cette valetaille prend la fuite. Nous sommes maîtres de la place. Pendant ce temps, le train siffle et part. Aucun de nous ne se dérange, et, tandis qu'assis sur la chaussée, j'explique à Pardon la contexture du sonnet, le train revient sur ses pas pour nous chercher. Nous remontons dans nos compartiments, et nous passons la revue du butin que nous avons conquis. À vrai dire, les mets étaient peu variés : de la charcuterie, et rien que de la charcuterie ! Nous avions six rouelles de cervelas à l'ail, une langue écarlate, deux saucissons enroulés de ficelles comme une momie de bandelettes, une superbe tranche de mortadelle, une tranche au liséré d'argent, aux chairs d'un rouge sombre marbrées de blanc, quatre litres de vin rouge, une demi-bouteille de cognac et des bouts de bougies. Nous fichâmes les fumignons [1] dans le col de nos gourdes qui se balancèrent, retenues aux parois du wagon par des ficelles. C'était, par instants, quand le train sautait sur les aiguilles des embranchements, une pluie de gouttes chaudes qui se figeaient presque aussitôt en de larges plaques blanches, mais nos habits en avaient vu bien d'autres ! Nous commençâmes immédiatement le festin qu'interrompaient les allées

1. Fumignons : petites lampes à huile, qui éclairent faiblement.

et venues de ceux des mobiles qui, courant sur les marchepieds, tout le long du train, venaient frapper au carreau et nous demandaient à boire. Nous chantions à tue-tête, nous bidonnions, nous trinquions ; jamais malades ne firent autant de bruit et ne gambadèrent ainsi sur un train en marche ! On eût dit d'une cour des Miracles roulante ; les estropiés sautaient à pieds joints, ceux dont les intestins brûlaient les arrosaient de lampées de cognac, les borgnes ouvraient les yeux, les fiévreux cabriolaient, les gorges malades beuglaient et pintaient, c'était inouï.

Cette turbulence finit cependant par se calmer. Je profite de ce moment de répit pour passer le nez à la fenêtre. Il n'y avait pas une étoile, pas même un bout de lune, le ciel et la terre ne semblaient faire qu'un, et dans cette intensité d'un noir d'encre clignotaient comme deux yeux de couleurs différentes des lanternes attachées à la tôle des disques, l'une verte pour signaler la bifurcation que nous devions prendre, l'autre jaune pour nous indiquer la voie de garage. Le mécanicien jetait les trois coups de sifflet réglementaires, la machine fumait et vomissait sans relâche ses crachements d'étincelles. Je referme le carreau et je regarde mes compagnons. Les uns ronflaient ; les autres, gênés par le roulis du coffre, ronchonnaient et juraient, se retournant sans cesse, cherchant une place pour étendre leurs jambes, pour caler leur tête qui cahotait à chaque secousse. À force de les regarder, je finis par m'assoupir, quand l'arrêt complet du train me réveilla. Nous étions dans une gare, et le bureau du chef flamboyait comme un fer de forge dans la sombreur de la nuit. J'avais une jambe engourdie, je frissonnais de froid, je descends pour me réchauffer un peu. Je me promène de long en large sur la chaussée, je vais regarder la machine que l'on dételle et que l'on remplace par une autre, et passant devant le bureau, j'écoute la sonnerie et le tic-tac du télégraphe. L'employé, me tournant le dos, était un peu penché sur la droite, de sorte que, du point où j'étais placé, je ne voyais que le derrière de sa tête et le bout de son nez qui luisait, rose et perlé de sueur, tandis que le reste de la figure disparaissait dans l'ombre que projetait l'abat-jour d'un bec de gaz.

On m'invite à remonter en voiture, et je retrouve mes camarades tels que je les ai laissés. Cette fois, je m'endors pour tout de bon. Depuis combien de temps mon sommeil durait-il ? Je ne le sais, quand un grand cri me réveilla : Paris ! Paris ! Je me précipite à la portière. Au loin, sur une bande d'or pâle, se détachaient en noir des tuyaux de fabriques et d'usines. Nous étions à Saint-Denis. La nouvelle court de wagon en wagon. Tout le monde est sur pied. La machine accélère le pas. La gare du Nord se dessine au loin, nous y arrivons. Nous descendons, nous nous ruons sur les portes, une partie d'entre nous parvient à s'échapper, l'autre est arrêtée par un cordon de troupes. On nous fait remonter de force dans un train qui chauffe, nous voilà repartis Dieu sait pour où !

Nous roulons derechef toute la journée. Je suis las de regarder ces ribambelles de maisons et d'arbres qui filent devant mes yeux, et se confondent en des tourbillons de vert et de brun. Toutes ces cahutes et ces taillis qui semblent se tenir et danser une longue farandole, m'étourdissent et m'aveuglent. Vers quatre heures du soir, la machine ralentit son essor, et s'arrête dans un débarcadère, où nous attendait un général obèse, autour duquel s'abattait une volée de jeunes merles, coiffés de képis roses, culottés de rouge et chaussés de bottes à éperons jaunes. L'homme chamarré d'or nous passe en revue, nous divise en deux escouades ; l'une part pour le séminaire, l'autre est dirigée sur l'hôpital. Nous sommes, paraît-il, à Arras. Pardon et moi, nous faisions partie de la première escouade. On nous hisse sur des charrettes bourrées de paille, et nous arrivons devant un grand bâtiment qui farde et semble vouloir s'abattre dans la rue. Nous montons au deuxième étage, dans une pièce qui contient une trentaine de lits ; chacun déboucle son sac, se peigne, s'assied. Un médecin arrive.

– Qu'avez-vous ? dit-il au premier. – Un anthrax. – Ah ! Et vous ? – Une dysenterie. – Ah ! Et vous ? – Une inflammation des bronches. – Mais alors vous n'avez pas été blessés pendant la guerre. – Pas le moins du monde. – Eh bien ! vous pouvez reprendre vos sacs. L'archevêque ne donne les lits des séminaristes qu'aux blessés.

Je remets dans mon sac les bibelots que j'en avais tirés, et nous repartons, bredi-breda [1], pour l'hospice de la ville. Il n'y avait plus de place. En vain les sœurs s'ingénient à serrer les lits de fer les uns contre les autres, les salles sont pleines. Fatigué de toutes ces lenteurs, j'empoigne un matelas, Pardon en prend un autre, et nous allons nous étendre dans le jardin, sur une grande pelouse de gazon.

1. Bredi-breda : avec précipitation et confusion.

Le lendemain matin, je cause avec le directeur, un homme intelligent et affable (ce n'était pas un militaire). Je lui demande la permission de sortir en ville. Il hésite, je lui affirme que personne ne le saura. Il y consent, je le remercie, puis je songe à Pardon. Je ne puis le laisser se morfondre seul entre ces quatre murs ! – Mon Dieu ! monsieur, dis-je au directeur, vous avez été si bon pour moi que vraiment si j'osais… – Osez, reprit-il en souriant. – Eh bien ! c'est que j'ai un camarade ici, si vous lui accordiez la permission de sortir avec moi, vous le rendriez bien heureux !

L'excellent homme dit oui, je cours chercher Pardon qui exulte, la porte s'ouvre, nous sommes libres ! Nous allons enfin déjeuner ! manger de la vraie viande ! boire du vrai vin ! Ah ! nous n'hésitons pas, nous allons au plus bel hôtel de la ville. On nous sert un succulent repas. Il y a des fleurs sur la table, des fleurs ! comprenez-vous ? des fleurs ! de magnifiques bouquets de roses et de fuchsias qui s'épanouissaient dans des cornets de verre, à chaque bout de la table. Le garçon nous apporte une entrecôte qui saigne dans un lac de beurre, le soleil se met de la fête, fait étinceler les couverts et les lames des couteaux, blute sa poudre d'or au travers des carafes, et lutinant le pommard qui se balance doucement dans les verres, pique d'une étoile sanglante la nappe damassée. Ô sainte joie des bâfres ! j'ai la bouche pleine, Pardon étouffe et caresse du regard le ventre poussiéreux de la bouteille, l'odeur des rôtis se mêle au parfum des fleurs, la pourpre des vins lutte d'éclat avec la rougeur des roses, le garçon qui nous sert a l'air d'un idiot, nous avons l'air de goinfres, ça nous est bien égal. Nous nous empiffrons rôtis sur rôtis, nous nous ingurgitons bordeaux sur bourgogne, chartreuse sur cognac. Au diable les vinasses et les trois-six que nous buvons depuis notre départ de Paris ; au diable ces ratas sans nom, ces gargotailles inconnues dont nous nous sommes si maigrement gavés depuis près d'un mois ! Nous sommes méconnaissables ; nos mines de faméliques rougeoient comme des trognes, nous braillons, le nez en l'air, nous allons à la dérive ! Nous parcourons ainsi toute la ville.

Le soir arrive, il faut pourtant rentrer ! La sœur qui surveillait la salle des vieux nous dit avec sa petite voix flûtée et sa bouche en fleur : « Messieurs les militaires, vous avez eu bien froid la nuit dernière, mais vous allez avoir un bon lit. » Et elle nous emmène dans une grande salle où fignolent au plafond trois veilleuses mal allumées. J'ai un lit blanc, je m'enfonce avec délices dans les draps qui sentent encore la bonne odeur de la lessive. L'on n'entend plus que le souffle ou le ronflement des dormeurs. J'ai bien chaud, mes yeux se ferment ; je ne sais plus où je suis, quand un gloussement prolongé me réveille. J'ouvre un œil et j'aperçois, au pied de mon lit, un individu qui me contemple. Je me dresse sur mon séant. J'ai devant moi un squelette mal tendu de bribes de peau, au sommet duquel flotte, sur un cou de héron, une tête hideuse, aux chairs flasques et comme blettes, à la bouche ouatée de bourrelets rouges d'où s'échappe ce gloussement continu. Je lui demande ce qu'il me veut. Pas de réponse. Je lui crie : « Allez-vous-en, laissez-moi dormir ! » Il me montre le poing. Ah ! çà, mais j'ai affaire à un fou furieux ! Tandis que je roule une serviette au bout de laquelle je fais un nœud bien serré, il avance d'un pas, je saute sur le parquet, je pare le coup de poing qu'il m'envoie, et lui assène en riposte, sur l'œil gauche, un coup de serviette à toute volée. Il en voit trente-six chandelles, se rue sur moi, je me recule et lui décoche un vigoureux coup de pied dans l'estomac. Il roule par terre, entraîne dans sa chute une chaise qui rebondit, le dortoir est réveillé. Pardon accourt en chemise pour me prêter main-forte, la sœur arrive, les infirmiers s'élancent sur le fou qu'ils parviennent à grand-peine à faire recoucher.

L'aspect du dortoir était éminemment cocasse. Aux lueurs d'un rose vague qu'épandaient autour d'elles les veilleuses mourantes avait succédé le flamboiement de trois lanternes. Le plafond noir avec ses ronds de lumière qui dansaient au-dessus des mèches en combustion éclatait maintenant avec ses teintes de plâtre fraîchement recrépi. Les malades, une réunion de Guignols hors d'âge, avaient empoigné le morceau de bois qui pendait au bout d'une ficelle au-dessus de leur lit, s'y cramponnaient d'une main, et faisaient de l'autre des gestes terrifiés. À la vue de ces têtes funambulesques, de ces bouches ébréchées, de ces yeux ouverts comme des bondes de tonneaux, de ces chefs vermoulus qui oscillent sous d'interminables casquamèches [1], ma colère tombe, je me tords de rire, Pardon suffoque, les infirmiers sont ébahis, il n'y a que la sœur qui garde son sérieux et parvienne, à force de prières et de menaces, à rétablir l'ordre dans la chambrée.

---

1. Casquamèches : casques à mèches (ironique), bonnets de coton, bonnets de nuit.

La nuit s'achève tant bien que mal ; le matin, à six heures, un roulement de tambour nous réunit, le directeur fait l'appel des hommes. Nous partons pour Rouen. Arrivés dans cette ville, un officier dit au malheureux qui nous conduisait que l'hospice était plein et ne pouvait nous loger. En attendant, nous avons une heure d'arrêt. Je jette mon sac dans un coin de la gare, et nous voilà partis, Pardon et moi, errant à l'aventure, nous extasiant devant l'église de Saint-Ouen, nous ébahissant devant les vieilles maisons. Nous admirons tant et tant, que l'heure s'était écoulée depuis longtemps avant même que nous eussions songé à retrouver la gare. « Il y a beau temps que vos camarades sont partis, nous dit un employé de chemin de fer ; ils sont à Évreux ! »

Diable ! le premier train ne part plus qu'à neuf heures. – Allons dîner ! – Quand nous arrivâmes à Évreux, il faisait nuit complète. Nous ne pouvions nous présenter à pareille heure dans un hospice, nous aurions l'air de malfaiteurs ; la nuit est superbe, toutes les chandelles du bon Dieu sont allumées là-haut, nous traversons la ville, et nous nous trouvons en rase campagne. C'était le temps de la fenaison, les gerbes étaient en tas. Nous avisons une petite meule dans un champ, nous y creusons deux niches confortables, et je ne sais si c'est l'odeur troublante de notre couche, le parfum pénétrant des bois qui nous entourent ou ces mille broderies d'or qui scintillent là-haut qui nous émeuvent, mais nous éprouvons le besoin de parler de nos amours passées. Le thème était inépuisable ! Peu à peu, cependant, les paroles deviennent plus rares, les enthousiasmes s'affaiblissent, nous nous endormons. « Sacrebleu ! crie mon voisin qui s'étire, quelle heure peut-il bien être ! » Je me réveille à mon tour, le soleil ne va pas tarder à se lever, car le grand manteau bleu se galonne à l'horizon de franges de soie rose. Quelle misère ! il va falloir aller frapper à la porte de l'hospice, dormir dans des salles tout imprégnées de cette odeur fade sur laquelle revient, comme une ritournelle obstinée, l'âcre senteur de la poudre d'iodoforme !

Nous reprenons tout tristes le chemin de l'hôpital. On nous ouvre, mais, hélas ! un seul de nous est admis : Pardon ; et moi l'on m'envoie au lycée. La vie n'était plus possible ! Être seul ! Je me désole, j'erre comme une âme en peine dans les cours et sous les voûtes basses de ce collège qui est, entre parenthèses, un ancien cloître. Mon seul plaisir consiste à déchiffrer des vers inscrits par les moines sur les murailles. Ô piètre consolation ! misérable adjuvant ! Jugez par ces trois strophes que j'ai textuellement copiées du désordre poétique qui agitait les bons pères :

Ô croix qui veut l'austère, ô chair qui veut le doux,
Ô monde, ô évangile, immortels adversaires !
Les plus grands ennemis sont plus d'accord que vous,
Et les pôles du ciel ne sont pas plus contraires !

On monte dans le ciel par un chemin de pleurs,
Mais que leur amertume a de douceurs divines !
On descend aux enfers par un chemin de fleurs,
Mais, hélas ! que ces fleurs nous préparent d'épines !

La fleur qui, dans un jour, sèche et s'épanouit,
Les boules d'air et d'eau qu'un petit souffle casse,
Une ombre qui paraît et qui s'évanouit,
Nous représentent bien comme le monde passe !

Je méditais une évasion, quand un jour l'interne de service descend dans la cour. Je lui montre ma carte d'étudiant en droit, il connaît Paris, le Quartier latin. Je lui explique ma situation. « Il faut absolument, lui dis-je, ou que Pardon vienne au lycée, ou que j'aille le rejoindre à l'hôpital. » Il réfléchit, et le soir, arrivant près de mon lit, me glisse ces mots dans l'oreille : « Dites, demain matin, que vous souffrez davantage. » Le lendemain, en effet, vers sept heures, le médecin fait son entrée ; un bien singulier médecin ! un petit tonneau pédantesquement vêtu de noir, roupieux [1] et sale. C'était, au demeurant, un brave et excellent homme. Il n'avait que deux défauts : celui de faire l'absinthe en parlant et celui de vouloir se débarrasser de ses malades, coûte que coûte. Tous les matins, la scène suivante se passait : « Ah ! ah ! le gaillard, criait-il, quelle mine il a ! bon teint, pas de fièvre ; levez-vous et allez prendre une bonne tasse de café ; mais pas de bêtises, vous savez, ne courez pas après les jupes ; je vais vous signer votre *exeat*, vous retournerez demain à votre régiment. » Malades ou pas malades, il en renvoyait trois par jour. Ce matin-là, il s'arrête devant moi et dit : « Ah ! saperlotte, mon garçon, vous avez meilleure mine ! » Je me récrie, jamais je n'ai tant souffert ! Il me tâte le ventre : « Mais ça va mieux, murmure-t-il, le ventre est moins dur. » – Je proteste. – Il semble étonné, l'interne lui dit

1. Roupieux : qui a de la roupie, de la morve au nez.

alors tout bas : « Il faudrait peut-être lui donner un lavement, et nous n'avons ici ni seringue ni clysopompe ; si nous l'envoyions à l'hôpital ? – Tiens, mais c'est une idée », dit le brave homme, enchanté de se dépêtrer de moi, et, séance tenante, il signe mon billet d'admission. Ô mes confrères en dysenterie, ne jetez plus de regards craintifs sur la pompe mignonne qui fume à votre chevet ! Qu'elle soit à jamais bénie, cette pompe bienfaisante qui m'a fait retrouver mon peintre ! C'est elle qui, avec sa robe d'un vert glauque, son piston qui chantait et son serpentement de tuyaux gonflés, m'a fait connaître les charmes de l'amitié, ces charmes qui… que… etc. (voir pour la suite CICERO, *De amicitia*).

Toujours est-il que j'étais radieux. Je boucle mon sac, et, sous la garde d'un servant du lycée, je fais mon entrée à l'hôpital. Je retrouve Pardon ! Par une chance incroyable, le corridor où il couche, faute de place dans les salles, contient un lit vide près du sien ! Nous sommes enfin réunis ! En sus de nos deux lits, quatre grabats longent à la queue leu leu les murs enduits de jaune. Ils ont pour habitants un soldat de la ligne, deux artilleurs et un hussard. Le reste de l'hôpital se compose de quelques vieillards gâteux ou toqués, de quelques jeunes hommes, rachitiques ou bancroches, et d'un grand nombre de soldats, épaves de l'armée de Mac-Mahon, qui, après avoir roulé d'ambulances en ambulances, étaient venus échouer sur cette berge. Pardon et moi, nous sommes les seuls qui portions l'uniforme de la mobile de la Seine ; nos voisins de lit étaient d'assez gentils garçons, plus insignifiants, à vrai dire, les uns que les autres ; il y en avait des gros et des courts, des efflanqués et des minces ; c'étaient, pour la plupart, des fils de paysans ou de fermiers rappelés sous les drapeaux lors de la déclaration de guerre. Tandis que j'enlève ma veste, arrive une sœur, si frêle, si jolie, si mignotte, que je ne puis me lasser de la regarder ; les beaux grands yeux ! les longs cils blonds ! les jolies dents ! et bonne ! Elle me demande pourquoi j'ai quitté le lycée ; je lui explique en des phrases nébuleuses comment l'absence d'une pompe foulante m'a fait renvoyer du collège. Elle sourit doucement et me dit : « Oh ! monsieur le soldat, vous auriez pu nommer la chose par son nom, nous sommes habituées à tout ! » – La brave fille ! Je crois bien qu'elle devait être habituée à tout, car les soldats ne se gênaient guère pour se livrer à d'indiscrètes propretés devant elle. Jamais, d'ailleurs, je ne la vis rougir ; elle passait entre eux, calme et muette, semblant ne pas entendre les immondes récits qui se débitaient dans les chambrées autour d'elle.

Dieu ! m'a-t-elle gâté ! l'excellente sœur ! Je la vois encore, le matin, alors que le soleil s'amusait à casser sur les dalles l'ombre noire des barreaux des fenêtres, s'avancer tout doucement, au fond du corridor, les grandes ailes de son bonnet battant sur son visage. Elle arrivait près de mon lit avec une assiette qui fumait et sur le bord de laquelle luisait son petit ongle bien taillé. – « La soupe est un peu claire, ce matin, disait-elle avec son joli sourire, je vous apporte du chocolat ; mangez vite pendant qu'il est chaud ! » – Ô sœur Angèle ! j'ai bien souvent pensé à vous, et si jamais je retourne à Évreux, vous serez la première personne que j'irai voir ! Ô l'exquise fille et la jolie causeuse ! On ne pouvait vivre près d'elle sans l'aimer, et pourtant sa vue me rendait un peu triste ; on sentait si bien sous ce masque grave une folle gaieté qui pétillait ! Parfois même, ses yeux s'éclairaient, son sourire alangui devenait adorablement mutin ; puis, comme si elle se fût reproché cet instant d'oubli, elle devenait sérieuse, s'en allait à pas lents, les yeux baissés, et moi je la suivais du regard jusqu'à ce qu'elle eût disparu !

Malgré tous les soins qu'elle me prodiguait, je m'ennuyais à mourir dans cet hôpital. Mon ami et moi, nous en étions arrivés à ce degré d'abrutissement qui vous jette sur un lit s'essayant à tuer, dans une somnolence de bête, les longues heures des interminables journées. Les seules distractions qui nous fussent offertes consistaient en un déjeuner et un dîner, et encore, les premiers temps, nous ne pouvions avaler notre pitance du matin. C'était l'heure de la visite, et le docteur choisissait ce moment pour faire ses opérations. Le second jour après mon arrivée, il fendit une cuisse du haut en bas ; j'entendis un cri déchirant, je me sentis pâlir, je fermai les yeux, pas assez cependant pour que je ne visse une rosée sanglante s'éparpiller, en larges gouttes, sur son tablier blanc. Ce matin-là, je ne pus manger. Peu à peu, cependant, je finis par m'aguerrir ; je me contentais de détourner la tête et de préserver ma soupe de la pluie rouge qui tombait. – En attendant, la situation devenait intolérable. Nous avions essayé, mais en vain, de nous procurer des livres et des journaux ; nous en étions réduits à passer des matinées entières à dormasser et à fumer, nous étirant toutes les vingt minutes, échangeant quelques mots, puis nous renfonçant la tête dans le traversin. Cette déplorable vie durait depuis plusieurs semaines, quand un matin,

Pardon qui, contrairement à son habitude, avait rôdé, toute la journée de la veille, dans la cour, me dit : « Viens-tu respirer un peu l'air des champs ? » Je dressai l'oreille, comme bien vous pensez. – « Il y a un préau réservé aux fous, poursuivit-il ; ce préau est vide ; en grimpant sur le toit des cabanons, et c'est facile grâce aux grilles qui garnissent les fenêtres, nous atteignons la crête du mur, nous sautons et tombons dans la campagne. À deux pas de ce mur, s'ouvre une des portes d'Évreux. Qu'en dis-tu ?

– Je dis… je dis que je suis tout disposé à sortir, mais comment ferons-nous pour rentrer ?

– Je n'en sais rien ; partons d'abord, nous aviserons ensuite. Lève-toi, on va servir la soupe, nous sautons sur le mur après. »

Je me lève. L'hôpital manquait d'eau, de sorte que j'en étais réduit à me débarbouiller avec de l'eau de Seltz que la sœur m'avait fait avoir. Je prends mon siphon, je vise Pardon qui crie feu, je presse la détente, la décharge lui arrive en pleine figure ; je me pose à mon tour devant lui, je reçois le jet dans la barbe, je me frotte le nez avec la mousse, je m'essuie. Nous sommes prêts, nous descendons. Le préau est désert ; nous escaladons le mur. Pardon prend son élan et saute. Je suis assis à califourchon sur la crête, je jette un regard rapide autour de moi ; en bas, un fossé et de l'herbe ; à droite, une des portes de la ville ; au loin, une forêt qui moutonne et enlève ses déchirures d'or rouge sur une bande de bleu pâle. Je suis debout ; j'entends du bruit dans la cour, je saute ; nous rasons les murailles, nous sommes dans Évreux !

Si nous mangions ? – Adopté. – Chemin faisant, à la recherche d'un gîte, nous apercevons deux petites femmes qui combinent des airs de scélérates avec des minois de jeunes vierges ; nous les suivons, nous leur offrons à déjeuner. Elles refusent… naturellement ; nous insistons… elles disent non, plus doucement ; nous insistons encore, elles disent oui. – Nous allons chez elles, avec un pâté, des bouteilles, des œufs, un poulet froid. – Elles habitent une masure d'assez misérable aspect ; on y grimpe par un escalier en limaçon, baveux et noir, mais la chambre n'est pas mal, claire, propre, tendue de papier moucheté de fleurs lilas et feuillé de vert d'eau. Nous dressons la table ; nous regardons d'un œil goulu ces amours de petites femmes qui tournent tout autour ; le couvert est long à mettre, car nous les arrêtons au passage pour les embrasser ; elles sont, au reste, singulièrement affriolantes avec leurs yeux raiguisés, leur bouche tentante, leur taille souple, et avec cela bêtes à faire plaisir, coquines à faire plus plaisir encore ! – Je découpe le poulet, les bouchons sautent, les bouteilles versent leur rouge salive dans les verres, le café fume dans les tasses, nous le dorons avec du cognac ; ma tristesse s'envole, le punch s'allume, les flammes bleues du kirsch voltigent dans le saladier qui crépite ; les femmes sont dépoitraillées, leurs affutiaux, leurs rubans sont au pillage. Soudain quatre coups sonnent lentement au cadran de l'église. Il est quatre heures. Et l'hôpital, Seigneur Dieu ! nous l'avions oublié ! Je deviens pâle, Pardon me regarde avec effroi ; nous nous arrachons des bras de nos belles, nous sortons au plus vite. – « Comment rentrer ? dit le peintre. – Hélas ! nous n'avons pas le choix ; nous arriverons juste pour l'heure de la soupe. – À la grâce de Dieu, passons par la grande porte ! » – Nous arrivons, nous sonnons ; la sœur concierge vient nous ouvrir et reste ébahie. Nous la saluons, et je dis assez haut pour être entendu d'elle : « Sais-tu, dis donc, qu'ils ne sont pas aimables à l'intendance, le gros surtout nous a reçus plus ou moins poliment. » La sœur qui écoute semble revenir de sa surprise. Nous courons au grand galop vers la chambrée ; il était temps ; j'entendais la voix de sœur Angèle qui distribuait les rations. Je me couche au plus vite sur mon lit, elle me regarde, trouve à mes yeux un éclat inaccoutumé, et me dit avec intérêt : « Souffrez-vous davantage ? » Je la rassure et je lui réponds : « Ô chère sœur, cette prison me tue ! » Quand je lui disais de semblables choses, elle ne répondait pas, mais ses lèvres se serraient, ses yeux prenaient une indéfinissable expression de mélancolie et de pitié. Un jour même que j'essayais d'oublier dans l'assoupissement les implacables heures, elle m'avait dit : « Oh ! vous me répétez sans cesse que cette vie vous est odieuse, allons, avouez-le, vous regrettez votre Paris et ses joies », et sa bouche se contracta en un hautain sourire. Puis elle se fit plus douce, et ajouta avec sa petite moue charmante : « Vous n'êtes vraiment pas sérieux, monsieur le militaire ! »

Le lendemain matin nous convenons, le peintre et moi, qu'aussitôt la soupe avalée, nous escaladerons de nouveau les murailles. À l'heure dite, nous rôdons autour du préau, la porte est fermée ! Bast, tant pis ! dit Pardon, en avant ! et il se dirige vers la grande porte de l'hôpital. Je le suis. La sœur tourière nous demande où nous allons. À l'intendance ! la porte s'ouvre, nous sommes dehors. Arrivés sur la grande place de la ville, en face de l'église, j'avise, tandis que nous contemplions les sculptures du porche, un gros monsieur, une face de lune rouge, bossuée d'un nez en flûte d'alambic et de deux petits yeux d'un vert de câpre, qui nous regardait avec étonnement. Impatientés par ce regard qui ne nous quitte pas, nous le dévisageons à notre tour, effrontément et riant et nous gaussant de lui ; nous poursuivons notre route. Pardon mourait de soif (il mourait souvent de cette maladie !) ; nous entrons dans un café et tout en dégustant ma demi-tasse que j'égaie avec quelques gouttes d'un tord-boyaux qui, sous le rapport de la force, ne laissait rien à désirer, je jette les yeux sur le journal du pays et j'y trouve un nom qui me fait rêver. Je ne connaissais pas, à vrai dire, la personne qui le portait, mais ce nom rappelait en moi des souvenirs effacés depuis longtemps. Je me souvenais, en effet, que l'un de mes amis avait un parent haut placé dans la ville d'Évreux. Il faut absolument que je le voie, dis-je au peintre ; je demande son adresse au cafetier, il l'ignore ; je sors et je vais chez tous les boulangers et chez tous les pharmaciens que je rencontre. Tout le monde mange du pain et boit des potions, il est impossible que l'un de ces industriels ne connaisse pas l'adresse de M. de Chévillage ! Je la trouve, en effet ; j'époussette ma vareuse, j'achète une cravate noire, des gants, je donne rendez-vous à Pardon dans un autre café, et je vais sonner doucement à la grille d'un hôtel qui dresse ses façades de briques et ses toitures d'ardoises dans le fouillis d'un parc. Un domestique m'introduit. M. de Chévillage est absent, mais Madame est là. J'attends, pendant quelques secondes, dans un salon, la portière se soulève et une vieille dame paraît. Elle a l'air si affable que je suis rassuré. Je lui explique en quelques mots qui je suis.

– Monsieur, me dit-elle, avec un bon sourire, j'ai beaucoup entendu parler de votre famille, je crois même avoir vu madame votre mère lors de mon dernier voyage ; vous êtes ici le bienvenu.

Nous causons longuement. Mme de Chévillage me prie d'accepter de l'argent si j'en manque ; je refuse naturellement, et je lui dis : – Mon Dieu ! madame, s'il vous était possible de me faire retourner à Paris, vous me rendriez un bien grand service ; les communications vont être prochainement interceptées, si j'en crois les journaux ; on parle d'un nouveau coup d'État ou du renversement de l'Empire, j'ai grand besoin de retrouver ma mère et surtout de ne pas me laisser faire prisonnier ici, si les Prussiens y viennent.

Sur ces entrefaites rentre M. de Chévillage. Il est mis, en deux mots, au courant de la situation.

– Si vous voulez prendre votre képi et venir avec moi chez le médecin de l'hospice, me dit-il, nous n'avons pas de temps à perdre.

– Chez le médecin ! bon Dieu ! et comment lui expliquer ma sortie de l'hôpital ? Je n'ose souffler mot ; je suis mon protecteur, me demandant comment tout cela va finir. Nous arrivons, le docteur me regarde d'un air stupéfait. Je ne lui laisse pas le temps d'ouvrir la bouche et je lui débite avec une prodigieuse volubilité un chapelet de jérémiades sur ma triste position. M. de Chévillage prend à son tour la parole et lui demande, en ma faveur, un congé de convalescence de deux mois. – Monsieur est, en effet, assez malade, dit le médecin, pour avoir droit à deux mois de repos ; si mes collègues et si le général partagent ma manière de voir, votre protégé pourra, sous peu de jours, retourner à Paris. – C'est bien, réplique M. de Chévillage, je vous remercie, monsieur le docteur, je parlerai, ce soir même, au général. Nous sommes dans la rue, je pousse un soupir de soulagement, je serre la main de l'excellent homme qui veut bien s'intéresser à moi, je cours à la recherche de Pardon. Nous n'avons que bien juste le temps de rentrer, nous arrivons à la grille de l'hôpital ; je sonne, je salue la sœur. Elle m'arrête. – Ne m'avez-vous pas dit, ce matin, que vous alliez à l'Intendance ? – Mais certainement, ma sœur. – Eh bien ! le général sort d'ici. Allez voir le directeur et la sœur Angèle, ils vous attendent ; vous leur expliquerez, sans doute, le but de vos visites à l'Intendance. Nous remontons, tout penauds, l'escalier du dortoir. Sœur Angèle est là qui m'attend et me dit : – Jamais je n'aurais cru pareille chose, vous avez couru par toute la ville, hier et aujourd'hui, et Dieu sait la vie que vous avez menée ! – Oh ! par exemple, m'écriai-je. Elle me regarda si fixement que je ne soufflai plus mot. Toujours est-il, poursuivit-elle, que le général vous a rencontrés aujourd'hui même sur la Grand-Place. J'ai nié que vous fussiez sortis et je vous ai cherchés par tout l'hôpital. Le général avait raison, vous n'étiez pas ici. Il m'a demandé vos noms ; j'ai donné celui d'un d'entre vous, j'ai refusé de livrer l'autre et j'ai eu tort, bien certainement, car vous ne le méritez pas ! – Oh ! combien je vous remercie, ma sœur… Mais sœur Angèle ne m'écoutait pas, elle était indignée de ma conduite ! Je ne pouvais cependant lui dire : « Chère et bonne sœur, je vous aime et je vous vénère, mais je suis jeune, les petites femmes fringantes m'ont toujours tourné la tête ; c'est plus fort que moi, jamais je n'ai pu résister aux sourires polissons des filles ; je n'ai qu'une envie, alors que je les vois, ces damnés sourires : c'est de baiser à pleine bouche les lèvres qui les envoient ! »

En attendant, sœur Angèle parlait, parlait sans s'arrêter ; je n'avais qu'un parti à prendre : me taire et recevoir l'averse sans même essayer de me mettre à l'abri. Pendant ce temps, Pardon était invité à comparoir devant le directeur ; et comme, je ne sais trop pourquoi, il était au plus mal avec le médecin et avec les religieuses, il lui fut annoncé qu'il partirait le lendemain matin pour rejoindre son corps.

« Ces drôlesses chez lesquelles nous avons déjeuné hier nous ont vendus ! m'affirmait-il, furieux, c'est le directeur lui-même qui me l'a dit ! » Tandis que nous maudissions ces coquines, le bruit court que la république est proclamée. L'hôpital saute de joie ; je donne vingt sous à un vieillard qui pouvait sortir et qui nous rapporte un numéro du *Gaulois*. La nouvelle est vraie : Pardon exulte : Enfoncé, Badingue ! ce n'est pas trop tôt. Le lendemain matin, nous nous embrassons et il part. – À bientôt, me crie-t-il, en fermant la grille, et rendez-vous à Paris !

Oh ! les journées qui suivirent ce jour-là ! Quelles souffrances ! quels ennuis ! Impossible de sortir de l'hôpital, une sentinelle se promenait, en mon honneur, de long en large devant la porte. J'eus cependant le courage de ne pas m'essayer à dormir, je me promenai de long en large dans le préau ; je rôdais ainsi douze heures durant, me rongeant les poings d'impatience, n'ayant qu'une idée, qu'un but : fuir au plus vite cette lamentable geôle. En attendant, les jours se passaient, les Chévillage semblaient m'avoir oublié, et j'attribuais leur silence à mes escapades qu'ils avaient sans doute apprises. Bientôt, à toutes ces angoisses, vinrent s'ajouter de lancinantes douleurs ; mal soignées et exaspérées par les prétentaines que j'avais courues, mes entrailles flambaient. Je souffris tellement que j'en vins à craindre de ne plus pouvoir supporter le voyage. Je dissimulais mes souffrances, craignant que le médecin ne me forçât à demeurer plus longtemps encore à l'hôpital. Je gardai le lit quelques jours, puis comme je sentais mes forces diminuer, je voulus me lever quand même et je descendis dans la cour. Sœur Angèle ne me parlait plus et le soir, alors qu'elle faisait sa ronde dans les corridors et les chambrées, se détournant pour ne pas voir le point de feu des pipes qui luisait dans l'ombre, elle passait devant moi, indifférente et froide, ne me jetant plus, comme autrefois, une bonne parole, un doux regard.

Une matinée, cependant, que je me traînais dans la cour et m'affaissais sur tous les bancs, elle me vit si changé et si pâle, qu'elle ne put se défendre d'un mouvement de compassion. Le soir, après qu'elle eut terminé sa visite des dortoirs, je m'étais accoudé sur mon traversin, et les yeux grands ouverts, je regardais les traînées bleuâtres que la lune jetait par les fenêtres du couloir, quand la porte du fond s'ouvrit de nouveau et j'aperçus, tantôt baignée de vapeurs phosphoriques et comme poudrée de limaille d'argent, tantôt sombre et comme vêtue d'un crêpe noir, selon qu'elle passait devant les croisées ou devant les murs, sœur Angèle, qui venait à moi. Elle souriait doucement et ses yeux avaient une expression de bonté telle que j'y lus le pardon de mes gaudrioles et de mes fredaines. – Demain matin, me dit-elle, vous passerez la visite des médecins. J'ai vu Mme de Chévillage aujourd'hui, il est probable que vous partirez dans deux ou trois jours pour Paris. Je fais un saut dans mon lit, ma figure s'éclaire, je voudrais pouvoir sauter et chanter, jamais je ne fus plus heureux. Le matin se lève, je m'habille, et, clopin-clopant, je me dirige vers la salle où siège une imposante réunion d'officiers et de médecins.

Un à un, les soldats étalaient des torses creusés de trous ou bouquetés de poils. Le général se grattait un ongle, le colonel de la gendarmerie s'éventait avec un papier, les médecins causaient en palpant les hommes. Mon tour arrive enfin, l'on m'examine des pieds à la tête, l'on me pèse sur le ventre qui est gonflé et dur comme un ballon, et, à l'unanimité des voix, le conseil m'accorde un congé de convalescence de soixante jours. Je vais enfin revoir ma mère ! retrouver mes bibelots, mes livres ! je ne sens plus ce fer rouge qui me brûle les entrailles, je saute comme un cabri. Je vais trouver sœur Angèle, je la prie de m'obtenir une permission de sortie pour aller remercier les Chévillage, qui ont été si bons pour moi. Elle va trouver le directeur et me la rapporte ; je cours chez ces braves gens, je vais chercher ma feuille de route à l'Intendance, je rentre à l'hospice, je n'ai plus que quelques minutes à moi, je me mets en quête de sœur Angèle que je trouve dans le jardin, et je lui dis, tout ému : « Ô chère sœur, je pars ; comment pourrai-je jamais m'acquitter envers vous ! » Je lui prends la main qu'elle veut retirer et je la porte à mes lèvres. Elle devient rouge. Adieu ! murmure-t-elle, et, me menaçant du doigt, elle ajoute gaiement : Soyez sage, et surtout ne faites pas de mauvaises rencontres en route. – Oh ! ne craignez rien, bonne sœur Angèle ! je vous le promets, L'heure sonne, la porte s'ouvre, je me précipite vers la gare, je saute dans un wagon, le train siffle et s'ébranle ; j'ai quitté Évreux.

La voiture est à moitié pleine, mais j'occupe heureusement l'une des encoignures. Je dépose mon sac sous la banquette et n'ayant rien de mieux à faire, je contemple mes compagnons de voyage. Ce sont, pour la plupart, des paysans et des paysannes, des têtes de courges, des barbes de feuilles d'artichauts, des peaux de tomates. Tout cela sent le lait suri et le ferment des sueurs ; tout cela se mouche, crache, éternue, souffle, bruit, braille, fume, chique, jabote et grogne, un wagon de 3e classe enfin !

Peu à peu, cependant, la voiture se vide aux stations, je n'ai plus à côté de moi que deux voyageurs, un monsieur pléthorique, qui bougonne sans cesse, et une grande femme maigre qui dorlote sur ses genoux un affreux marmot plein de gourme.

Ledit marmot plein de gourme dormait, les poings fermés, quand une secousse du wagon le réveille. Il voit les joues rouges, les yeux blancs, la moustache hérissée du monsieur, et le prenant sans doute pour l'ogre des contes de fées, se met à piailler de lamentable façon. Le monsieur rugit et invite la mère à fourrer dans le bec de sa progéniture un mouchoir en guise de tampon ; la pauvre femme était blême, elle remuait l'enfant, le secouait, la tête en bas, les jambes en l'air, le roulait sur ses genoux comme une crêpe dans du sucre, rien n'y faisait, le galopin s'étranglait à force de brailler ; heureusement que cette nourricière descend avec son poupon à la première gare ; je pousse un soupir de soulagement et je mets le nez à la fenêtre. Je vois quelques arbres écimés, quelques bouts de collines qui serpentent au loin, et un pont qui enjambe un petit étang dont la robe de lentilles vertes semble le revêtir comme d'un glacis de pistache. Tout cela n'est pas bien gai. Je me renfonce dans mon coin, quand la portière s'ouvre et livre passage à une jeune femme.

Tandis qu'elle s'assied et défripe sa robe, j'entrevois sa figure sous l'envolée du voile. Elle est charmante avec ses yeux pleins de bleu de ciel, d'éclairs, de mouillures nacrées, selon qu'elle sourit ou rêve, ses lèvres de pourpre, ses dents blanches comme des quartiers de noix fraîche, ses joues rondelettes et pastellées d'une fleur de rose, sa jambe cendrionesque, sa gorge battant l'étoffe, ses cheveux d'une blondeur d'or, de cette blondeur chaude du vieux vin de Rancio !

J'engageai la conversation ; elle s'appelait Suzanne et peignait des fleurs ; nous devenons les meilleurs amis du monde. Soudain elle pâlit, elle va s'évanouir ; j'ouvre les vitres, je lui tends un flacon de sels que j'ai emporté à tout hasard ; elle me remercie avec un sourire si languissant et si doux que je n'ai pu le retrouver encore sur d'autres bouches. Elle va mieux ; cela ne sera rien, dit-elle, si je pouvais seulement dormir une heure, je serais tout à fait guérie ; je la supplie de se servir de mon manteau comme d'un oreiller, et elle ressemble ainsi à ces esquisses de Lawrence [1], alors qu'il enlève, sur un barbouillage de noir, les contours blancs et rosés d'un visage de femme. Heureusement que le monsieur pléthorique était parti, et que nous étions seuls dans ce compartiment, mais la barrière de bois qui séparait en tranches égales la caisse du wagon ne s'élevait qu'à mi-corps, et l'on voyait et surtout l'on entendait les clameurs et les gros rires des paysans et des paysannes. Je les aurais battus de bon cœur, ces imbéciles, qui troublaient son sommeil ! Je me contentai de les écouter ; des matrones ventrues discutaient entre elles sur les vices et qualités de la république. Dans cette explosion de mots écorchés, dans ce remous de théories inexprimables, j'entendis des aperçus insolites et, j'ose le dire, inconnus jusqu'alors, sur l'influence de ce système de gouvernement, sur la vente des pommes de terre et du beurre ; j'en ai assez, je me bouche les oreilles, j'essaie de dormir, mais cette phrase qui a été dite par le chef de la dernière station : « Vous n'arriverez pas à Paris, la voie est coupée à Mantes », revient dans toutes mes rêveries comme un refrain obstiné. Je rouvre les yeux, ma voisine se réveille, elle aussi ; je ne veux pas l'alarmer et lui faire partager mes craintes, nous causons à voix basse, elle m'apprend qu'elle va rejoindre sa mère à Sèvres. Mais, lui dis-je, le train n'entrera guère dans Paris avant onze heures du soir, vous n'aurez jamais le temps de regagner l'embarcadère de la rive gauche. – Comment faire, dit-elle, si mon frère n'est pas à l'arrivée ? Ô misère ! je suis malade, mon ventre brûle, je ne puis songer à l'emmener dans mon logement de garçon, et puis je veux, avant tout, aller chez ma mère ! Que faire ? Je

1. Sir Thomas Lawrence (1769-1830) : brillant portraitiste de la cour et de l'aristocratie britannique.

la regarde avec angoisse, je prends sa petite main ; à ce moment le train change de voie, la secousse la jette en avant, nos lèvres sont proches, elles se touchent, j'appuie les miennes bien vite, elle devient rouge. Seigneur Dieu ! Sa bouche remue imperceptiblement, elle me rend mon baiser ! un long frisson me court sur l'échine au contact de ces fleurs ardentes ; je me sens défaillir ; ah ! sœur Angèle, sœur Angèle ! si vous pouviez la voir, vous comprendriez que j'aie si vite oublié toutes mes promesses ! En attendant, le train roule sans ralentir sa marche, nous filons à toute vapeur sur Mantes ; mes craintes sont vaines, la voie est libre. Suzanne ferme à demi ses yeux, sa tête tombe sur mon épaule, ses petits frisons d'or s'emmêlent dans ma barbe et me chatouillent les lèvres, je soutiens sa taille qui ploie, je la berce comme un enfant. Paris n'est pas loin, nous passons devant les docks à marchandises, devant les rotondes où grondent, dans une vapeur rouge, les machines en chauffe ; le train s'arrête, on prend les billets. Ô chère mère, je vais donc enfin te revoir ! et Suzanne ? oh ! je ne l'abandonnerai pas ! je la conduirai tout d'abord dans mon logement de garçon. Pourvu que son frère ne l'attende pas à l'arrivée du train ! Nous descendons des voitures, son frère est là. Dans cinq jours, me dit-elle, dans un baiser, et le bel oiseau s'envole ! Cinq jours après, j'étais dans mon lit, atrocement malade, et les Prussiens occupaient Sèvres. Jamais plus depuis je ne l'ai revue.

J'ai le cœur serré, je pousse un gros soupir, ce n'est pourtant pas le moment d'être triste ! Je cahote dans un fiacre, je reconnais mon quartier, j'arrive devant la maison de ma mère, je grimpe les escaliers quatre à quatre, je sonne à toute volée, la bonne ouvre. C'est Monsieur ! et elle saute de joie, ma mère se précipite à ma rencontre, devient pâle, devient rouge, m'embrasse, me regarde des pieds à la tête, s'éloigne un peu, me regarde encore et m'embrasse de nouveau. Pendant ce temps, la bonne a dévalisé le buffet, je dévore tout ce que je trouve, j'avale de grands verres de vin ; à vrai dire, je ne sais ce que je mange et ce que je bois.

Je retourne enfin chez moi pour me coucher ! Je retrouve mon logement tel que je l'ai laissé ; mes bibelots, mes livres semblent me souhaiter la bienvenue. J'allume toutes les bougies pour mieux les voir, c'est un *Te Deum* de couleurs, un hosanna de flammes ! Les cuivres jettent de longs rayonnements de feux rouges et jaunes, les tableaux chinois jubilent et grimacent sur leur fond de vermillon rude, les fleurs s'épanouissent saignantes sur la toile bise des rideaux, une nymphe de terre cuite tend sur la tablette de la cheminée son torse rose, puis les livres se mettent de la fête et s'étirent dans leurs robes multicolores, les assiettes se remuent avec un bruit étouffé de cymbales, les grotesques de Moustiers cabriolent et ricanent, les Rouen [1] secouent leurs panachures et leurs cornes de pourpre, des papillons couleur de rose et d'or volettent dans l'émail bleuâtre des Japons, la vieille table craque et pète de joie, le fauteuil me tend les bras comme un père de Greuze, et, abîmé dans sa longue extase, le moine de Zurbarán émiette entre ses doigts une tête de mort, et semble prier pour mes débordements, alors que, robe troussée et ventre à l'air, une nymphe de Boucher me caresse avec des yeux d'effrontée paillarde [2] !

Est-ce ma toilette qui se réveille ou cette polissonne qui m'entoure de cette vague tiédeur, de cette vapeur mourante de maréchale [3] ? Je ne sais ; mais cette odeur me rappelle de si tendres souvenirs que je regarde mon lit qui s'entr'ouvre, blanc, mais peu virginal. Je me déshabille à la hâte, je saute sur le sommier qui bondit, je m'enfouis la tête dans la plume, mes yeux se ferment ; je vogue, à pleines voiles, dans le pays des rêves, il me semble voir Pardon qui allume sa vaste pipe de bois, puis sœur Angèle qui me regarde avec ses grands yeux câlins et sa bouche rieuse ; puis, Suzanne s'avance vers moi, je lui tends les lèvres, je me réveille en sursaut ; je l'avoue à ma honte, je me traite d'imbécile et je me renfonce dans les oreillers, je dors.

---

1. Moustiers, Rouen : faïences et céramiques fabriquées dans les villes de ce nom (Haute-Provence et Normandie).

2. Greuze (1725-1805), Zurbarán (1598-1664), Boucher (1703-1770) : ces noms de peintres, mentionnés en vrac, marquent l'éclectisme artistique du narrateur.

3. Maréchale : poudre cosmétique pour les cheveux et les perruques.

CHRONOLOGIE

Parmi les chronologies détaillées de la vie et de l'œuvre de J.-K. Huysmans, on signalera celles de Marc Fumaroli (*À rebours*, Gallimard, « Folio classique », 1977, p. 373-380), de Pierre Cogny (*Cahiers de l'Herne*, « J.-K. Huysmans », 1985, p. 18-24) et de Dominique Millet (*En route*, Gallimard, « Folio classique », 1996, p. 527-542).

1848, 5 février : Naissance à Paris, rue Suger, de Charles Marie Georges Huysmans.

1856 : Mort de son père. Sa mère s'installe rue de Sèvres. L'orphelin entre en pension à l'institution Hortus, 94, rue du Bac.

1857 : Remariage de sa mère avec Jules Og, qui achète un atelier de brochage, rue de Sèvres.

1860 : Première communion ; confirmation l'année suivante.

1862 : Études au lycée Saint-Louis.

1866 : Réussite au baccalauréat où il se présente en candidat libre. Employé de sixième classe au ministère de l'Intérieur et des Cultes. Il y accomplira l'intégralité de sa carrière.

1867 : Mort de Jules Og. Huysmans publie son premier article dans la *Revue mensuelle* (« Des paysagistes contemporains »).

1870 : Enrôlé dans la Garde nationale mobile de la Seine. Commis aux écritures du ministère de la Guerre.

1871 : Affecté à Versailles avec son ministère. Il envisage d'écrire un roman sur le siège de Paris, *La Faim*, qui reste à l'état d'ébauche.

1874 : Adopte le prénom de Joris-Karl pour publier, à compte d'auteur, un recueil de poèmes en prose, *Le Drageoir à épices* (qui sera réédité l'année suivante sous le titre *Le Drageoir aux épices*).

1875 : Collabore au *Musée des Deux Mondes* et à *La République des Lettres* (chroniques, proses poétiques, transpositions d'art).

1876 : Mort de la mère de Huysmans qui devient tuteur de ses deux demi-sœurs et responsable de l'atelier de la rue de Sèvres. Muté au ministère de l'Intérieur et des Cultes. *Marthe, histoire d'une fille* est publiée à Bruxelles, où Huysmans rencontre C. Lemonnier et Th. Hannon. Il participe au groupe des Cinq, au côté de Zola (avec Alexis, Céard, Hennique, Maupassant). Nommé à la Sûreté générale, rue des Saussaies. Préface (non publiée) de *Gamiani* de Musset.

1877 : Publie une étude sur « Émile Zola et *L'Assommoir* » dans la revue bruxelloise *L'Actualité*. Dîner chez Trapp des amis de Médan avec G. Flaubert et Ed. de Goncourt. ***Sac au dos* dans la revue de Th. Hannon, *L'Artiste* à Bruxelles (août-septembre).**

1879 : *Les Sœurs Vatard* chez Charpentier, avec une dédicace à Émile Zola. Le « Salon de 1879 » dans *Le Voltaire*, sur la recommandation de Zola.

1880 : ***Les Soirées de Médan* chez Charpentier. Huysmans y collabore avec *Sac au dos*,** Maupassant avec « Boule de suif ». *Croquis parisiens*, poèmes en prose, chez H. Vaton, illustrés par Forain et par Raffaëlli. Le « Salon de 1880 », dans *La Réforme*.

1881 : *En ménage*, chez Charpentier. En collaboration avec L. Hennique : *Pierrot sceptique*, pantomime non représentée. Juillet-septembre : séjour à Fontenay-aux-Roses ; septembre-octobre : séjour au château de Lourps. *Rimes de joie* de Th. Hannon, avec une préface de Huysmans.

1882 : ***À vau-l'eau*, à Bruxelles, chez Kistemaekers**.

1883 : *L'Art moderne*, chez Charpentier. Huysmans y célèbre les impressionnistes, G. Moreau, O. Redon, et d'autres.

1884 : *À rebours*, chez Charpentier (de nombreux comptes rendus dans la presse du temps). ***Un dilemme*, dans *La Revue indépendante* (septembre-octobre).**

1885 : « J.-K. Huysmans » dans la série « Les Hommes d'aujourd'hui » de Vanier (Huysmans rédige cet entretien qu'il signe du nom de sa maîtresse, A. [Anna] Meunier).

1886 : *En rade* dans *La Revue indépendante*. Nouvelle édition augmentée de *Croquis parisiens*.

1888 : ***Un dilemme* en volume. *La Retraite de Monsieur Bougran*, nouvelle dont *The Universal Review* refuse la publication.**

1889 : *Certains*, chez Stock (une vingtaine d'articles, dont « Degas », « G. Moreau », « F. Rops », « Wagner », « Whistler », « Le Monstre », « Le Fer »).

1890 : Entre en relations avec l'abbé Boullan, prêtre interdit. *La Bièvre* (première publication en 1877, dans *La République des Lettres*).

1891 : *Là-bas*. Répond à l'enquête de J. Huret sur l'« évolution littéraire » (il y est placé au nombre des naturalistes, sous le patronage de Ed. de Goncourt et de Zola). Reçoit les visites de P. Valéry, de A. Symons, de A. Gide. Pèlerinage à La Salette. Travaille à un roman, *Là-haut*, qui demeurera inachevé.

1892 : Première retraite à la Trappe de Notre-Dame d'Igny, dans la Marne. Préface *Le Latin mystique* de Remy de Gourmont, édité au Mercure de France.

1893 : Deuxième séjour à la Trappe d'Igny. Nommé chevalier de la Légion d'honneur.

1894 : Nouveau séjour à la Trappe. Préface les *Poésies religieuses* de P. Verlaine, chez Messein. ***À vau-l'eau*, Tresse et Stock.**

1895 : *En route*, chez Stock. Préface *Le Satanisme et la magie* de Jules Bois, ainsi que *Le Petit Catéchisme liturgique* des abbés Dutilliet et Vigourel.

1896 : Séjour à l'abbaye de Solesmes. Préface une réédition d'*En route* ainsi que *Paul Verlaine et ses portraits* de F.A. Cazals.

1898 : *La Cathédrale*, chez Stock, dédiée à l'abbé Ferret. Huysmans prend sa retraite au titre de chef de bureau honoraire de première classe. Séjour à Solesmes puis à Ligugé. Publie chez Stock une anthologie de *Pages catholiques*, avec une préface de l'abbé Mugnier. *La Bièvre*, augmentée de *Saint-Séverin*, chez Stock.

1900 : Cérémonie de vêture de l'oblat. Huysmans à Ligugé. Il est élu premier président de l'académie Goncourt.

1901 : *Sainte Lydwine de Schiedam*, chez Stock. Séparation de l'Église et de l'État : les moines doivent quitter Ligugé. Huysmans s'installe à Paris, rue Monsieur, dans une annexe du couvent des bénédictines. *De Tout*, chez Stock (la plupart des textes portent sur des types, des lieux, des personnalités).

1902 : *Esquisse biographique sur Dom Bosco.* S'installe au 60, rue de Babylone. Premiers symptômes d'un cancer de la gorge.

1903 : *L'Oblat*, chez Stock. Voyage à Lourdes. Préface pour une édition hors commerce d'*À rebours*, à la demande d'un cercle d'amateurs belges, « Les Cent bibliophiles ».

1904 : S'installe au 31, rue Saint-Placide.

1905 : *Trois Primitifs*, chez Vanier-Messein.

1906 : *Les Foules de Lourdes*, chez Stock.

1907 : Officier de la Légion d'honneur. Meurt le 12 mai. Obsèques à Notre-Dame-des-Champs. Inhumé au cimetière Montparnasse.

Principales éditions posthumes

1908 : *Trois Églises et Trois Primitifs*, Vanier-Messein.

1927 : *En marge*, préfaces assemblées par L. Descaves, M. Lesage.

1928-1934 : *Œuvres complètes* en 23 volumes (t. I à XVIII), G. Crès et Cie.

1964 : ***La Retraite de Monsieur Bougran*, éd. de M. Garçon, J.-J. Pauvert.**

1965 : *Là-haut* (roman inachevé), édition de P. Cogny, Casterman.

1984 : *Croquis et eaux-fortes,* édition de D. Grojnowski, Le Temps qu'il fait.

1988 : *Là-haut ou Notre-Dame-de-la-Salette*, éd. M. Barrière, Presses universitaires de Nancy.

2002 : *Interviews*, recueillis, présentés et annotés par J.-M. Seillan, Honoré Champion.

BIBLIOGRAPHIE SÉLECTIVE

L'homme, l'œuvre, le style

M. Cressot, *La Phrase et le vocabulaire de Joris-Karl Huysmans* [1938], Slatkine Reprints, 1975.

R. Baldick, *La Vie de Joris-Karl Huysmans*, traduit de l'anglais par M. Thomas, Denoël, 1958.

A. Vircondelet, *Joris-Karl Huysmans*, Plon, 1990.

J. Borie, *Huysmans. Le Diable, le célibataire et Dieu*, Grasset, 1991.

G. Bonnet, *L'Écriture comique de Joris-Karl Huysmans*, Honoré Champion, 2003.

Correspondance de Joris-Karl Huysmans

Lettres inédites à Émile Zola, publiées et annotées par Pierre Lambert, Droz, 1953.

Lettres inédites à Edmond de Goncourt, publiées et annotées par Pierre Lambert, Nizet, 1956.

Lettres inédites à Camille Lemonnier, publiées et annotées par Gustave Vanwelkenhuyzen, Droz-Minard, 1957.

Lettres inédites à Jules Destrée, publiées et annotées par Gustave Vanwelkenhuyzen, Droz-Minard, 1967.

Lettres à Th. Hannon, édition présentée et annotée par Pierre Cogny et Christian Berg, Ch. Pirot, 1985.

L. Bloy, J.-K. Huysmans, Villiers de l'Isle-Adam, *Lettres. Correspondance à trois*, éditée par Daniel Habrekorn, Thot, 1980.

On trouvera une recension complète de la correspondance dans le *Bulletin de la Société Joris-Karl Huysmans*, n° 87, 1994.

OUVRAGES COLLECTIFS SUR JORIS-KARL HUYSMANS

Bulletin de la Société Joris-Karl Huysmans (99 numéros, depuis 1928).

Cahiers de la Tour Saint-Jacques, mai-juin 1957.

Mélanges Pierre Lambert, Nizet, 1975.

Revue des sciences humaines, n° 170-171, 1978.

Cahiers de l'Herne, n° 47, 1985.

Huysmans. Une esthétique de la décadence (Actes du colloque de Mulhouse, Bâle et Colmar, 1984), Honoré Champion, 1987.

Bérénice, n° 25, 1989.

Huysmans, entre grâce et péché (Actes du colloque organisé par l'Institut catholique de Paris), Beauchesne, 1991.

Huysmans, à côté et au-delà (Actes du colloque de Cerisy-la-Salle, 1998), Peeters et Vrin, 2001.

Joris-Karl Huysmans, dir. M. Smeets, Amsterdam-New York, Rodopi, 2003.

Joris-Karl Huysmans : la modernité d'un anti-moderne, dir. V. De Gregorio Cirillo et M. Petrone, Naples, L'Orientale Editrice, 2003.

Europe, 2005.

SUR LES NOUVELLES DE HUYSMANS

Sac au dos

P. LAMBERT, « Huysmans sac au dos », *Bulletin de la Société des amis de Joris-Karl Huysmans*, n° 28, 1954.

R. BALDICK, *La Vie de Joris-Karl Huysmans*, traduit de l'anglais par M. Thomas, Denoël, 1958 (chap. III).

G. BONNET, « *Sac au dos* ou la déculottée », in C. Becker, A. Simone Dufief et J.-L. Cabanès, *Ironie et inventions naturalistes*, Recherches interdisciplinaires sur les textes modernes, n° 7, Nanterre, 2002.

J.-M. SEILLAN, « Joris-Karl Huysmans, écrivain scatolique », in C. Becker, A. Simone Dufief et J.-L. Cabanès, *Ironie et inventions naturalistes*, *ibid.*

À vau-l'eau

F. FABRE, « M. Folantin, type littéraire », *Bulletin de la Société Joris-Karl Huysmans*, n° 32, 1956.

Ch. LLOYD, « *À vau-l'eau* : le monde indigeste du naturalisme », *Bulletin de la Société Joris-Karl Huysmans*, n° 32, 1956.

M. ISSACHAROFF, « Huysmans et la structure métaphorique du récit », in *L'Espace et la nouvelle*, José Corti, 1976.

F. GAILLARD, « Seul le pire arrive. Schopenhauer à la lecture d'*À vau-l'eau* », in *Huysmans à côté et au-delà*, sous la direction de J.-P. Bertrand, S. Duran et F. Grauby, Peeters et Vrin, 2001.

G. BONNET, *L'Écriture comique de Joris-Karl Huysmans*, Honoré Champion, 2003 (2e partie).

Un dilemme

J. SOLAL, « Le code qui tue. À propos d'*Un dilemme* », *Bulletin de la Société Joris-Karl Huysmans*, n° 97, 2004.

J.-M. SEILLAN, « Les dessous d'*Un dilemme* », *ibid.*, n° 98, 2005.

La Retraite de Monsieur Bougran

A.-M. BIJAOUI-BARON, « La Retraite de Monsieur Huysmans », *Bulletin de la Société Joris-Karl Huysmans*, n° 71, 1980.

F. FABRE, « Esthète ou fonctionnaire : des Esseintes et Monsieur Bougran », *Cahiers de l'Herne*, « Huysmans », n° 47, 1985.

J.-M. SEILLAN, « Monsieur Bougran ou la rébellion involontaire », *Bulletin de la Société Joris-Karl Huysmans*, n° 85, 1992.

M. DE LAUTIER, « Tribulations d'un personnage et d'un manuscrit de Huysmans », *Revue de la Bibliothèque nationale de France*, n° 23, 2006.

Ouvrages généraux sur la nouvelle

M. Issacharoff, *L'Espace et la nouvelle*, José Corti, 1976.

F. Goyet, *La Nouvelle (1870-1925)*, PUF, « Écritures », 1993.

D. Grojnowski, *Lire la nouvelle*, Dunod-Nathan, 1993.

T. Ozwald, *La Nouvelle*, Hachette, « Contours littéraires », 1996.

R. Godenne, *Nouvelles des siècles. 44 histoires du* XIXe *siècle* (anthologie), Omnibus, 2000.

TABLE

NOUVELLES

GF Flammarion

206070-II-2016 – Impression MAURY IMPRIMEUR, 45330 Malesherbes.
N° d'édition L.01EHPN000105.C005. – Novembre 2010. – Printed in France.